Bo

Die Livlaender auf auswaertigen Universitaeten in vergangenen Jahrhunderten

1. Serie, Prag, Koeln, Erfurt, etc.

Boethfuehr, H.J.

Die Livlaender auf auswaertigen Universitaeten in vergangenen Jahrhunderten

1. Serie, Prag, Koeln, Erfurt, etc.

Inktank publishing, 2018

www.inktank-publishing.com

ISBN/EAN: 9783750116788

Die Livländer

auf auswärtigen Universitäten

in vergangenen Jahrhunderten.

Erste Serie:

Prag. Köln. Erfurt. Rostock. Heidelberg. Wittenberg. Marburg. Leyden. Erlangen.

Von

H. J. Böthführ.

Festschrift

der Gesellschaft für Geschichte und Alterthumskunde der Ostseeprovinzen Russlands zur Feier ihres fünfzigjährigen Bestehens am 6. December 1884.

C.

Riga 1884.

Buchdruckerei von W. F. Häcker.

Inhaltsverzeichniss.

Bei der Vertiefung und Ausdehnung des historischen Quellenstudiums in neuerer Zeit hat man die Aufmerksamkeit auch den alten Matrikeln der Universitäten, den Verzeichnissen der Studirenden in den vergangenen Jahrhunderten, zugewandt, und das mit Recht, da in ihnen ein reiches Material vorliegt nicht blos für die Personenkunde eines betreffenden Zeitabschnittes und eines bestimmten Landes und die Genealogie hervorragender Familien, sondern auch für die Culturgeschichte sowol im Allgemeinen, wie auch für die specielle eines in Betracht zu nehmenden Landes.

Im Jahre 1830 brachten die „Monumenta historica universitatis Carolo-Ferdinandeae Pragensis“ ein Verzeichniss der Decane der philosophischen Facultät von 1367—1585 und ein Verzeichniss der Studirenden der juristischen Facultät von 1372—1418. Dr. Foerstemann gab darauf im Jahre 1841 das Album der Wittenbergschen Universität von 1502—1560 heraus. Bei Gelegenheit des hundertjährigen Jubiläums der Friedrich-Alexanders-Universität zu Erlangen im Jahre 1843 wurde die Matrikel dieser Universität veröffentlicht. Bemerkt mag hier werden, dass die Universität Erlangen von dem Markgrafen Friedrich von Brandenburg-Bayreuth am 21. März 1742 in seiner Residenz Bayreuth errichtet, aber im September 1743 nach Erlangen verlegt und deshalb die Säcular-Feier erst im Jahre 1843 abgehalten wurde. Markgraf Alexander liess sich ihre Pflege durch Vermehrung ihrer Mittel und ihrer Institutionen sehr angelegen sein, weshalb sie denn den Namen Friedrich-Alexander-Universität erhielt

Dem folgte im Jahre 1855 von Dr. Theodor Beise die Herausgabe der Matrikel der von Gustav Adolph gegründeten Universität Dorpat von 1632—1665 und von 1690—1710 in den

1

Mittheilungen aus der Geschichte Liv-, Ehst- und Kurlands Bd. VIII. S. 146 bis 191 und 513 bis 549 und Bd. XII. S. 309 bis 332. Die im Jahre 1852 stattgehabte Feier des fünfzigjährigen Jubiläums der heutigen Universität Dorpat hatte die Aufmerksamkeit auf die zu schwedischer Zeit bestanden habende Universität Dorpat gelenkt. Professor Schirren veröffentlichte in den Mittheilungen Bd. VII. S. 1—68 einen Aufsatz: „Zur Geschichte der schwedischen Universität Dorpat" und Dr. August Buchholtz gab ebendaselbst S. 159—273 ein Verzeichniss sämmtlicher Professoren und academischen Beamten der ehemaligen Universitäten zu Dorpat und Pernau, welcher Aufsatz mehr, als die Ueberschrift besagt, enthält, indem er namentlich biographische und literarische Notizen und Nachweise giebt.

In den Jahren 1871 und 1872 erschien in zwei Heften die Matrikel der Universität Marburg von 1527—1571 von Julius Caesar. In dem letzteren Jahre gab Freninger das Matrikelbuch der Universität Ingolstadt-Landshut-München heraus, welches ein Verzeichniss der Rectoren, Professoren und Doctoren von 1472—1872 und der Candidaten (Studenten) von 1772—1872 enthält. In demselben Jahre, 1872, erschien von Dr. Heinrich Zeissberg „Das älteste Matrikelbuch der Universität Krakau," welche Ausgabe aber nicht ein vollständiges Verzeichniss der Studenten, sondern nur Auszüge aus der Matrikel von dort studirt habenden Deutschen und eine Beschreibung des Codex enthält. In letzteren beiden Werken kommen keine Namen von Livländern vor.

Zu der dreihundertjährigen Feier der Universität Leyden erschien das umfangreiche „Album Studiosorum Academiae Lugduno-Batavae" von 1575—1875. Ihm folgte dann die Herausgabe der ältesten Matrikel der Universität Köln von 1388—1425 von Dr. Wilhelm Schmitz in den Programmen des Kaiser Wilhelm Gymnasiums zu Köln von 1878, 1879, 1882 und 1883. Bisher sind jedoch daselbst nur die Aufzeichnungen bis 1406 erschienen. Durch das freundliche Entgegenkommen des Herrn Dr. Konst. Höhlbaum in Köln ist es jedoch möglich geworden, das Verzeichniss der Livländer bis zum Schluss dieser ersten Matrikel aus dem Originalcodex hier fortzuführen. Ueberdies aber steht die Herausgabe dieser und der folgenden Matrikel der

Kölner Universität bis zur Mitte des sechszehnten Jahrhunderts in einiger Zeit zu erwarten, indem auf den Antrag des Herrn Dr. Höhlbaum die Gesellschaft für rheinische Geschichtskunde dieselbe beschlossen und in die bewährte Hand des Herrn Directors Dr. Schmitz gelegt hat. Aus einer späteren Matrikel der Universität Köln von 1502 hat Professor Crecelius in Elberfeld Auszüge von Namen aus den Ostseeprovinzen gemacht, die in den Sitzungsberichten der gelehrten ehstnischen Gesellschaft zu Dorpat vom Jahre 1878 abgedruckt und hier wiederum benutzt sind. Im Jahre 1881 erschienen in den Geschichtsquellen der Provinz Sachsen Bd. VIII. „Acten der Erfurter Universität," bearbeitet von Dr. J. C. Hermann Weissenborn, und unter denselben auch die allgemeine Studentenmatrikel. Erste Hälfte, 1392 bis 1492. Im Sommer dieses Jahres, 1884, folgte dann ein zweiter Band der Acten der Erfurter Universität, welcher neben Anderem auch die zweite Hälfte der allgemeinen Studentenmatrikel von 1492—1636 enthält. Obgleich zur Zeit der Herausgabe desselben der Druck der vorliegenden Schrift schon vorgeschritten war, so konnte doch noch ein Auszug aus der Fortsetzung der Erfurter Studentenmatrikel gebracht und am Schluss hinzugefügt werden. Dieser Auszug ist nun aber sehr dürftig ausgefallen, denn während des betreffenden langen Zeitraums von einhundertundvierzig Jahren sind nur sechs Livländer, und zwar in grossen Zwischenräumen, in Erfurt immatriculirt worden. Auf die Abnahme des Besuchs der Universität Erfurt, namentlich von Livland aus, mag nicht blos die stattgehabte Errichtung verschiedener anderer Universitäten im sechszehnten und im Anfang des siebzehnten Jahrhunderts und der wachsende Ruf einiger unter diesen, sondern auch der Umstand von Einfluss gewesen sein, dass Erfurt unter der Herrschaft der Kurfürsten und Erzbischöfe von Mainz bis an das Ende des siebzehnten Jahrhunderts eine vorwiegend katholische Universität blieb, auch die im Jahre 1566 durch wohlthätige Bürger gestiftete theologische Facultät Augsburgischer Confession sich nicht hatte halten können und im Anfange des siebzehnten Jahrhunderts nur noch dem Namen nach vorhanden war. Auch die andern Facultäten wussten nicht einen hervorragenden dauernden Ruf zu erlangen. So wurde

1*

denn Erfurt vorzugsweise aus Thüringen und den angrenzenden Gebieten besucht, und nur selten trifft man in der langen Reihe von Inscribirten auf Namen aus Norddeutschland und andern entfernteren Ländern. Eine Geschichte der Universität soll der dritte Theil der Acten bringen.

Für die Universität Heidelberg war die Herausgabe der Matrikel in Angriff genommen und es sollte dieselbe im Spätherbst des Jahres 1886 zu dem sodann zu begehenden fünfhundertjährigen Jubiläumsfeste der Universität vollständig erfolgen. Vielfach kundgegebenen Wünschen entsprechend, hat aber der Bearbeiter derselben, Dr. G. Toepke, bereits im Sommer dieses Jahres (1884) den ersten Theil derselben, welcher von 1386—1553 geht, erscheinen lassen*). Der zweite Theil wird

---

*) Die ausführlichen Titel der vorstehend genannten Schriften lauten, wie folgt:

1) Monumenta historica universitatis Carolo-Ferdinandeae Pragensis. Tom I. Liber decanorum facultatis philosophicae ab a. Chr. 1367 usque ad a. 1558. Pragae 1830. Pars 1 u. 2. T. II. Album seu matricula facultatis juridicae universitatis Pragensis ab a. 1372 usque ad a. 1418. Pragae 1834.

2) Album Academiae Vitebergensis ab A. CH. MDII. ad A. MDLX. Ex Autographo edidit Carolus Eduardus Foerstemann. Theologiae et philosophiae doctor. Lipsiae, Sumptibus et typis Caroli Tauchnitii. 1841. 4°. XIII. 373.

3) Personalstand der Friedrich-Alexanders-Universität Erlangen in ihrem ersten Jahrhundert. Erlangen 1843. Druck und Verlag von C. H. Kunstmann. In Commission bei Ferdinand Enke. 8°. XV. u. 311 S.

4) Catalogus Studiosorum scholae Marpurgensis, edidit Julius Caesar. Pars Prima, viginti annorum spatium ab anno MDXXVII usque ad annum MDXLVII. complectens. Marburgi, impensis Elwerti bibliopolae Academici MDCCCLXXV. 4°. 58 S. Pars altera a medio anno MDXLVII. ad medium annum MDLXXI. pertinens. Marburgi imp. Elwerti bibliopoli academici MDCCCLXXVII. 4°. 96 S.

5) Das Matrikelbuch der Universität Ingolstadt-Landshut-München. Rectoren, Professoren, Doctoren 1472—1872. Candidaten 1772—1872. Herausgegeben von Franz Xaver Freninger aus München. München 1872. Druck und Verlag von A. Eichleiter in Friedberg. 8°. 440 S.

6) Das älteste Matrikel-Buch der Universität Krakau. Beschreibung und Auszüge, mitgetheilt durch Dr. Heinrich Zeissberg, o. ö. Professor an der Universität Innsbruck. Festschrift zur 400jährigen Feier der Ludwig-Maximilians-Universität zu München-Innsbruck. Verlag der Wagnerschen Universitätsbuchhandlung. 1872. 8°. 108 S.

7) Album Studiosorum Academiae Lugduno-Batavae MDLXXV ad MDCCCLXXV. Accedunt nomina curatorum et professorum per eadem

die Fortsetzung bis 1662 bringen, leider nur bis zu diesem Jahre, denn der Band der Matrikel, welcher mit dem 22. December 1662 in Gebrauch genommen worden war, ist nicht mehr vorhanden. Wahrscheinlich ist er bei der Einäscherung Heidelbergs durch die Franzosen am 22. Mai 1693 mit der Habe des derzeitigen Rectors Lorenz Croll, in dessen amtlichem Gewahrsam er sich wohl befand, ein Raub der Flammen geworden. Wir müssen daher auf eine vollständige Uebersicht der Heidelberger Studenten überhaupt, und somit auch der Livländer unter ihnen, verzichten. Der dann folgende Band der Originalmatrikel geht vom 5. April 1704 bis zum 7. Juni 1810. Es wäre zu wünschen, dass Herr Dr. Toepke sich der Mühe unterzöge, auch diesen herauszugeben.

---

secula. Hagae comitum apud Martinum Nyhoff. MDCCCLXXV. gr. 4°. LVII. 3 unnumerirte Blätter. 1723 S.

8) Mittheilungen aus den Acten der Universität Köln. Die Aufzeichnungen der ersten Matrikel (1388—1425) von Dr. Wilhelm Schmitz. In den Programmen des Kaiser Wilhelm-Gymnasiums zu Köln. Köln 1878, gedruckt bei J. P. Bachem, Verlagsbuchhändler und Buchdrucker. 4°. S. 1—18. Ebenda 1879. S. 1—36. Ebenda 1882. S. 37—52. Ebenda 1883. S. 53—68.

9) Acten der Erfurter Universität. Herausgegeben von der Historischen Commission der Provinz Sachsen. Bearbeitet von Dr. J. C. Hermann Weissenborn, königlichem Professor und Bibliothekar in Erfurt. I. Theil. 1. Päpstliche Stiftungsbullen; 2. Statuten von 1447; 3. Allgemeine Studentenmatrikel, erste Hälfte (1392—1492). Halle, Druck und Verlag von Otto Hendel. 1881. 4°. XXVII. 442 S. Auch u. d. T. Geschichtsquellen der Provinz Sachsen und angrenzender Gebiete. Herausgegeben von der historischen Commission der Provinz Sachsen. Achter Band. Acten der Erfurter Universität. Erster Theil. — Zweiter Theil. 2a—2.. Allgemeine und Facultätsstatuten von 1390—1636. 3b. Allgemeine Studentenmatrikel. 2. Hälfte (1492—1636). Halle, Druck und Verlag von Otto Hendel, 1884. 4°. XIII. 560 S. Auch u. d. T. Geschichtsquellen der Provinz Sachsen und angrenzender Gebiete. Herausgegeben von der histor. Commission der Provinz Sachsen und angrenzender Gebiete. Achter Band. Acten der Erfurter Universität. Zweiter Theil.

10) Die Matrikel der Universität Heidelberg von 1386—1662. Bearbeitet und herausgegeben von Gustav Toepke, Doctor der Rechte. Erster Theil von 1386—1553. Nebst einem Anhang, enthaltend: I. Calendarium academicum vom Jahre 1387. II. Juramenta intitulandorum. III. Vermögensverzeichnisse der Universität vom Jahre 1396. IV. Accessionskatalog der Universitätsbibliothek von 1396—1432. Heidelberg. Selbstverlag des Herausgebers. In Commission Carl Winter's Universitätsbuchhandlung 1884. gr. 8°. LXXVI und 697 S.

Eine Herausgabe der alten Matrikel der Universität Padua ist vom Professor Dr. Arnold Luschin von Ebenreuth in Wien in Aussicht gestellt.

Die übrigen deutschen Universitäten werden eine Herausgabe ihrer Matrikel wohl noch so lange entbehren müssen, bis auch sie durch eine Jubiläumsfeier die Veranlassung zu derselben erhalten und ihnen die nothwendigen Kosten erwirkt werden. Bis dahin wird man sich mit der Einsicht in die Originale und mit gelegentlich gemachten partiellen Auszügen aus denselben begnügen müssen. Solche hat hinsichtlich der Liv- und Ehstländer, welche in den Jahren 1710—1765 in Halle, Wittenberg, Rostock, Königsberg, Göttingen, Leipzig und Jena studirt haben, J. Eckardt in seiner Schrift: Livland im achtzehnten Jahrhundert, gegeben. Obgleich diese sich nur auf den kurzen Zeitraum von fünfundfünfzig Jahren beziehen, so sind sie doch immerhin eine dankenswerthe Gabe als Beitrag zur Culturgeschichte unserer Provinzen in der angegebenen Zeit.

Bezüglich anderer Länder und Landestheile finden sich Auszüge theils aus noch ungedruckten, theils auch schon gedruckten Universitäts-Matrikeln in folgenden Schriften vor: Jo. Schwab, Quatuor seculorum syllabus rectorum, qui ab anno 1386 ad annum 1786 in alma et antiquissima academia Heidelbergensi magistratum academicum gesserunt. Heidelberg, 1786—90. Diese Schrift enthält, wie schon der Titel besagt, in der Hauptsache die Rectoren, führt aber auch unter der Unterschrift: „Inscripti nobiles ac praecipui“ etliche von jenen Rectoren Immatriculirte auf. — J. de Wal, Nederlanders studenten te Heidelberg en te Genève sedert het begin der kerkhrevorming. Leyden, 1865. — Die Universität Tübingen und die Studenten aus Krain. Festschrift von Th. Elze. Tübingen 1877. S. 88—106. — Die Entwickelung des gelehrten Richterthums von A. Stölzel, Stuttgart 1872, bringt im zweiten Anhang des zweiten Bandes ein Verzeichniss der in Perugia während der Jahre 1511—1656 immatriculirten Deutschen. Livländische Namen kommen unter diesen nicht vor. — Für Schweden und Norwegen finden sich Auszüge aus der Kölner Matrikel in: „Matrikel over nordiske studerende ved Universitetet i Köln in det sextende Jarhundrede ved L. Daae. Kristiania,

Malling Bogtryckeri, 1875. In dem Verfasser finden wir wohl den heutigen liberalen Amtsrichter Daae, welcher nach dem Sturz des norwegischen Ministeriums Selmer durch den norwegischen Reichstag vom Jahre 1883 in dem neugebildeten Ministerium Swendrup das Kriegsministerium übernommen hat. — Della vita e delle opere di Antonio Urceo, detto Codro, von Cav. Dr. Carlo Malagolo. Bologna 1878, enthält Auszüge aus der Matrikel und aus den Annalen der deutschen Studenten zu Bologna. Dieses Werk hat uns nicht vorgelegen und daher hat auch nicht ersehen werden können, ob unter den aufgeführten deutschen Studenten auch Livländer vorkommen. — Das Archiv des Vereins für siebenbürgische Landeskunde N. F. Bd. 10, 1872, enthält einen Aufsatz von Fr. Teutsch: „Die Studirenden aus Ungarn und Siebenbürgen auf der Hochschule in Heidelberg von der Gründung derselben bis 1810“, und S. 164 einen andern von Dr. G. D. Teutsch: „Siebenbürger Studirende auf der Hochschule zu Wien“, und in Bd. XVI, Hermannstadt 1881, S. 321—354 eine Fortsetzung des letzteren Aufsatzes von Dr. G. D. Teutsch: „Siebenbürger Studirende auf der Hochschule zu Wien in dem fünfzehnten und sechszehnten Jahrhundert“. Derselbe Bd. XVI. bringt ferner S. 204—226 von Dr. Fritz Teutsch: „Die Studirenden aus Ungarn und Siebenbürgen auf der Universität Leyden von 1575—1875“. — Verzeichnisse von Schülern der Wiener Hochschule aus Ungarn und Siebenbürgen enthält auch die in ungarischer Sprache geschriebene Schrift von Wilhelm Frankl: „Der Schulbesuch (Ungarns) im Vaterlande und im Auslande im 16. Jahrhundert.“ (A hazai és külföldi iskolazas a XVI. szazadbas. Budapest 1873, S. 204—235.) Ferner giebt gleichfalls Verzeichnisse von ungarischen Lehrern und Schülern auf der Wiener Universität Wilh. Traknoi in der in ungarischer Sprache geschriebenen Abhandlung: „Ungarländische Lehrer und Schüler auf der Wiener Universität im 14. und 15. Jahrhundert.“ (Magyarorszagi tanárok és tánulok a bécsi egyetemen à XIV. és XV. szazadban. Budapest 1782.) — Dr. Gustav Toepke brachte in den Geschichtsblättern für Stadt und Land Magdeburg, Mittheilungen des Vereins für Geschichte und Alterthumskunde des Herzogthums und Erzstifts Magdeburg, Jahrg. XIV, 1879, S. 331

u. ff.: „Magdeburger und deren Nachbarn auf der Universität Heidelberg in den Jahren 1386—1662“; ferner ebendaselbst, Jahrg. XVI, 1881, S. 210, Auszüge aus der Matrikel der Universität Basel von 1460—1700, betreffend die dort studirt habenden Magdeburger und Hallenser, und in der Zeitschrift des Harzer Vereins für Geschichte und Alterthumskunde, Jahrgang XVIII, 1880, S. 139 u. ff.: „Die Harzer und deren Nachbarn auf der Universität Heidelberg in den Jahren 1386—1662“. Diese drei letztern Schriften sind mit biographischen Notizen versehen. Aus der ersteren von diesen gab W. Hosäus einen Auszug: „Anhaltiner auf der Universität Heidelberg, 1583—1662“, in den Mittheilungen des Vereins für Anhaltische Geschichte und Alterthumskunde, Bd. II, Dessau 1880, S. 581 u. ff. — Archivrath Dr. Moritz Gmelin veröffentlichte in den Würtembergischen Vierteljahrsheften für Landesgeschichte, Jahrg. III, 1880, S. 177 u. ff.: „Verzeichniss der Studirenden zu Freiburg und Heidelberg aus Orten, die jetzt zum Königreich Würtemberg gehören“. Indessen ist bis jetzt nur der erste Theil, die Studirenden zu Freiburg 1460—1540 betreffend, erschienen. — Die Blätter des Vereins für Landeskunde von Niederösterreich, N. F., Jahrgang XIV., XV. und XVI., Wien. 1880, 1881, 1882, bringen einen interessanten, auch in einer, leider jedoch bereits gänzlich vergriffenen, Separat-Ausgabe, Wien 1882, herausgegebenen Aufsatz grösseren Umfangs unter dem Titel: „Oesterreicher an italienischen Universitäten zur Zeit der Reception des römischen Rechts“ von Professor Dr. Arnold Luschin von Ebenreuth in Wien. Diese Schrift enthält eine Geschichte der Entwickelung der italienischen Universitäten und bringt Auszüge aus Acten und Matrikeln zunächst der Universität Padua, aber auch der Universitäten Ferrara, Perugia und Siena hinsichtlich der Oesterreicher, welche daselbst vom fünfzehnten bis zum siebzehnten Jahrhundert studirt haben, und fügt zugleich Nachrichten über die späteren Lebensstellungen der Studirenden hinzu. — Dr. K. Koppmann in Hamburg brachte in den Mittheilungen des Vereins für Hamburgische Geschichte, 1883, Octoberheft Nr. 10, S. 122—126: „Hamburger Studenten in Erfurt“ und Revisionsrath Balck in Schwerin in den Jahrbüchern für Mecklenburgsche

Geschichte, Bd. XLVIII., 1883, S. 54—88 und S. 339—341: „Mecklenburger auf auswärtigen Universitäten“. Hier sind auch Notizen über den Familienstand der Studirenden und über ihre eigenen späteren Lebensstellungen beigefügt.

Von Livland aus wurden im achtzehnten Jahrhundert ausser den sieben Universitäten, von welchen Eckardt a. a. O. Matrikelauszüge gebracht hat, auch noch Erlangen, Tübingen, Heidelberg und andere besucht, so dass die von Eckardt gegebene Reihe für diesen Zeitraum keineswegs vollständig ist.

Im siebzehnten Jahrhundert finden wir die Söhne unseres Landes vorzugsweise in Rostock und Leyden, dann aber auch in Königsberg, hier namentlich Kurländer; ferner in Leipzig, Jena, Wittenberg und Einzelne auch in Frankfurt a. O., Giessen, Helmstädt, Köln und Strassburg. Rutger Hemsing und Johann Fuhrmann aus Riga wurden zu Padua zu Doctoren der Medicin promovirt, ersterer 1632, letzterer um 1657.

Im sechszehnten Jahrhundert sind Köln, Rostock, Wittenberg, Leipzig und Königsberg die Orte, wohin sich unsere Jugend zur Erlangung wissenschaftlicher Ausbildung wendet. Zwei haben sich auch in Marburg immatriculiren lassen. In Heidelberg erscheinen nach fast hundertjähriger Unterbrechung mit dem Jahre 1531 wiederum auch einige Livländer. Hieher wandten sich wahrscheinlich diese Wenigen, weil sie der katholischen Religion anhängig geblieben waren, und Heidelberg bis zur Mitte des sechszehnten Jahrhunderts eine katholische Universität war, während die norddeutschen Universitäten sich dem Lutherthum zugewandt hatten. Nach den im Jahre 1551 abgefassten und genehmigten Statuten der Artistenfacultät in Heidelberg musste jeder Baccalaureus schwören, dass er treu sein werde der Sacrosanctae catholicae et orthodoxae Romanae ecclesiae et ejus Pontificibus legitime et rite electis. Während die Stadt Heidelberg sich schon 1545 für Luthers Lehre erklärt hatte, folgte ihr die Universität erst 1556 nach, um bald unter dem Kurfürsten Friedrich III. (1559—1583) durch seinen Einfluss einen streng calvinistischen Charakter anzunehmen, woher sie wohl kaum weiter von Livländern besucht sein wird.

Auch italienische Universitäten sind im sechszehnten Jahrhundert von studirenden Livländern besucht worden. Im Jahre 1563 fasste die deutsche Nation auf der Universität Padua den Beschluss, sich nicht blos auf Deutsche zu beschränken, sondern auch Scandinaviern, Preussen, Livländern, Böhmen, Mähren, Ungarn, Siebenbürgern und Schweizern die Aufnahme zu gestatten. Ein solcher Beschluss setzt denn doch voraus, dass ein Zuzug aus Livland stattgehabt habe und nicht selten gewesen sei.

Im fünfzehnten Jahrhundert finden wir Studirende unseres Landes vorzugsweise in Rostock, dann auch einige in Leipzig, Köln, Erfurt und Heidelberg; am letzteren Orte jedoch nur vor der Einrichtung der Universitäten Leipzig (1409) und Rostock (1419). Wahrscheinlich hat die zufällige Anwesenheit des Rigaschen Erzbischofs Johann Wallenrode zu Heidelberg im Jahre 1403 die Veranlassung gegeben, dass in den folgenden Jahren einige Rigenser sich dorthin zum Studiren wandten. Auch italienische Universitäten wurden derzeit von Livländern besucht. Im Jahre 1425 hielt sich der Propst zu Dorpat Studiums halber in Bologna auf, in der Hoffnung, bei der durch die Erkrankung des Bischofs Theodoricus zu erwartenden Erledigung des Dörptschen Bischofsstuhles sein Nachfolger werden zu können (UB. VII., S. 185), und im Jahre 1428 wurden zwei Söhne von Bürgermeistern aus Reval und Dorpat zum Studium nach Bologna geschickt und zu dem Zweck der Gesandtschaft mitgegeben, welche von den livländischen Bischöfen mit Klagen über den Orden nach Rom abgefertigt wurde, aber ihr trauriges Ende schon in Kurland fand, wo sie von dem Vogt von Grobin, Goswin von Ascheberg, auf dem Wege aufgegriffen und ermordet wurde (Grantoff, Lübeckische Chroniken II, S. 564; Krantz, Wandalia, XI., Cap. 16).

Im vierzehnten Jahrhundert sind es Prag, Köln und Erfurt, wo Livländer sich immatriculirt finden.

Für die Begründung der Universität Rostock hatten sich besonders die Hansastädte und unter ihnen auch Riga und Reval interessirt. Riga bewilligte auf fünf Jahre eine jährliche Zahlung von hundert Gulden Münze und Reval auf die gleiche Zeit hundert Thaler.

Die handschriftlichen Matrikeln der Universitäten Leipzig und Jena, welche Schreiber dieses einzusehen Gelegenheit nahm, bestehen aus mehreren Foliobänden und sind leserlich geschrieben. In der Leipziger Matrikel sind schon in den ersten Jahren Livländer eingetragen und beim Durchblättern der Jenaer Matrikel stösst man ausserordentlich häufig auf livländische Namen. Leider konnten schon wegen der nothgedrungenen Kürze des Aufenthalts in diesen beiden Städten auch selbst theilweise Auszüge aus diesen Matrikeln nicht gemacht werden.

Dagegen gewährte ein längerer Aufenthalt in der alten Hansastadt Rostock die Möglichkeit, das älteste Matrikelbuch dieser Universität, welches von 1419—1760 reicht, einer genauen Durchsicht zu unterziehen und hinsichtlich der darin vorkommenden Livländer (im alten weiteren Sinne genommen) Auszüge zu machen. Ganz im Gegensatz zu den Matrikeln von Leipzig und Jena ist die Rostocker Matrikel sehr gedrängt und oft schwer leserlich geschrieben. Die Eintragungen sind mit Ausnahme der Jahre von 1419—1430 von den jedesmaligen Rectoren mit eigener Hand geschrieben, wie dies auch mehrmals direct bezeugt wird. Die Rectoren waren, wie auch noch heutzutage ein grosser Theil unserer Gelehrten, durchaus keine Kalligraphen und auch von ihnen gilt die Bemerkung, welche der Herausgeber der Leydener Matrikel macht, dass die Rectoren der älteren Zeit in ihrem Fache wohl sehr gelehrte Männer, daneben aber schlechte Geographen waren und die Namen sowohl der Personen als der Orte nach dem oft falschen Hören bei Nennung derselben irrig und schwankend niedergeschrieben haben. Die stattgehabte Schreibweise der Namen ist in dem hier folgenden Abdruck genau wiedergegeben worden; die Namen der Orte lassen sich meist leicht erkennen und auch die nicht blos mit sehr schlechter Handschrift geschriebenen, sondern auch oft corrumpirten Namen der Personen können bei einiger Vertrautheit mit der Personenkunde unseres Landes zu allermeist erkannt und zurechtgestellt werden, was, wo es nöthig schien, durch Bemerkungen in dem nachfolgenden Texte geschehen ist.

Die älteste Rostocker Matrikel ist ein starker Band in klein Folio aus 87 Lagen zu je vier bis zehn Pergamentblättern bestehend. Die ersten zehn Lagen sind liniirt mit je 30 Linien auf jeder Seite, von denen die erste jedoch unbeschrieben geblieben ist. Von der Lage 11 ab variirt die Zahl der Linien je nach der Grösse der Buchstaben der einzelnen Handschriften. Die Blätter sind in zwei Columnen gespalten. Im fünfzehnten Jahrhundert sind die Rectoratsanfänge in Majuskeln, das Uebrige ist in Minuskeln geschrieben, wobei die Anfangsbuchstaben aller Vornamen Initialen sind, während dies in den übrigen Eigennamen nur selten der Fall ist. Beide Schriftformen gehen in den ersten Jahrzehnten des sechszehnten Jahrhunderts allmählich in die cursive über.

Bei der Rectorwahl vom 14. April 1565 ist zuerst eine historische Aufzeichnung eingefügt, und zwar ein Bericht über die Pest dieses Jahres. Von da ab finden sich solche Aufzeichnungen ziemlich regelmässig, meist am Schluss des Semesters oder der Amtsjahre der Rectoren, und betreffen zunächst die Universitäts-Angelegenheiten, aber auch gleichzeitig Stadt-, Provinzial- und oft sogar die gesammte europäische Geschichte.

Es ist mehrmals in Rostock in Aussicht genommen und selbst schon in Einigem vorbereitet worden, die älteste Matrikel im Druck herauszugeben, aber die grossen Schwierigkeiten, die mit einem solchen Unternehmen verbunden sind, haben wieder davon Abstand zu nehmen veranlasst. Abgesehen von den Kosten einer solchen Herausgabe, die durch den Buchhandel nicht ersetzt werden, wie selten findet sich ein Mann, der, ausgerüstet mit den palaeographischen und den andern nöthigen Kenntnissen, zugleich in der Lage ist, den erforderlichen langen Zeitaufwand der Sache zu widmen. Hat doch der Herausgeber der Leydener Matrikel, wie er in der Vorrede sagt, unter Aussetzung seiner übrigen Studien und bei einiger Mithilfe von andern Gelehrten drei ganze Jahre auf diese Arbeit verwenden müssen.

Neben der allgemeinen Studenten-Matrikel sind in Rostock noch besondere Verzeichnisse von den einzelnen Facultäten der Universität geführt worden. Das „Album Ordinis Philosophorum" beginnt mit der Stiftung der Universität im Jahre 1419 und reicht bis zum Jahre 1702. Die theologische Facultät besitzt ein Statutenbuch, das mit dem Jahre 1561 beginnt und bis 1790 geht. Auch die Juristen-Facultät hat ein entsprechendes Verzeichniss geführt, welches in der Mitte des siebzehnten Jahrhunderts beginnt. Ob auch in der medicinischen Facultät ähnliche Aufzeichnungen aus älterer Zeit vorhanden sind, hat zur Zeit nicht in Erfahrung gebracht werden können. Dem Schreiber dieses war die Existenz dieser Verzeichnisse, mit Ausnahme des „Album Ordinis Philosophorum", dessen Krabbe, Universität Rostock, S. 69 erwähnt, unbekannt geblieben, und in letzteres eine Einsicht zu erlangen, hatte er bei seinem Aufenthalt in Rostock keine Veranlassung genommen. Jetzt hat ihm jedoch über die Existenz dieser Verzeichnisse Herr Dr. Ad. Hofmeister zu Rostock nicht blos Mittheilung gemacht, sondern in freundlichem Entgegenkommen auch Auszüge aus denselben übersandt, welche hier den Auszügen aus der allgemeinen Rostocker Studenten-Matrikel angereiht werden. Zugleich theilt Herr Dr. Ad. Hofmeister mit, dass das Verzeichniss der Juristen-Facultät keine Livländer enthalte. Leider sind in dem „Album Ordinis Philosophorum" bis 1550 die Angaben über den Geburtsort weggelassen, so dass es erst von da an möglich war, die Livländer herauszufinden.

In der Besprechung der in dem Band VIII. der Mittheilungen herausgegebenen Matrikel der schwedischen Universität Dorpat und in dem Artikel: Ueber die Beziehungen Livlands zur Universität Rostock, im Inlande 1855, S. 682 und 697 äussert sich der Akademiker A. Schiefner unter Anderem dahin: „Schon vor einigen Jahren war ich gesonnen, ein Verzeichniss der Studirenden nach dem bekannten Werk von Sommelius und einigen andern Quellen anzufertigen, musste dieses Vorhaben jedoch bald aufgeben. Um so freudiger begrüsste ich das nun vorliegende Verzeichniss, das gar verschiedenartigen Arbeiten zu Grunde gelegt werden kann. Interessant wäre es, nach den verschiedenen literärischen und biographischen Sammelwerken Schwedens und der gelehrten Welt überhaupt, die späteren Schicksale der einzelnen Mitglieder der Universität zu ermitteln, wobei freilich auch die Archive der einzelnen Städte mit zu durchstöbern wären." Und ferner: „Eine Aufgabe der gelehrten Gesellschaften der Ostseeprovinzen wäre es, sich aus den Matrikeln der einzelnen Universitäten die Namen der Livländer copiren zu lassen. Manchen Nachweis würden auch die verschiedenen Dissertationen der Universitäten mit den zahlreichen Lobgedichten der einzelnen Freunde des jedesmaligen Verfassers geben. Für eine gewisse Zeit müssen die Matrikel von Leipzig, Wittenberg und Jena eine reiche Ausbeute geben, auch wohl Königsberg; in Greifswalde kommen auch Livländer vor. Interessant wäre auch eine Liste aus Leyden. Auch auf den Universitäten im Norden, in Upsala und Kopenhagen, hat es dann und wann einen Livländer gegeben, sowie auch in Abo, das sogar noch kurz vor seinem Brande von einigen Livländern besucht wurde."

Die gleiche Idee und der gleiche Wunsch ist auch wiederholt in unserer Gesellschaft für Geschichte und Alterthumskunde der Ostseeprovinzen Russlands ausgesprochen worden. In der Versammlung der Gesellschaft vom 9. Februar 1877 knüpfte Herr August Buchholtz jun. an einen Vortrag über Augustinus Eucaedius, den Verfasser des im zweiten Bande der Scriptores rerum Livonicarum abgedruckten historischen Gedichts „Aulaeum Dunaidum", den Vorschlag, auf Kosten der Gesellschaft alle auf den Universitäten Königsberg, Rostock, Leipzig und Heidelberg bis zum Ende des sechszehnten Jahrhunderts studirenden Livländer aus den betreffenden Matrikelbüchern verzeichnen zu lassen. Da die Gesellschaft sich schon im Besitze von solchen Auszügen aus den gedruckt vorliegenden Universitätsmatrikeln von Prag, Leyden und Wittenberg (bei letzterer Universität nur bis 1560 reichend) befinde*), und diese herauszugeben beab-

*) Die schon damals im Besitze der Gesellschaft befindlichen Auszüge aus gedruckten Matrikeln waren die folgenden: 1) Aus den „Monumenta historica universitatis Car. Ferd. Pragensis", angefertigt durch Herrn Victor Hehn, damals Bibliothekar in Petersburg; 2) aus Foerstemann's Album der Wittenbergischen Universität, angefertigt durch Herrn Oberlehrer H. Diederichs in Mitau; 3) aus dem Album studiosorum Academiae Lugduno-Batavae, bis zum Jahre 1875, angefertigt durch Herrn Redacteur Alexander Buchholtz. Später kam noch ein zweiter Auszug aus dem Album der Universität Wittenberg hinzu, den die Gesellschaft ihrem correspondirenden Mitgliede Dr. K. Höhlbaum, damals in Göttingen, zu verdanken hatte. Siehe über diese letzterwähnte Erwerbung Sitzungsberichte der Gesellschaft für Gesch. und Alterthumskunde v. d. J. 1877—81, S. 8. — Schreiber dieses hat diese Auszüge zur Vergleichung und Controle der von ihm selbst an-

sichtige, so sei eine weitere Vervollständigung dieses für die Personenkunde unserer Provinzen wichtigen Materials nur desto nothwendiger. Dieser Vorschlag wurde von der Gesellschaft angenommen und Herr August Buchholtz selbst gebeten, ihn in Ausführung zu bringen.

Herr August Buchholtz ist bei seinen gehäuften Amtsgeschäften, bei seinem bald darauf eingetretenen Krankheitszustande und seinem für unsere Gesellschaft und unsere provinzielle Geschichtsforschung leider zu früh erfolgten Ableben nicht dazu gekommen, sein Vorhaben zu verwirklichen.

Seine Absicht und jener Beschluss der Gesellschaft werde denn jetzt hiermit, theils in engerer, theils in weiterer Weise, auszuführen begonnen. Es haben nicht von allen oben genannten Universitäten, denen sich indess noch andere anzuschliessen haben werden, Auszüge aus ihren Matrikelbüchern erlangt werden können. Man hat sich daher auf die bisher in Druck erschienenen Matrikeln und auf die älteste Rostocker Matrikel, deren Auszug vom Schreiber dieses aus dem Originalcodex angefertigt worden, zunächst beschränken und das Weitere der Zukunft überlassen müssen. Erst wenn solche Auszüge aus den Matrikeln aller Universitäten, welche von Livländern in den vergangenen Jahrhunderten besucht gewesen sind, vorliegen werden, wird sich ein umfassender Ueberblick über den culturellen Zustand der betreffenden Zeitperioden gewinnen lassen.

Nachweisbar sind folgende, in den beigesetzten Jahren gegründete Universitäten von Livländern besucht worden: Prag 1348, Köln 1385—1797, Heidelberg 1386, Erfurt 1392—1810, Leipzig 1409, Rostock 1419, Greifswalde 1456, Tübingen 1477, Wittenberg 1502—1815, Frankfurt a. O. 1506—1811, Marburg 1527, Strassburg 1538, Königsberg 1544, Jena 1558, Helmstädt 1575—1809, Würzburg 1582, Giessen 1607, Rinteln 1621—1810, Kiel 1665, Halle 1694, Göttingen 1734, eröffnet 1737, Erlangen

---

gefertigten benutzt, und Gleiches ist geschehen mit einem Auszuge aus der Erfurter Matrikel, welchen Herr Oberlehrer C. Mettig angefertigt hat, und ferner mit einem Auszuge aus der Erlanger Matrikel, welche Herr Redacteur Georg Lange besorgt und der Gesellschaft übergeben hat. Vergl. Sitzungsberichte von den Jahren 1882 u. 1883. S. 23 u. 69.

1743, Leyden 1575, Kopenhagen 1475, Upsala 1476, Bologna 1158, Abo 1640.

Uebrigens erschien eine blosse Zusammenstellung der Namen der Studenten doch noch keineswegs genügend; es ist daher die Schiefnersche Idee, die späteren Schicksale der Einzelnen zu ermitteln, aufgenommen und dabei zugleich möglichst festzustellen gesucht worden, aus welchen Lebenskreisen die Studirenden hervorgegangen sind.

Zu dem Zweck sind insbesondere die provinziellen literärischen und biographischen Sammelwerke, sowie überhaupt die provinzielle Literatur durchsucht, auch einiges Auswärtige, namentlich Rostocksche literärische Schriften, herbeigezogen worden. Die Durchstöberung der Archive sämmtlicher Städte unserer Provinzen, wie Schiefner vorschlägt, war unthunlich, doch ist das Archiv des Rigaschen Raths benutzt und auch die grösstentheils aus dem Rigaschen Rath herstammende Manuscripten-Sammlung der Rigaschen Stadtbibliothek berücksichtigt worden. Dass trotz aller Bemühung von den hier in Betracht kommenden mehr als 1500 Personen doch eine Anzahl derselben übrig bleiben musste, von deren späteren Lebensumständen nichts hat ermittelt werden können, ist begreiflich. Theils haben solche wohl in bescheidenen Stellungen gestanden und keine solche Wirksamkeit gehabt, welche eine Spur hinterlassen hat, theils sind Manche auch wohl nicht mehr heimgekehrt, sondern im Auslande geblieben, ohne auch dort eine hervorragende Stellung oder eine wissenschaftliche Bedeutung erlangt zu haben. Ferner mag Mancher frühzeitig, selbst schon als Student, wie dies bei mehreren nachweisbar ist, verstorben, Mancher wohl auch verkommen und verdorben sein.

Diejenigen, welche späterhin in öffentlichen Stellungen als Glieder der Magistrate und als Prediger gestanden oder sich schriftstellerisch bethätigt haben, sind meist unschwer zu ermitteln gewesen. Schwierigkeiten und viel und meist vergebliches Nachsuchen haben die studirenden Edelleute gemacht. In der Zeit vor der Reformation sind sie oft, gleich vielen Söhnen der Rathsherren, in den geistlichen Stand getreten und zuweilen wohl auch im Auslande verblieben, so dass in solchem Falle ihre Namen in den livländischen Urkunden nicht vorkommen. In späterer Zeit haben die jungen Edelleute, wenn sie nicht in den Kriegsdienst getreten sind, nach ihrer Heimkehr sich wohl meist auf ihre Landgüter zur Verwaltung derselben niedergelassen. Sie haben sich wohl auch nicht selten dem Dienste des Landes gewidmet und Wahlämter übernommen; aber für diese und ihre jeweiligen Inhaber giebt es keine solche Verzeichnisse, wie sie sich in den Rathslinien der Städte Riga und Reval und hinsichtlich der Prediger in den betreffenden Werken von Karl Eduard Napiersky, H. R. Paucker und Theodor Kallmeyer finden, mit Ausnahme etwa der von J. Paucker zusammengestellten Reihenfolge der Richter in Harrien und Wierland von 1416—1665 und von 1375—1666 in seinem Buche „Die Herren von Lode", S. 132 bis 146. Auch die in Hupels nord. Miscellaneen, Stück 7, 9, 10, 15—19 und in dessen neuen nord. Miscellaneen, Stück 1—6, 9, 10, 13, 14, 17, 18 enthaltenen Materialien zur Adelsgeschichte Liv-, Ehst- und Kurlands, welche ungeachtet ihrer oft grossen Breite doch dürftig und unsicher sind, und ferner selbst die Monographieen über einzelne Adelsgeschlechter, wie z. B. der Herren von Behr von F. Vogell, der Herren von der Recke von Constantin Graf von der Recke-Volmarstein und Otto Baron von der Recke, des Geschlechts der Ungern-Sternberg von Russwurm, der Freiherren und Grafen von Rosen von Baron Andreas Rosen und der Herren von Lode von J. Paucker geben nur äusserst selten und dann auch nur sehr dürftige Notizen über hier in Betracht kommende studirende Edelleute.

Die Genealogien der Adelsgeschlechter, wie sie in den gedruckten und den zugänglichen handschriftlichen Materialien vorliegen, sind ganz unzulänglich und stützen sich, namentlich für die ältere Zeit, fast zum grössern Theile auf hie und da in Urkunden vorgefundene Namen gleichen Klanges, ohne dass der Beweis für den genealogischen Zusammenhang immer erbracht wird, was im Gegentheil nur in seltenen Fällen geschicht. Gleich mangelhaft sind auch die Stammtafeln, welche meist sogar einer genauen Angabe der Zeit der Existenz der einzelnen Glieder entbehren und selten Geburts- und Todestag bringen. Auch erwecken die leidigen „Verschönerungen", über welche schon der Brigadier von Lieven in Hupel's n. nord. Misc. IX. S. 19

2

und 145 als ein erschwerendes Hinderniss bei seinen genealogischen Arbeiten klagt, in der heutigen ungläubigeren und kritikvolleren Zeit noch mehr Zweifel. Im Uebrigen aber geben die Matrikel-Auszüge manchen Beitrag zur Vervollständigung der Glieder einzelner Familien.

Es mögen auch manche der hier gegebenen Nachweise über die Herkunft und die Lebensverhältnisse der Einzelnen nicht ausreichend, vielmehr mangelhaft erscheinen, und es wäre vielleicht möglich gewesen, durch weitere Nachforschungen und Untersuchungen sie zu verbessern und zu vervollständigen; aber da vorliegende Arbeit, welche ohnehin schon einen grossen Zeitaufwand in Anspruch genommen hat, doch überhaupt einmal und namentlich zu einem bestimmten Zeitpunkte ihren Abschluss finden musste, so konnten jene Bemühungen nicht weiter fortgesetzt werden. Bei manchen Personen findet man indessen auch ausführlichere Nachrichten in den zu den betreffenden Artikeln angezogenen Quellen, auf welche zu verweisen, anstatt sie vollständig zu wiederholen, genügend erschien.

Vielleicht finden sich Liebhaber der provinziellen Biographie, welche hier gelassene Lücken in Bezug auf die späteren Lebensschicksale vieler Einzelnen auszufüllen vermögen, und zugleich freundlichst geneigt sind, betreffende Notizen der Gesellschaft für Geschichte und Alterthumskunde zu Nachträgen einzusenden.

Einige Lücken in den Lebensnachweisen der in der Rostocker Matrikel, aber auch vielleicht der in den andern Matrikeln vorkommenden Personen, mögen auch vielleicht darin ihren Grund haben, dass die Namen, zumal bei der grossen Unleserlichkeit der alten Handschriften, nicht immer richtig entziffert worden sind und dadurch das Auffinden der gemeinten Personen unmöglich gemacht worden ist. Dies kann jedoch bei der Rostocker Matrikel im Ganzen nur selten zutreffen; denn einmal ist der grösste Theil der Namen als richtig und in den livländischen Quellen sich wiederfindend nachgewiesen, sodann stimmen wenigstens die Namen des achtzehnten Jahrhunderts, für welche ein von anderer Hand angefertigter Auszug bei Eckardt sich findet, mit diesem überein, mit einer einzigen Ausnahme, wo es zweifelhaft sein dürfte, ob als Familienname Gerhard oder Ganhard die richtigere Lesart ist. Endlich aber hat Schreiber dieses während seiner Arbeit auf der Rostocker Universitätsbibliothek auch stets die Gelegenheit gehabt, bei der Entzifferung schwer lesbarer Stellen die Meinung und die Beihilfe eines tüchtigen Paläographen, des Custos der Rostocker Universitätsbibliothek, Herrn Dr. Ad. Hoffmeister, einzuziehen.

Was nun die Quellen und literärischen Hilfsmittel betrifft, welche zur Erforschung der gegebenen Lebensumstände der einzelnen hier in Betracht gekommenen Personen gedient haben, so sind sie, soweit sie bei den einzelnen Artikeln angezogen sind, mit den für sie gebrauchten Abkürzungen in dem hier beigelegten Verzeichnisse angegeben.

Die vorliegenden Matrikelauszüge sind nur ein Bruchstück, da sie nur neun Universitäten und somit nicht alle umfassen, auf welchen Livländer in vergangenen Jahrhunderten studirt haben, auch mit Ausnahme Leydens und Erlangens, nicht durch alle Jahrhunderte von der Stiftung der einzelnen Universitäten bis zum Schluss des achtzehnten Jahrhunderts hinabgehen, was zumeist durch die beschränkten Editionen der betreffenden Matrikeln bedingt ist. Es ist daher noch nicht zu übersehen, wie viele Personen aus Livland in einem bestimmten Zeitabschnitt Universitätsstudien obgelegen haben. Aber selbst aus dem noch mangelhaften Material lassen sich doch immerhin, wenigstens annäherungsweise, einige allgemeinere Schlüsse ziehen. Zunächst erkennen wir, dass schon in der zweiten Hälfte des vierzehnten Jahrhunderts in unsern Landen das Bedürfniss sich gezeigt hat, wissenschaftliche Ausbildung durch geregelte Studien zu erlangen. Für das vierzehnte und für den Anfang des fünfzehnten Jahrhunderts, in welcher Zeit es in Deutschland überhaupt nur sieben Universitäten gab — Prag 1348, Wien 1365, Köln 1385, Heidelberg 1386, Erfurt 1392, Leipzig 1409 und Rostock 1419 — liegen uns die Auszüge von nur fünf Universitätsmatrikeln vor. Es ist dabei kaum anzunehmen, dass zu jener Zeit auch Wien von Livland aus besucht worden sei, wogegen in der Leipziger Matrikel allerdings schon in den ersten Jahren auch livländische Namen vorkommen. Betrachten wir nun die fünf Universitäten Prag, Köln, Heidelberg, Erfurt und Rostock, so finden wir, dass in

2*

der Zeit von 1367—1425 siebenundachtzig Personen verzeichnet sind, von denen die meisten, so weit wir von ihrem späteren Lebenslauf Kenntniss erlangen können, Geistliche geworden sind. Es ist dies für jene Zeit und bei der geringen Zahl der derzeitigen in Livland geborenen deutschen Bevölkerung immerhin doch schon ein sehr beachtenswerthes Zeugniss für die geistigen Bestrebungen. Jährlich wandern auch schon zu dieser Zeit mehrere Personen zum Studium hinaus.

Für die nächstfolgenden sechszig Jahre, 1426—1486, wo nur drei Universitäten, Erfurt, Heidelberg (mit blos zwei Inscribirten) und Rostock, in Betracht kommen, sehen wir die Zahl der studirenden Livländer schon beträchtlich wachsen. Während wir für die Zeit von 1367—1425 auf fünf Universitäten siebenundachtzig Personen finden, haben die zwei Universitäten Erfurt und Rostock einhundertsiebenundsechszig Studirende aus Livland aufzuweisen. Von 1485—1513, mit welchem letzteren Jahre erst der Besuch von Wittenberg von Livland aus seinen Anfang nimmt, ist fast ausschliesslich die Universität Rostock vertreten, welche in dieser Zeit von hundertdreiundzwanzig Livländern besucht wurde, während in diesem Zeitraum in Erfurt nur zwei Personen sich finden. In den folgenden zweiundfünfzig Jahren, von 1513 bis 1565, finden wir in Wittenberg einundneunzig, in Rostock hundertundsechs, in Heidelberg elf, in Köln von 1513—1522 elf, in Erfurt zwei, zusammen zweihundertzweiundzwanzig Personen, was ebenfalls eine Zunahme zeigt. In den darauffolgenden einunddreissig Jahren, von 1565—1596, haben wir Matrikelauszüge nur von Rostock. Während dieser Zeit ist Rostock von hundertundsechszehn Livländern besucht; es finden sich also dort in jedem Jahre immer einige neue Studenten aus Livland ein. Dies ist aber die Zeit, in welcher schon eine Reihe anderer Universitäten in's Leben getreten waren, welche auch von unserem Lande aus besucht wurden. Die Universität Leyden, 1575 begründet, weche in ihrer ersten Zeit nur eine geringe Frequenz hatte, beginnt bald durch den Ruf ihrer Lehrer eine bedeutende Anziehungskraft auszuüben, namentlich gegen die Mitte des siebzehnten Jahrhunderts, wo schon aus allen Ländern und allen Welttheilen die Jünger der Wissenschaft hinströmen. Von Livland aus wurde Leyden von 1596 bis zum Jahre 1760 von zweihundertzweiundneunzig Studenten besucht, während Rostock in dieser Zeit vierhundertundachtundsechszig Studenten aus Livland empfängt, was für beide Universitäten zusammen eine Zahl von siebenhundertundsechszig ergiebt, wozu noch Erfurt für das siebzehnte Jahrhundert, bis 1623, mit zwei Studenten hinzukommt.

In den sechszig Jahren von 1596—1656 beträgt die Zahl der livländischen Studenten in Rostock zweihundertundsechszehn, in Leyden einhundertzweiundsechszig, dazu die zwei in Erfurt, zusammen dreihundertundachtzig. In den weitern sechszig Jahren, von 1656—1716, ist die Zahl in Rostock einhunderteinundachtzig, in Leyden einhundertunddreizehn, zusammen zweihundertvierundneunzig. Gegen das Ende dieses Zeitabschnitts hat schon der nordische Krieg ersichtlich seine Einwirkung gehabt, indem die Zahl der aus Livland in's Ausland zum Studium Abreisenden sich verminderte. Von 1716—1760 finden wir in Rostock nur fünfundsiebzig, in Leyden nur sechszehn Studenten aus Livland, zusammen einundneunzig. Einfluss auf diese beträchtliche Abnahme hatte einerseits der verminderte Glanz dieser beiden Universitäten, und andererseits der stark gewachsene Besuch der vielen andern deutschen Universitäten. Seit 1742 tritt Erlangen ein, welches bis 1796 von siebzig Livländern besucht worden ist.

Nach den Verzeichnissen in Julius Eckardt, Livland im achtzehnten Jahrhundert, S. 541—579 sind in den fünfundfünfzig Jahren von 1710—1765 in Wittenberg 12 Liv- und Ehstländer, in Göttingen 92 Liv-, Ehst- und Kurländer, in Königsberg 180 Liv- und Ehstländer, in Leipzig 98 Livländer, in Halle 235 Liv- und Ehstländer und in Jena 509 Liv-, Ehst- und Kurländer, zusammen also 1126 Personen, immatriculirt worden. Zu bemerken ist dabei, dass für Wittenberg, Halle, Leipzig und Königsberg die Kurländer nicht mit registrirt sind, während es bekannt ist, dass im vorigen Jahrhundert Königsberg vorzugsweise die Universität war, wohin sich die Kurländer wandten, und von ihnen auch Wittenberg und Halle besucht wurden. Erwägt man nun noch, dass auch viele andere deutsche Universitäten von Livländern frequentirt wurden, wie namentlich nachweisbar Heidelberg, Greifswald, Tübingen, Frankfurt a. O., Marburg, Helmstädt,

Giessen, Rinteln und Erlangen, so muss man bekennen, dass insbesondere gegenüber der geringen Zahl der deutschen Bevölkerung unserer Provinzen, welche doch allein die Studirenden abgab, die Zahl derjenigen, welche in diesen Provinzen eine academische Bildung zu erlangen suchten, wahrlich eine verhältnissmässig grosse gewesen ist und dass Livland in dieser Beziehung durch alle Jahrhunderte hindurch, trotz der hier herrschenden besonderen Verhältnisse der verschiedensten Art und Richtung, den einzelnen Provinzen Deutschlands nicht nachgestanden hat. Dazu kommt noch, dass in dem Jahre 1630 Livland durch König Gustav Adolf seine eigene Universität erhielt, welche ebenfalls von den Söhnen des Landes besucht wurde. Viele von ihnen beschränkten sich allerdings nicht einzig auf Dorpat, sondern bezogen zu ihrer weiteren Ausbildung auch noch auswärtige Universitäten, da es der schwedischen Regierung trotz aller ihrer Bemühungen nicht gelang, ausgezeichnete Lehrkräfte zu gewinnen und die Lehrstühle in der gewünschten Anzahl zu besetzen.

Was die Lebensberufe betrifft, aus denen die Studirenden hervorgegangen sind, so finden wir unter denselben schon am Ende des vierzehnten und am Anfange des fünfzehnten Jahrhunderts Söhne der städtischen Patricier, der Bürgermeister und Rathmannen, und neben ihnen erscheinen denn auch schon Söhne des landsässigen Adels. Um die Wende dieses Jahrhunderts treten uns entgegen Namen der ältesten Rathsfamilien der livländischen Städte, so von Riga Wynmann, Sandbocheim, Foysan, Winkel, Zost; von Reval Stoltevot, Beke; von Dorpat Nevermann, Bekemann, Holle; später ist dies noch in vermehrtem Maasse der Fall. Aus dem inländischen Adel erscheinen zuerst die Namen Ergemes, Orgass, Varensbeck, Swarthof, Wrangel, Stackelberg, Ungern, Patkul, Lode, Wetberch, Victinghof, zu denen alsbald noch Taube, Tiesenhausen, Uexküll und andere treten. Der Tendenz der Zeit gemäss strebten die Söhne, insbesondere die nachgeborenen, sowohl des Patriciats als des Adels, geistliche Stellungen und Würden zu erlangen. Um aber Domherr oder Bischof zu werden, bedurfte es wissenschaftlicher Bildung, namentlich der Kenntniss der lateinischen Sprache und des canonischen Rechts, und daher wurde der Besuch der Universitäten zur Nothwendigkeit. Viele der aus Livland auf die hohen Schulen Gezogenen haben denn auch ihr Ziel erreicht. Viele von ihnen sind Domherren geworden, und unter diesen haben mehrere auch Bischofssitze in ihrem Heimathslande erlangt. So ist geworden Johann Schutte Bischof von Oesel von 1423—1438, Gottschalk Schutte Bischof von Kurland 1423 und 1424, Johannes Tirgart Bischof von Kurland 1429, Arnold Stoltevot Bischof von Reval 1418 und 1419, Iwan Stoltevot Bischof von Reval 1475, 1476, Theodoricus Hake Bischof von Dorpat 1485 bis 1496, Gerhardus Schrove Bischof von Dorpat 1505—1512, Johannes Bey Bischof von Dorpat 1529—1543, Georg Tiesenhausen Bischof von Reval 1525—1530 und Reinhold von Buxhowden Bischof von Oesel 1530—1557. Auch Johann Vadolkan aus Riga wurde 1458 vom Oeselschen Capitel, und Johann Duseborch, eines Rathsherrn Sohn aus Reval, 1514 vom Dorptschen Capitel zu Bischöfen erwählt; diese erlangten indessen nicht die päpstliche Bestätigung.

Nach Einführung der kirchlichen Reformation, als nunmehr die Bisthümer und die reichen Kirchenpfründen eingingen, hört der Zudrang des Adels zu den geistlichen Stellungen auf und sehen wir junge Edelleute nur höchst ausnahmsweise sich noch dem Studium der Theologie widmen, um in das Amt eines lutherischen Predigers einzutreten. Ihre Stelle nehmen jetzt die Söhne der lutherischen Prediger ein, welche zahlreich dem Berufe ihrer Väter folgen. Dagegen widmen sich in der nachreformatorischen Zeit die jungen Edelleute meist dem Studium der Rechtswissenschaft und der Politik.

Die Magistrate der Städte hatten ebenso wie die katholische Kirche schon früh das Bedürfniss, auch gelehrte Glieder in ihrer Mitte zu haben, schon weil die Sprache der Diplomatie derzeit die lateinische war und man der Kenntniss derselben bei Abfassung der Urkunden und bei den Verhandlungen mit der päpstlichen Curie und den fürstlichen Höfen bedurfte.

Von den im fünfzehnten Jahrhundert in Erfurt und in Rostock verzeichneten Studirenden begegnen uns als spätere Glieder des Rigaschen Raths Wennemar Harmen, Hermann Helewegh, auch Westphal genannt, und Frowin Geysmar; auch ist wohl der 1424 immatriculirte Nicolas Molner zu denselben zu zählen. Gotschalkus Schutte wird Revalscher Rathsherr und Bürgermeister. Mit dem Anfang des sechszehnten Jahrhunderts häuft sich die Zahl der Studenten, welche wir später als Glieder der Rathscanzelleien und der Magistrate wiederfinden. Seit der Mitte des sechszehnten Jahrhunderts bestanden die Rathscollegien der Städte Riga, Reval und Dorpat zu einem Theile beständig aus gelehrten Gliedern, die ihre Bildung auf Universitäten erlangt hatten.

Ueberblicken wir nun zum Schluss die Reihe der hier verzeichneten Studirenden unseres Landes aus den vergangenen Jahrhunderten und betrachten wir den späteren Lauf ihres Lebens und ihre Wirksamkeit, so müssen wir bekennen, dass wir unter ihnen keine hervorragenden Geister ersten Ranges finden, welche, in der menschlichen Erkenntniss bahnbrechend, einen Umschwung herbeigeführt und eine neue Aera begründet hätten. Obgleich manche unter ihnen, namentlich aus dem Adel, in Landes- und Staatsdienste getreten sind, auch sich mitunter der militärischen Laufbahn gewidmet haben, so sind doch hervorragende Staatsmänner und ruhmreiche Heerführer nicht aus ihnen hervorgegangen. Die historischen und politischen Verhältnisse unseres Landes waren eben auch wenig dazu angethan, um Söhne des Landes auf solche Bahnen zu führen und ihnen Gelegenheit zu geben, den höchsten Zielen nachzugehen und dieselben zu erreichen. Aber auch auf dem Gebiete der reinen Wissenschaft finden wir unter den Verzeichneten keine Namen, welche durch hervorragende geistige Schöpfungen derselben neue Gestaltungen und neue Richtungen gegeben und sich einen Weltruf erworben hätten, obgleich manche unter ihnen, auch auf Lehrstühlen an Universitäten, treue Pfleger der Wissenschaften gewesen sind. Dagegen finden wir aber eine grosse Reihe von Männern in jedem der vergangenen Jahrhunderte, welche in ausgezeichneter Tüchtigkeit, in treuer und fleissiger Arbeit und in strenger Erfüllung ihrer Pflichten von den Kanzeln, von den Richterstühlen und den Verwaltungsstellen herab zum Segen ihres Heimathlandes gewirkt und zugleich dasselbe allezeit auf dem jeweiligen Stand der wissenschaftlichen Bildung erhalten haben.

Schliesslich sei hier, zum Theil wiederholend, der Dank ausgesprochen denjenigen Herren, welche bei vorliegender Arbeit ihre freundliche Beihilfe gewährt haben: dem Herrn Stadtbibliothekar Dr. G. Berkholz, welcher, wie immer bereit literärische Unternehmungen aus seinem Wissensschatz zu unterstützen, auch hier mancherlei Nachweise gegeben und bei der Durchsicht und Correctur des Drucks mir seine Beihilfe gewährt hat; — Herrn dimitt. Rathsherrn Leonhard v. Napiersky, welcher mir die von ihm diplomatisch getreu genommenen Abschriften der alten Rigaschen Stadtbücher mit den von ihm angefertigten Registern in liberalster Weise zur Disposition gestellt hat; — Herrn Dr. Adolf Hofmeister in Rostock, der mir nicht allein bei der Anfertigung der Auszüge aus der Rostocker Matrikel namentlich bei der Entzifferung mancher schwer lesbarer Stellen mit seinem Rathe beigestanden, sondern auch späterhin auf mein briefliches Ansuchen freundlichst und bereitwilligst mancherlei ergänzende Mittheilungen gemacht hat; — Herrn Archivar Dr. Konstantin Höhlbaum in Köln, der im freundlichsten Entgegenkommen auf mein Ansuchen mir die Ergänzung der ältesten Kölner Matrikel übersandte, und Herrn Director Dr. K. E. H. Krause in Rostock, welchem ich einige werthvolle Notizen verdanke.

Riga, im Juli 1884.

H. J. Böthführ.

Verzeichniss

der benutzten und citirten literarischen Hilfsmittel und der für sie gebrauchten Abkürzungen.

A. Manuscripte.

EB. I. = Das älteste Erbebuch von 1384—1482. In der Rigaschen Rathslinie ist dasselbe nach einer ihm gegebenen Titelaufschrift „Denkelbok" des Rigaschen Magistrats genannt und mit DB. bezeichnet.

EB. II. = Das Erbebuch von 1493—1579.

RB. = Das alte Rentebuch von 1453—1514.

Lib. rur. = Liber ruralis praefecturae.

Eine Beschreibung dieser vier Handschriften findet sich in der Rigaschen Rathslinie S. 19, 31, 26 u. 27 und 25. Von diesen alten Stadtbüchern hat Herr Leonhard v. Napiersky diplomatisch getreue Abschriften angefertigt und dieselben mit genauen Registern versehen, wobei die einzelnen Artikel (auch in den Originalen, in diesen mit Bleistift) numerirt worden sind. Herr v. Napiersky hat die Freundlichkeit gehabt, seine Abschriften nebst den Registern, welche die Benutzbarkeit dieser Stadtbücher erst recht ermöglichen, für vorliegende Arbeit zur Disposition zu stellen.

Wiedau = Melchior von Wiedau, Livonica, speciatim Rigensia.

Bürgerbuch = Das Bürgerbuch von 1680—1788. Es enthält ein Verzeichniss der neuaufgenommenen Bürger meist mit Angabe ihres Standes und Gewerbes.

Vorgenannte Manuscripte befinden sich sämmtlich im Rigaschen Rathsarchiv.

Buchholtz, Materialien = Dr. August Buchholtz. Materialien zur Personenkunde Liv-, Ehst- und Kurlands.

Rhanaeus = M. Samuel Rhanaei Collectaneorum historiae Curoniae dicatorum Tom. S. genealogicus. 1729. conf. Ueber diese Handschrift siehe Hupel nord. Misc. XX. S. 121, 122.

Die grosse Buchholtzsche Sammlung der Materialien und das Rhanäussche Manuscript befinden sich in der Rigaschen Stadtbibliothek.

Kallmeyer, Pred.-Lex. = Theodor Kallmeyer. Kurländisches Prediger-Lexicon. Dieses schätzenswerthe Manuscript wird in der Bibliothek der Gesellschaft für Geschichte und Alterthumskunde bewahrt.

Padel = Jürgen und Caspar Padels Tagebücher. Diese werden in einem „Collectanea ad historiam Livoniae" bezeichneten Bande in der Bibliothek der Livl. Ritterschaft bewahrt und befinden sich gleichzeitig mit vorliegender Schrift unter der Presse.

„Annales Ecclesiastici Rigenses" (von 1759 bis 1803), aufbewahrt im Archiv der St. Petrikirche in Riga.

Consistorial-Acten aus dem siebzehnten Jahrhundert, enthalten in einem Bande, welcher „Acta Ministerii Rigensis, Anno 1703." betitelt ist und gleichfalls in dem Archiv der St. Petrikirche in Riga aufbewahrt wird.

Endlich sind noch die Tauf- und Copulations-Register der St. Petri- und der Dom-Kirche zu Riga für das siebzehnte und achtzehnte Jahrhundert benutzt worden, ohne jedoch bei den betreffenden Artikeln citirt worden zu sein.

D. Druckschriften.

Albanus, Schulbl. = Albanus, Dr. August. Livländische Schulblätter. Dritter Jahrgang, 1815. Riga.

Arndt = Arndt, Johan Gottfried. Der livländischen Chronik anderer Theil von Liefland unter seinen Herren Meistern, welche die alte Geschichte des Ordens und der benachbarten Völker erläutert etc. von etc. Halle 1753.

Arnoldt, Königsb. Univ. = Arnoldt's, Dr. Daniel Heinrich, Ausführliche und mit Urkunden versehene Historie der Königsbergischen Universität. Theil I. Königsberg 1746. Theil II., welchem eine Nachricht von dem Leben und den Schriften hundert preussischer Gelehrten angehänget ist. Königsberg 1746.

Arnoldt, Zusätze = Arnoldt's, Dr. Daniel Heinrich. Zusätze zu seiner Historie der Königsbergischen Universität nebst einigen Verbesserungen derselben, auch zweihundertundfünfzig Lebensbeschreibungen preussischer Gelehrten. Königsberg 1756.

Baer, Selbstbiographie. = Nachrichten über Leben und Schriften des Herrn Geheimeraths Dr. Karl Ernst von Baer, mitgetheilt von ihm selbst. Veröffentlicht bei Gelegenheit seines fünfzigjährigen Doctor-Jubiläums am 29. August 1864 von der Ritterschaft Ehstlands. St. Petersburg 1866.

Balt. Monatsschr. = Baltische Monatsschrift, herausgegeben von Th. Bötticher, A. Faltin, G. Berkholz, Bd. I—XVIII. Riga 1859—68. Herausgegeben von E. v. d. Brüggen. Bd. XIX.—XXI. oder Neue Folge Bd. I.—III. Riga 1870—1872. Bd. XXII.—XXIV. oder N. F. Bd. IV.—VI., redigirt von Th. Pantenius, 1873—1875. Bd. XXV., herausgegeben von G. Keuchel, 1877. Bd. XXVI., herausgegeben von A. Deubner, 1878. Bd. XXVII.—XXXI., herausgegeben von Fr. Bienemann, 1880—1884.

Beise, Nachtrag = Allgemeines Schriftsteller- und Gelehrten-Lexikon der Provinzen Livland, Ehstland und Kurland von J. F. v. Recke und C. E. Napiersky, Nachträge und Fortsetzungen unter Mitwirkung von Dr. C. E. Napiersky, bearbeitet von Dr. Th. Beise. Bd. I. Mitau 1859. Bd. II. Mitau 1861.

Bergmann I. = Versuch einer kurzen Geschichte der Rigischen Stadtkirchen seit ihrer Erbauung und ihrer Lehrer von der Reformation bis auf die jetzige Zeit. Riga 1792.

Bergmann II. = Zweiter Versuch eines Beitrages zur Rigaischen Kirchengeschichte. Nebst Beilagen. Riga 1794.

Berkholz, Beiträge = Berkholz, Dr. C. A. Beiträge zur Geschichte der Kirchen und Prediger Rigas. Erste Abtheilung. Geschichte der einzelnen Kirchen nebst chronologischem Verzeichnisse der Prediger und statistischen Auszügen aus den Kirchenbüchern. Riga 1867.

Berkholz, M. Herm. Samson = Berkholz, Dr. Chr. Aug. M. Hermann Samson. Eine kirchenhistorische Skizze aus der ersten Hälfte des siebzehnten Jahrhunderts von etc. Riga 1856.

Berkholz. Depkin = Berkholz, Dr. Christian August. Die alte Pastorenfamilie Depkin, 1881. Separatabdruck aus der Neuen Zeitung für Stadt und Land.

Berting = Berting, Alexander Julius. Lehrer-Album des Revalschen Gymnasiums 1631—1862. Reval 1862.

Bienemann, Briefe u. Urk. = Bienemann, Friedrich. Briefe und Urkunden zur Geschichte Livlands in den Jahren 1558—1562. Bd. I. Riga 1865. Bd. II. Riga 1867. Bd. III. Riga 1868. Bd. IV. Riga 1873. Bd. V. Riga 1876.

Bienemann, Liv. Luthertage = Bienemann, Fr. Aus Livlands Luthertagen. Ein Scherflein zur 400jährigen Gedenkfeier der Geburt des Reformators. Reval 1883.

Bornsmünde = Bornsmünde. Fief de la famille Schoepping depuis 1499. Berlin 1882.

Brieflade = Ehst- und livländische Brieflade. Eine Sammlung von Urkunden zur Adels- und Gütergeschichte Ehst- und Livlands in Uebersetzungen und Auszügen. Herausgegeben von Dr. F. G. Bunge und Baron R. v. Toll. Erster Theil. Erster und zweiter Band. Reval 1856. 1857.

Bunge, Archiv = Archiv für Geschichte Liv-, Ehst- und Kurlands, mit Unterstützung der allerhöchst bestätigten literärischen Gesellschaft zu Reval, herausgegeben von Dr. F. G. von Bunge. Bd. I. Dorpat 1842. Bd. II. Dorpat 1843. Bd. III. Dorpat 1844. Bd. IV. Dorpat 1845. Bd. V. Dorpat 1847. Bd. VI. Reval 1851. Bd. VII. Reval 1854. Bd. VIII. fortgeführt von C. Schirren. Reval 1861.

Bunge, Rechtsgesch. = Bunge, Dr. Friedrich Georg von. Einleitung in die liv-, ehst- und kurländische Rechtsgeschichte und Geschichte der Rechtsquellen. Reval 1849.

Chron. = Ehst. und livländische Brieflade etc. Dritter Theil. A. u. d. T. Chronologie der Ordensmeister über Livland, der Erzbischöfe von Riga und der Bischöfe von Leal, Oesel-Wiek, Reval und Dorpat. Aus dem Nachlasse von Baron Robert von Toll, herausgegeben von Dr. Philipp Schwartz. Riga, Moskau, Odessa 1879.

Chytraeus Chron. = Chytraeus, David. Chronicon Saxoniae et vicinarum aliquot gentium. Ab anno Christi 1500 usque ad MDXCIII. Lipsiae.

Dorpat. Jahrb. = Dorpater Jahrbücher für Literatur, Statistik und Kunst besonders Russlands. Herausgegeben von Blum, Bunge, Goebel, Neue, Struve, Borg, Friedländer, Kruse, Rathke und Walter. Riga und Dorpat 1833, 1834. Leipzig 1835, 1836.

Eckardt = Eckardt, Julius. Livland im achtzehnten Jahrhundert. Erster Band bis zum Jahre 1766. Leipzig 1876.

Ersch und Gruber, allg. Encyklop. = Ersch, J. S., und Gruber, J. G. Allgemeine Encyklopädie der Wissenschaften und Künste in alphabetischer Folge. I. Sect. A—G, herausgegeben von Gruber. 36. Theil. Leipzig 1842.

Etwas = Etwas von gelehrten Rostocker Sachen für gute Freunde. Rostock 1737—1742.

Gadebusch, Jahrb. = Gadebusch, Friedrich Konrad. Livländische Jahrbücher. Erster Theil, 1030—1561. Riga 1780. Zweiter Theil, 1562—1630. Riga 1781. Dritter Theil, 1630—1710. Riga 1781, 1782. Vierter Theil, 1711—1761. Riga 1783.

Gadebusch, Liv. Bibl. = Gadebusch, Friedr. Konrad. Livländische Bibliothek nach alphabetischer Ordnung. Drei Theile. Riga 1777.

Gadeb., Liv. Geschichtsschr. = Gadebusch, Friedrich Konrad. Abhandlung von livländischen Geschichtschreibern. Riga 1774.

Hagemeister, Mater. = Hagemeister, Heinrich von. Materialien zu einer Geschichte der Landgüter Livlands. Theil I. Riga 1836. Theil II. Riga 1837.

Hansen, Geschichtsbl. = Hansen, Gotthard von. Geschichtsblätter des revalschen Gouvernements-Gymnasiums. Zu dessen 250 jährigem Jubiläum am 6. Juni 1881, zusammengestellt und dargebracht. Reval 1881.

Hansen, Kirch. u. Klöst. = Hansen, Gotthard von. Die Kirchen und ehemaligen Klöster Revals. Reval 1873.

Hanserecesse = Hanserecesse. Auf Veranlassung Sr. Majestät des Königs von Bayern herausgegeben durch die historische Commission bei der königl. Akademie der Wissenschaften. Auch u. d. T.: Die Recesse und andere Acten der Hansetage von 1256—1430. Bearb. von Karl Koppmann, Bd. I—V. Leipzig 1870—1880. — Hanserecesse. Zweite Abtheil. Herausgegeben vom Verein für hansische Geschichte. Auch u. d. T.: Hanserecesse von 1431—1476. Bearb. von Goswin Frhr. von der Ropp. Bd. I.—IV. Leipzig 1876—1883. Hanserecesse. Dritte Abtheilung, herausgegeben vom Verein für hansische Geschichte. Auch u. d. T.: Hanserecesse von 1477—1530. Bearb. von Dietrich Schäfer, Bd. I—II. Leipzig 1881—1883.

Hennig = Hennig, Ernst. Kurländische Sammlungen. Herausgegeben von etc. Ersten Bandes erster Theil. Auch u. d. T.: Geschichte der Stadt Goldingen in Kurland. Erster Theil. Mitau 1809.

Schuldbuch = Hildebrand, Dr. Hermann. Das Rigische Schuldbuch (1286 bis 1352). St. Petersb. 1872.

Hup. n. Misc. = Hupel, A. W. Nordische Miscellaneen. 18 Stück. Riga, 1781—1791.

Hup. n. n. Misc. = Hupel, A. W. Neue nordische Miscellaneen. 18 Stück. Riga, 1792—1797.

Hildebrand, Arb. = Hildebrand, H. Die Arbeiten für das liv-, ehst- und kurländische Urkundenbuch im Jahre 1873/74. Riga.

Index = Index Corporis historico-diplomatici Livoniae, Estoniae, Curoniae oder kurzer Auszug aus derjenigen Urkundensammlung, welche für die Geschichte und das alte Staatsrecht Liv-, Ehst- und Kurlands mit Unterstützung Sr. Majestät des hochseligen Kaisers Alexanders I. von Russland und auf Verwilligung Sr. Majestät des Königs Friedrich Wilhelm III. von Preussen aus dem geheimen ehemaligen Deutsch-Ordens-Archive zu Königsberg von den Ritterschaften Liv-, Ehst- und Kurlands zusammengebracht worden ist und wie solche, mit einigen Stücken aus inländischen Archiven vermehrt, bei Einer Edlen Ritterschaft des Herzogthums Livland aufbewahrt wird. Auf Veranstaltung und Kosten der verbundenen Ritterschaften Liv-, Ehst- und Kurlands herausgegeben (von Dr. C. E. Napiersky). Thl. I., Riga und Dorpat 1833. Thl. II., Riga und Dorpat 1835.

Inland = Das Inland. Eine Wochenschrift für Liv-, Ehst- und Kurlands Geschichte, Statistik und Literatur. Dorpat 1836—1863.

Kaffka, nord. Arch. = Nordisches Archiv (herausgegeben von J. Ch. Kaffka). Riga und Leipzig 1803—1808, je 12 Hefte. 1809, 3 Hefte.

Kallmeyer, Begründg. = Kallmeyer, Th. Die Begründung der evangelisch-lutherischen Kirche in Kurland durch Herzog Gotthard. Ein kirchengeschichtlicher Versuch nach den Quellen bearbeitet. Riga 1851. (Auch in den Mittheilungen. Bd. VI. S. 1—224.)

Kallmeyer, Gesch. = Kallmeyer, Theod. Geschichte der Kirchen und Prediger Kurlands. Erstes Heft, Riga 1849.

Klapmeyer, Pred.-Wittw. u. Wais.-Stift. = Klapmeyer, U. W. Geschichte und Verfassung der Prediger-Wittwen- und Waisen-Stiftung der Goldingschen Präpositur. Königsberg 1794.

Klopmann, Güterchron. = Klopmann, Friedrich von. Kurländische Güter-Chroniken, nach urkundlichen Quellen zusammengestellt und herausgegeben. Erster Band. Mitau 1856.

Krabbe = Krabbe, Dr. Otto. Die Universität Rostock im fünfzehnten und sechzehnten Jahrhundert. Thl. I. Rostock 1854.

Krey, Andenken = Krey, Johann Bernhard. Andenken an die Rostockschen Gelehrten aus den drei letzten Jahrhunderten. Rostock 1814—1816. Erstes bis achtes und letztes Stück nebst Anhang.

Landrolle = Landrolle des Ehstländischen Gouvernements, angefertigt im Jahre 1818. Verzeichniss der in Ehstland belegenen privaten und publiquen Güter und Pastorate nach ihrer vormaligen schwedischen und jetzigen Haken-Grösse, wie auch Seelenzahl nach der 7. Revision, mit ihrer deutschen und ehstnischen Benennung, wie auch den Namen der jetzigen Besitzer und Prediger mit einem doppelten Register versehen. Reval 1818.

Lib. red. = Napiersky, J. G. L. Die libri redituum der Stadt Riga. Leipzig 1881.

Mirbach, Briefe = Mirbach, Otto von. Briefe aus und nach Kurland während der Regierungsjahre des Herzogs Jacob. Mit Rückblicken in die Vorzeit von etc. Thl. 1 u. 2. Mitau 1844.

Mittheil. = Mittheilungen aus dem Gebiete der Geschichte Liv-, Ehst- und Kurlands, herausgegeben von der Gesellschaft für Geschichte und Alterthumskunde der russischen Ostseeprovinzen. Bd. I—XIII. Riga und Leipzig 1840—1882.

Mon. Liv. = Monumenta Livoniae antiquae. Sammlung von Chroniken, Berichten, Urkunden und andern schriftlichen Denkmalen und Aufsätzen, welche zur Erläuterung der Geschichte Liv-, Ehst- und Kurlands dienen. Bd. I. Riga, Dorpat, Leipzig 1835. Bd. II. Riga und Leipzig 1839. Bd. III. Riga und Leipzig 1842. Bd. IV. Riga und Leipzig 1844. Bd. V. Riga und Leipzig 1847.

Müller, Russ. Geschichte. = Müller, G. F. Sammlung russischer Geschichte. Bd. IX. Petersburg 1764.

Napiersky, Kirch. u. Pred. = (Napiersky Dr. Ed.) Beiträge zur Geschichte der Kirchen und Prediger in Livland. Zweites Heft. Lebensnachrichten von den livländischen Predigern, mit literärischen Nachweisen. Erster Theil. Mitau 1850. Drittes Heft. Lebensnachrichten etc. Zweiter Theil. Mitau 1851. Viertes Heft. Lebensnachrichten etc. Dritter Theil. Mitau 1852.

Neimbts, Nachricht. = (Neimbts, Johann Eberhard). Nachricht von denen Hochfürstlichen Officianten, dem Ministerio ecclesiastico oder der ganzen Geistlichkeit, und denen Magisträten der Städte nebst den Jahren ihrer Bestallung. Im Jahre 1770 im April. Mitau.

Nord. Rundschau = Nordische Rundschau. Eine Monatsschrift, herausgegeben von Erwin Bauer. Reval 1884.

Pabst, Beiträge = Pabst, Eduard. Beiträge zur Kunde Ehst-, Liv- und Kurlands, herausgegeben von der Ehstländischen literairischen Gesellschaft. Reval 1873.

Paucker, Geistl. = Paucker, H. R. Ehstlands Geistlichkeit in geordneter Zeit- und Reihenfolge. Reval 1849.

Paucker, Landgüter = Paucker, Dr. Carl Julius. Ehstlands Landgüter und deren Besitzer zur Zeit der Schweden-Herrschaft. I. Harrien. Reval 1847.

Paucker, Landrathscoll. = Paucker, Dr. Carl Julius. Das Ehstländische Landraths-Collegium und Oberlandgericht. Ein rechtsgeschichtliches Bild. Reval 1855.

Paucker, Lode = Paucker, Julius. Die Herren von Lode und deren Güter in Ehstland, Livland und auf der Insel Oesel nach Urkunden und andern geschichtlichen Nachrichten etc. Dorpat 1852.

Recke = Recke-Volmerstein, Constantin Graf von der, und Recke, Otto Baron von der. Geschichte der Herren von der Recke, bearbeitet von einigen Gliedern der Familie. Breslau 1878.

Rev. Rathsl. = Bunge, F. G. v. Die Revaler Rathslinien nebst Geschichte der Revaler Rathsverfassung und einem Anhange über Riga und Dorpat. Reval 1874.

Richter, Gesch. = Richter, A. v. Geschichte der dem russischen Kaiserthum einverleibten deutschen Ostseeprovinzen bis zur Zeit ihrer Vereinigung mit demselben. Thl. I., Bd. I. Riga 1857. Thl. I., Bd. II. Riga 1858. Thl. II., Bd. I. Riga 1858. Thl. II., Bd. II. Riga 1858. Thl. II., Bd. III. Riga 1858.

Richter, Medicin. = Richter, Dr. Wilhelm Michael von. Geschichte der Medicin in Russland. Thl. I. Moskwa 1813. Thl. II. Moskwa 1815. Thl. III. Moskwa 1817.

Rig. Rathsl. = Böthführ, H. J. Die Rigische Rathslinie von 1226—1876. Zweite Auflage. Riga, Moskau und Odessa 1877.

Rig. Stadtbl. = Rigasche Stadtblätter. Herausgegeben von der literärisch-praktischen Bürgerverbindung. Riga 1810—1884.

Rosen, Familiengesch. d. v. Rosen. = Rosen, Baron Andreas. Skizze zu einer Familiengeschichte der Freiherren und Grafen von Rosen. 992 bis 1876. St. Petersburg 1876.

Rost. Jur.-Facult. I. = Geschichte der Juristenfacultät der Universität Rostock. Rostock 1745.

Rost. Jur.-Facult. II. = Erste Fortsetzung der Geschichte der Juristenfacultät der Universität Rostock, imgleichen einige andere Sachen als derer Rostockischen weiteren Nachrichten. Einziges Stück des Jahres 1746.

Russwurm, Ungern-Sternberg. = Russwurm, C. Nachrichten über das Geschlecht der Ungern-Sternberg, aus authentischen Quellen gesammelt von Rudolf Freiherrn v. Ungern-Sternberg zu Birkas. Im Auftrage der Familie revidirt und ergänzt von Russwurm. Erster Theil. Breslau 1875. Zweiter Theil. Reval 1877.

Schirren, Verz. = Schirren, C. Verzeichniss livländischer Geschichtsquellen in schwedischen Archiven und Bibliotheken. Dorpat 1861—1868.

Schriftst.-Lex. = Allgemeines Schriftsteller- u. Gelehrten-Lexikon der Provinzen Livland, Ehstland und Kurland. Bearbeitet von Johann Friedrich v. Recke und Karl Eduard Napiersky. Bd. I. Mitau 1827. Bd. II. Mitau 1829. Bd. III. Mitau 1831. Bd. IV. Mitau 1832.

Schütz, Vita Chytraei = Schütz, Otto Friedr. De vita Davidis Chytraei, Theologi, Historici et Polyhistoris Rostochiensis Commentariorum Libri quatuor ex editis et ineditis monumentis ita concinnati ut sint annalium instar et supplementorum historiae ecclesiasticae seculi XVI. speciatim rerum in Lutherana ecclesia et academia Rostochiensi gestarum etc. Lib. I. Hamburgi 1720. Lib. II. Hamb. 1722. Lib. III. Hamb. 1728. Lib. IV. Hamb. 1728.

Script. rer. Liv. = Scriptores rerum Livonicarum. Sammlung der wichtigsten Chroniken und Geschichtsdenkmale von Liv-, Ehst- und Kurland in genauem Abdruck der besten bereits gedruckten aber selten gewordenen Ausgaben. 2 Bde. Riga und Leipzig 1853, 1848.

Sitzungsberichte d. ehst. Gesellsch. = Sitzungsberichte der gelehrten ehstnischen Gesellschaft zu Dorpat. 1880. Dorpat 1881.

Tetsch, Kirch.-Gesch. = Tetsch, M. Carl Ludwig. Kurländische Kirchengeschichte von dem Zustande dieser Provinzialkirche bis zum Ableben Gotthards, ersten Herzogs zu Kurland, nebst der gegenwärtigen äusserlichen kirchlichen Verfassung dieses Herzogthums. Theil I. Riga 1767. Theil II. Riga 1768. Theil III. Königsberg und Leipzig 1770.

Tiesenhausen, erste Forts. = Tiesenhausen, C. J. H. v. Erste Fortsetzung von des Herrn Hofraths von Hagemeister Materialien zur Gütergeschichte Livlands. Riga 1849.

UB. = Liv-, Ehst- und Kurländisches Urkundenbuch nebst Regesten. Herausgegeben von Dr. Friedr. Georg von Bunge. Bd. 1—6. 1853—1873. — Liv-, Ehst- und Kurländisches Urkundenbuch. Begründet von F. G. v. Bunge, im Auftrage der baltischen Ritterschaften und Städte fortgesetzt von Hermann Hildebrand. Bd. 7. 1881.

Vogell, Herren Behr = Vogell, T. Versuch einer Geschlechtsgeschichte des hochadeligen Hauses der Herren Behr im Hannöverschen und Kurländischen aus theils bereits gedruckten, theils ungedruckten Urkunden. Celle 1815.

Weitere Nachr. = Weitere Nachrichten von gelehrten Rostockischen Sachen. Für gute Freunde. Rostock 1743.

Witte, Diar. biogr. = Witte, Henning. Diarium biographicum in quo scriptores seculi post natum Christum XVII. praecipui quos inter Reges, Principes, Pontifices, Cardinales, Episcopi, Theologi, Icti, Medici, Philosophi, Mathematici, Oratores, Historici, Poetae, Philologi, Antiquarii Artifices absque Nationis, Religionis et Professionis discrimine etc. concise descripti magno adducuntur numero etc. Gedani 1688.

Wöchentl. Unterhalt. = Wöchentliche Unterhaltungen für Liebhaber deutscher Lectüre in Russland. Herausgegeben von Joh. Friedr. Recke. Mitau 1805—1807. 6 Bde.

Neue wöchtl. Unterhalt. = Neue wöchentliche Unterhaltungen grösstentheils über Gegenstände der Literatur und Kunst. Herausgegeben von Joh. Friedr. Recke. Mitau 1808. 2 Bde.

Prag,

die erste deutsche Universität.

1348.

Vorbemerkung.

Die Monumenta historica universitatis Carolo-Ferdinandeae Pragensis, aus welchen der nachstehende Auszug der in Prag studirt habenden Livländer entnommen ist, enthalten kein chronologisch fortlaufendes vollständiges Verzeichniss der aufgenommenen Studenten, sondern sie bringen in den beiden Bänden ihres ersten Tomus ausser einigen Statuten und Vorschriften unter der Ueberschrift: „Registrum ordinis graduatorum in artibus" lediglich ein Verzeichniss der Decane der philosophischen Facultät und aller unter der Verwaltung jedes einzelnen Decans zur Erlangung der gelehrten Würde eines Baccalaurius, Licentiaten oder Magisters zugelassenen Examinanden in den Jahren 1367 bis 1585. Die Zahl solcher Examinanden während dieses Zeitraums von zweihundert und achtzehn Jahren beträgt ungefähr siebentausend, unter denen, allerdings mit Beihilfe eines guten Registers, für unsern Zweck die Livländer herauszusuchen waren. Eine grosse Menge der Verzeichneten wird nur mit Taufnamen genannt und in solchen Fällen dann wohl meist der Ort ihrer Heimath angegeben, z. B. Arnoldus de Stargardia, Joannes de Colonia, Bertholdus de Livonia, Hermannus de Riga etc. Wo aber ein Geschlechts- oder Familienname beigefügt ist, fehlt meistentheils die Angabe des Heimathortes, was übrigens auch in manchen andern älteren Matrikeln vorkommt. Es ist daher schwierig, die Angehörigen eines bestimmten Landes unter der

1

grossen Zahl der Inscribirten herauszufinden. Unter diesen Umständen können demnach als Livländer mit Sicherheit nur die sehr wenigen erkannt werden, welche als solche durch die Angabe ihrer Heimath ausdrücklich bezeichnet werden. Aber ausser diesen kommen doch auch einige Personen mit Namen vor, welche aus livländischen Urkunden bekannt, und deren Träger daher unzweifelhaft zu den Livländern zu zählen sind. Endlich sind zu ihnen aber wohl auch noch einige wenige Personen mit solchen Namen zu rechnen, welche livländischen Familien jener Zeit angehören und anderswo nicht angetroffen werden.

Das eben Bemerkte gilt auch von den Namenverzeichnissen, welche sich im Tomus II der Monumenta, in dem Album oder der Matrikel der juristischen Facultät der Universität Prag befinden. Diese Matrikel, welche gegen viertausend Namen enthält, reicht nur von 1372 bis 1418, geht also nicht so weit herab, wie das im ersten Tomus enthaltene Verzeichniss der Decane und Examinanden der philosophischen Facultät. Es ist dies aber für den vorliegenden Zweck wohl von keinem Nachtheil, da sich auch in den Verzeichnissen der philosophischen Facultät nach dem Jahre 1407 keine Livländer mehr finden. Nach Gründung anderer deutschen Universitäten, namentlich Leipzigs und insbesondere Rostocks, ging der Zug aus Livland hierhin, besonders nach letzterem Ort, und Prag wurde von Livland aus nicht mehr besucht. Hatten doch die Uneinigkeiten zwischen Böhmen und Deutschen im Jahre 1409, veranlasst durch die kirchlich-reformatorische und zugleich czechisch-nationale von Johann Huss beförderte Bewegung *), den Auszug einer grossen Anzahl Studenten aus Prag unter Anführung von Otto von Munsterberg und Johann Hofmann und die Gründung der Universität Leipzig veranlasst.

Die Einrichtung der Prager Matrikel der juristischen Facultät ist folgende: Auf den ersten Blättern sind die Doctores bis 1412, auf den folgenden die Baccalarii bis 1416 verzeichnet; dann folgt vom Jahre 1372 ab, nach den Nationen der Böhmen, Baiern,

*) Vergl. Pypin A. N. und Spasović V. D.: Geschichte der slavischen Literaturen. (Nach der zweiten Auflage) aus dem Russischen (übertragen) von Traugott Pech. Leipzig 1884. Bd. II. Zweite Hälfte, S. 80 u. ff.

Polen und Sachsen geschieden, die Eintragung der Studirenden unter Angabe des jedesmal eintragenden Rectors, und zwar der Böhmen bis 1418, der Baiern bis 1414, der Polen bis 1407 und der Sachsen bis 1417. In dieser Eintheilung der Studirenden in vier Nationen folgte Prag, wie auch bald darauf die 1365 gegründete Universität Wien dem Beispiele der Pariser Universität, indessen ist die Zutheilung zu einer dieser Nationen nicht streng nach der Nationalität der einzelnen Personen eingehalten worden. Wir finden die Livländer meist zu den Sachsen, aber auch einige zu den Polen zugeschrieben. In dem nachfolgenden Auszuge ist lediglich die chronologische Reihenfolge der Intitulirten zur Richtschnur genommen worden, ohne Rücksicht auf die Eintheilung in Nationen und ohne Sonderung der in der philosophischen und der in der juridischen Matrikel Verzeichneten.

---

1. 1367. April 25. **Bertholdus de Lyvonia.** Er erhielt den Grad eines Baccalaurius in der philosophischen Facultät.

2. 1372. Decbr. 12. **Fridericus Lode.** Ohne Angabe der Heimath als Jurist in die Universität aufgenommen. Aber schon 1361 ist ein Friedericus Lode gleichfalls ohne Heimathsangabe als Baccalaurius intitulirt worden. Ueber die Familie Lode siehe Inland 1853, pag. 310, und Paucker Lode.

3. 1376. **Hermannus de Riga.** Er unterwirft sich dem Examen als Baccalaurius und am 2. März 1382 als Licentiat.

4. 1380. **Joannes Woynchuzen.** Ohne Angabe des Heimathsortes, wird als Jurist unter die Bavaren, 1382 unter die Saxonen und 1385 als Baccalaurius intitulirt. Ein dominus Johannes Woynckhusen ist im Jahr 1406 Glied des Rig. Raths und von 1412—1429 speciell Kämmerer. Ein Johann Woynghusen ist 1412 Vicar in der Kirche zu Riga. Rig. Rathsl. 270. UB. 2992.

5. 1380. **Joannes Fabri de Riga.** Er wird, als monachus in Viridi bezeichnet, zum Baccalauriats-Examen bei der philosophischen Facultät eingeschrieben und darauf im Jahre 1381 bei der Juristenfacultät intitulirt; im Jahre 1382 in den Fasten findet er sich wieder unter den aufgeführten Examinanden. Am 21. Juli 1387 heisst es: Joannes Fabri, religiosus ordinis servorum Mariae

1*

incepit (wahrscheinlich wohl Vorlesungen zu halten, wozu die Baccalauren befugt waren) in artibus sub mag. Jacobi Briezen." Am 23. Februar 1409 wurde er einer der dem Decan beigegebenen Examinatoren, welche aus den vier Nationen zu je einem aus jeder gewählt wurden, und zwar als Polonorum Magister. — In livl. Urkunden findet sich nur Johannes Fabri, welcher am 28. Februar 1379 als Kirchherr zu Touvel bei Dorpat vorkommt, UB. 1135, welcher aber der Vorstehende nicht sein kann.

6. 1381. **Joannes Menykorb** (Menycorbe) **de Livonia.** Er wird 1381 ohne Heimathsangabe als Jurist und 1384 mit der Bezeichnung de Livonia als Baccalaurius intitulirt.

7. 1382. **Joannes Sandbotheim.** Das **t** wird wol **c** zu lesen sein, welche Buchstaben in den alten Handschriften oft einander zum Verwechseln ähnlich sind. Er wird nach Pfingsten dieses Jahres zum Examen in der philosophischen Facultät zugelassen. Seine Heimath ist nicht angegeben, aber eine Familie dieses sonst nirgends vorgefundenen Namens findet sich um diese Zeit in Riga, woher Obiger denn wohl ihr zugezählt werden kann. Meynert Bochem, auch Sandbocheym genannt, ist von 1352 bis 1396 Rathmann in Riga. Rig. Rathsl. S. 77.

8. 1384. **Nicolaus Erghemes** (Ergemes) **de Livonia.** Er wird im Jahr 1384 als Jurist, im Jahr 1386 als Baccalarius intitulirt und vollzieht 1390 als baccalarius in decretis, magister artium und rector universitatis juristarum studii Pragensis mehrere Intitulationen. Die Familie Ergemes, Ermes, Ermiss, auch Argemes und Armitz genannt, ist in livl. Urkunden von 1434 bis 1557 mehrfach vertreten. Briefl. I. 159, 1456.

9. 1384. **Conradus Wyman.** Der Heimathsort ist nicht angegeben, aber um diese Zeit, abgesehen von der frühern, kommen in Riga vor Godschalcus Wyman (auch Wynman genannt), Rathsherr von 1349—1359, und Johann Wynman, Rathsherr vor 1395. Rig. Rathsl. S. 76, 86. Ausserdem ein Hermannus Wyman (Wynman) im EB. I. 24, 28, 45, 54, 68, 121. Es ist möglich, fast wahrscheinlich, dass der Immatriculirte auch aus Riga stammt, zumal ein zweiter Träger des Namens Wyman sich in der Prager Matrikel nicht findet.

10. 1384. **Johannes de Revalia.** Er wird den 14. März d. J. zum Baccalarius in artibus promovirt.

11. 1384. **Nicolaus de Lywonia** zum Baccalaureats-Examen verzeichnet.

12. 1385. **Joannes Luden de Liwonia.** Er wird 1385 als Jurist unter dem Namen Joannes de Lude und 1387 unter dem Namen Joannes Luden de Liwonia als Baccalaurius intitulirt. Die Lude kommen in den livl. Urkunden von 1434—1555 vor. Briefl. 159, 169, 585, 739, 842, 1219, 1328, 1436.

13. 1385. M. **Hermannus Keyzer de Riga.** In diesem Jahre wird er als Jurist unter der Bezeichnung Magister intitulirt. Er ist im Jahre 1390 als Procurator des Rig. Erzbischofs Johann IV. Synten in Rom und bewirkt dort die Verschärfung des gegen den Orden im Jahre 1360 ausgesprochenen Bannes und 1391 die Citation wider den Rig. Rath, weil dieser sich die Ernennung des Rectors der St. Petrischule angemasst und den Rig. Einwohnern das Bewohnen der in der Stadt belegenen Capitelhäuser verboten hatte. UB. III. 1275, 1299, 1300, 1301.

14. 1385. Febr. 9. **Gottschalk Schutte.** Ohne Angabe des Heimathsortes als Examinand in der philosophischen Facultät verzeichnet. Am 2. März desselben Jahres fing er an Vorträge zu halten. Im Jahre 1390 wird er, schon als Magister bezeichnet, bei der juristischen Facultät intitulirt. Gottschalk Schutte ist 1423 und 1424 Bischof von Kurland. UB. VII. 5, 10 etc.

15. 1386. **Eberhardus Bonit**, ohne Heimathsangabe, als Jurist intitulirt. Ein Dominus Eberhardus Bonit wird in Riga in den Jahren 1403 und 1405 als Besitzer einer „Bude" genannt, ist als Rig. Rathsherr zu erachten und vielleicht der vorstehend Immatriculirte. EB. I. 318, 355. Rig. Rathsl. Nr. 264.

16. 1386. **Engelbertus Blankensteyn de Ryga.** Er wird 1386 als Jurist und 1395 als Baccalarius intitulirt. Ein Engelbert Blankensteen lässt am 9. August 1386 sein bei der Radporte in Riga belegenes Haus dem Henrik Blankensteen auf und im Jahre 1407 wird Jacob Bekerwerter als Besitzer eines Hauses genannt, das nach Erbrecht von Seiten Domini Enghelberti Blankensteen auf ihn gekommen ist. EB. I. 25, 423.

17. 1389. **Conradus Raet de Livonia.** In diesem Jahre als Jurist unter den Saxonen verzeichnet. In Riga kommt in den Jahren 1387—1395 ein Remboldus Raed als Hausbesitzer vor. EB. I. 49, 97, 178.

18. 1390. **Henricus de Aderkas.** Ohne Heimathsangabe als Jurist unter die Sachsen intitulirt. Da die Aderkas schon am Ende des dreizehnten Jahrhunderts als Vasallen der Rig. Kirche vorkommen und seitdem ein in Livland ansässiges Geschlecht sind, möchte der Obbezeichnete auch zu den Livländern zu zählen sein. Ein Henrich Aderkass ist in Riga Urkundszeuge am 19. Juli 1417. UB. 449, 547. Reg. 2585.

19. 1390. **Conradus Foysan.** Er wird zum Baccalariats-Examen in der philos. Facultät verzeichnet, auch ohne Angabe des Heimathsorts; aber dieser sonst nirgends vorgefundene Name kommt in Riga vor und dürfte sonach Conrad Foysan auch zu den Livländern zu zählen sein. Johann Foysan ist Rathsherr in Riga von 1416—1425. Rig. Rathsl. Nr. 287. Ausserdem kommen noch Albertus und Marquardus vor im EB. I. 126, 133.

20. 1390. **Jacobus Groenowe de Livonia** als Jurist unter den Sachsen intitulirt. Im Jahre 1426 Mai 15. ist Jacobus Gronowe Presbyter der Rigischen Kirche und Abgesandter des Rig. Erzbischofs Henning an den Römischen König Sigismund. Seiner wird als Priester auch noch 1428 April 7. erwähnt. UB. VII. 459, 698.

21. 1393. **Dns. Joannes,** canonicus Rigensis, als Jurist unter die Sachsen immatriculirt.

22. 1394. **Johannes Schutte.** Ohne Angabe des Heimathsorts als Jurist intitulirt und sodann zu dem nach Pfingsten anberaumten Examen verzeichnet. Darauf kommt er am 16. Sept. desselben Jahres als Zahler der Gebühren vor. Johannes Schutte ist 1417 Decan der Kirche zu Dorpat, wird 1420 und 1423 vom Capitel zu Oesel zum Bischof erwählt und gelangt im letzten Jahre auch zum Bischofsstuhl. Gestorben den 12. September 1438. Chronol. S. 249.

23. 1395. **Arnoldus Stoltenfus.** Ohne Angabe der Heimath zum Baccalariats-Examen in der philos. Facultät verzeichnet. Im April des Jahres 1404 wird wiederum zu gleichem Examen ein Arnoldus Stoltevoet verzeichnet, ob derselbe, bleibt ungewiss. Die Stoltevoet, Stolzenfues, sind ein Revaler Rathsgeschlecht. Johann Stoltevoet sitzt im Revaler Rath von 1385—1419 und Gottschalk Stoltevoet von 1428—1457. Der immatriculirte Arnoldus Stoltenfus ist später Domherr der Kirche zu Reval, wird 1418 zum Bischof von Reval erwählt und von dem Hochmeister, bei welchem der Rathsherr Johann Stoltevoet in besonderem Ansehen stand, dem Papst Martin empfohlen, von welchem er denn auch am 18. April 1418 zum Bischof bestätigt wird. Gestorben im Sommer 1419. Rev. Rathsl. S. 132, 183. Chronol. S. 313.

24. 1397. **Boldewinus de Wenden** als Jurist intitulirt.

25. 1399. **Odoardus** canonicus Revaliensee wird als Jurist, resp. Canonist intitulirt. Ein „her Oderdo" befindet sich 1411 in Reval. UB. IV. 1907.

26. 1400. M. **Joannes Sumer** (Somer) **de Livonia.** Er wird 1400 als Jurist und 1405 als Baccalarius intitulirt und beide Male als Magister bezeichnet.

27. 1402. **Johannes Crowel** ohne Heimathsangabe als Jurist intitulirt. Die Crowel sind ein Revalsches Rathsgeschlecht. Reincke Crowel ist von 1333—1358 Rathsherr und Bürgermeister in Reval, ein zweiter Reineke Crowel 1385 und 1386 Rathsherr ebendaselbst und Johannes Crowel von 1390—1423. Der Immatriculirte dürfte vielleicht zu dieser Familie zu zählen und vielleicht ein Sohn des letztgenannten Rathsherrn sein. Rev. Rathsl. S. 89.

28. 1402. **Johannes Tirgart,** auch ohne Heimathsangabe; er wird vor Weihnachten dieses Jahres zum Baccalariats-Examen zugelassen. Er erscheint 1420 als Procurator des deutschen Ordens zu Rom, wird dort in demselben Jahre zum Bischof von Kurland ernannt und 1429 vom Papst zum Legaten von Spoleta beordert. UB. 2498, 2501. UB. VII. 235, 259, 747, 788, 807.

29. 1403. **Henricus Orgess de Livonia.** Als Jurist intitulirt. Die Orges sind Vasallen des Rig. Erzbischofs. Ein Henrich Orges ist 1373 Vogt von Treyden. Briefl. 58.

30. 1404. **Egbertus Kruse de Terbato.** Bei der juristischen Facultät intitulirt. Im Jahre 1419 ist Egbert Kruse Domherr der Kirche zu Dorpat. Werner Kruse ist 1392 Rathsherr in Dorpat; Egbert wahrscheinlich sein Sohn. UB. 2292, 2925. Briefl. 131.

31. 1404. **Joannes Stoltewt de Revalia.** Wohl Stoltevut zu lesen. Bei der juristischen Facultät intitulirt. Auch dieser gehört wohl zu der Revaler Rathsfamilie der Stoltevoet und mag ein Sohn des Bürgermeisters Johann Stoltevoet von 1385—1409 sein. Siehe oben Nr. 23.

32. 1407. **Eugwaldus de Ryga.** Zum Pfingsttermin als Examinand zum Baccalaureat verzeichnet.

33. 1407. **Johannes Treppe.** Auch ohne Heimathsangabe als Examinand zum Baccalaureat für den Weihnachtstermin d. J. verzeichnet. Er hatte vorher schon zu Köln studirt, wo er 1403 zwischen März und Juni als Rigensis immatriculirt worden war. Im Jahre 1417 ist er canonicus und thesaurarius ecclesiae Rigensis und in den Jahren 1424 und 1428 Domherr zu Riga. Seiner wird als Decan noch 1454 erwähnt. Arnold an der Treppen, auch Arnold Treppe genannt, ist Rigascher Rathsherr von 1386—1415 und wahrscheinlich der Vater des Johannes Treppe. UB. VI. R. 2585. Nachträge S. 118. UB. VII. 206, 766. Briefl. 219. EB. I. 9, 19, 100, 197, 216, 252, 580. EB. II. 728, 860, 862, 1165, 87, 90, 1472. Lib. Red. II. 538. Rig. Rathsl. Nr. 242.

34. 1407. M. **Arnoldus Stalle de Wenda, de Lywonia.** Er wurde 1407 als Jurist intitulirt unter der Bezeichnung de Wenda und wird hier schon Magister genannt. Im Jahr 1408 wird er bei der philosophischen Facultät mit der Bezeichnung de Lywonia zum Magister-Examen verzeichnet. Der Name kommt in livl. Urkunden nicht weiter vor, als nur im Rig. EB. I. 62, wo es heisst: Relicta Hinzonis Pennen resignavit cuidam dicto Stalle hereditatem suam anno 1388, Juli 31.

Köln.

Erste Matrikel von 1388—1425.

1. 1400, zw. 24 März und 28. Juni. **Gherardus de Riga**, dyocesis Rigensis, ad jura canonica. Non solvit. Der Herausgeber der Kölner Matrikel bemerkt bei dieser Inscription: „Vor non solvit steht t (= gleich nichil?), solvit durchgestrichen; auf dem Rande links steht: gratis, quia servitor magistri Theodorici Dystel.“ Wer Theodoricus Dystel ist, hat nicht gefunden werden können, ebensowenig ist klar, was unter servitor zu verstehen ist, da Gherardus doch wohl zum Studium des canonischen Rechts sich hat immatriculiren lassen. Auch hinsichtlich der Person des Gerardus ist nichts weiteres zu ermitteln gewesen.

2. 1402, zw. 7. Octbr. und 20. Decbr. **Henricus Bevermann de Terbaco** in artibus. Terbaco ist wol verlesen für Terbato, das ist Dorpat. In Dorpat gab es um diese Zeit von 1386—1402 einen Bürgermeister Johann Bevermann (UB. 1251, 93, 1459, 1602, 1925. HR. 1256—1430, II. Nr. 323, V. 61) und der Obige ist wohl ein Sohn desselben.

3. 1403, zw. März und Juni. **Gerwinus Wynkel**, diocesis Rigensis ad artes, solvit. Hermann Winkel kommt in den Jahren 1391—1400 als Rathsherr in Riga vor, der in dem letzten Jahre sich auf dem Hansetage zu Lübeck befindet. Gerwinus ist wahrscheinlich sein Sohn, der, gleich vielen Söhnen von Rathsherren, sich dem geistlichen Stande widmete.

4. — —. **Johannes Trappe** (l. Treppe) **Rigensis**, Rigensis diocesis ad artes, solvit. Er wurde 1407 zu Weihnachten in Prag Baccalaureus. Johann Treppe ist im Jahre 1417 canonicus und thesaurarius ecclesiae Rigensis und in den Jahren 1424 und 1428 Domherr zu Riga. Siehe oben Prag. Nr. 33.

5. 1406, nach 9. Oct. **Dns. Johannes de Varensbech**, canonicus ecclesiae Oziliensis ad artes, solvit. Aus livländischen Urkunden ist dieser Oeselsche Domherr noch nicht bekannt. In einer An-

merkung führt der Herausgeber der Kölnischen ältesten Matrikel, Dr. Schmitz, an: „Crecelius (der Verfasser des Aufsatzes: „Aus der I. Matrikel der Universität Köln“ in der Vierteljahrsschrift für Heraldik, Sphragistik und Genealogie. Herausgegeben von dem Verein Herold zu Berlin, VII. Jahrgang, 1879) brieflich: Stammt wohl aus derselben Familie, wie der „Wynricus de Vaeisbech militaris“, der zwischen dem 20. Decbr. 1396 und 23. März 1397 immatriculirt wurde. Es gab ein bergisches Rittergeschlecht v. Varensbeck oder Varesbeck, das seinen Namen von dem Hof Varresbeck (jetzt in der Bürgermeisterei Elberfeld gelegen) führte. Vergl. über dasselbe Zeitschrift des Bergischen Geschichtsvereins IV. 241.“ — In der Kölner Matrikel ist nemlich in der oben angeführten Zeit als immatriculirt aufgeführt: „Wynricus de Vaeisbech, militaris, in jure canonico studens.“ — Crecelius hält diesen Namen wohl mit Recht für corrumpirt statt Varesbech. Ist dieses richtig, so kann man wohl in diesem Immatriculirten einen Verwandten und Stammgenossen des vorstehend immatriculirten Johannes de Varensbech, und zwar den Oeselschen Domherrn Winrich Varensbeck sehen, der in einer livländischen Urkunde um das Jahr 1411 vorkommt, UB. Reg. 2231, und es hätte somit auch dieser seine Studien zu Köln gemacht. Die Varensbeke sind ein seit dem Anfange des vierzehnten bis zum Ende des sechszehnten Jahrhunderts in Livland ansässiges Adelsgeschlecht (Briefl. Bd. II., S. 116), aus dem sich Wilhelm Varensbeck durch seine gewaltthätigen Streitigkeiten mit dem Bischof von Oesel, Winrich von Kniprode, um 1421 besonders bemerkbar gemacht hat. UB. 2572. Zur Zeit der Redactionen der liv-, ehst- und kurländischen Adelsmatrikel war dasselbe bereits erloschen, woher es denn in denselben nicht mehr vorkommt.

6. 1408. März 24. **Hennigus Bekeman de Terbato,** diocesis ejusdem, ad artes. Er ist aller Wahrscheinlichkeit nach der Sohn des Dörptschen Rathmannes Werner Bekeman, welcher 1396 (UB. 1511) vorkommt. Henning Bekeman ist im Mai 1420 als Procurator des Rig. Erzbischofs Johannis Habundi in Rom. Von 1414—1428 führt er als Scholasticus der Revalschen Kirche einen heftigen Streit mit den von dem Revaler Rath unterstütz-

ten Predigerbrüdern wegen der von diesen zu seiner und seines Capitels Benachtheiligung errichteten Schule, der schliesslich zu seinen Ungunsten ausfällt. UB. VII, S. XXVI u. XXVII. Hansen Kirchen und Klöster, S. 70.

7. 1408. Juni 29. **Johannes Vechinghuzen**, clericus diocesis Rigensis. Wohl ein Sohn des Rigaschen Bürgermeisters Caesarius Vockinghusen, welcher von 1385—1408 vorkommt.

8. 1411. Octbr. 9. **Gerardus Stalbiter de Riga.** Am 10. Juni 1426 ist er als Domherr von Dorpat in Rom Zeuge bei Transsumirung von Urkunden. UB. VII. 477. Am 23. December 1426 ist M. Gerhard Stalbiter, Canonicus zu St. Victor in Xanten, Urkundszeuge in Rom. UB. VII. 551.

9. — — **Henricus Wetter de Riga.**

10. 1414. Octbr. 8. **Gherardus de Riga.**

11. 1415. Juli 1. **Helwicus Zoest**, Rigensis diocesis ad jura. Johannes und Rutger Zost (Soest) sind Rigasche Rathsmänner, ersterer von 1354—1358, letzterer von 1356—1386. Aus ihrer Familie stammt wohl auch Helwicus ab. Johannes Sost ist von 1395—1405 Propst der Rig. Kirche. Rig. Rathsl. 195, 199. UB. 1388, 1413, 1653.

12. 1420. Decbr. 20. **Gherardus Zaffenberch de Livonia**, Revaliensis dyocesis. Wahrscheinlich ein Sohn oder wenigstens aus der Familie des Arent (Arnoldus) Saffenberg, der als Revalscher Rathmann von 1402—1431 vorkommt. Rev. Rathsl. S. 127.

13. 1422. Octbr. 8. **Conradus Veysche de Riga**, clericus Rigensis. Wahrscheinlich wohl aus dem Rig. Rathsgeschlecht der Visch, aus welchem Conrad Rathsherr von 1391—1420, Gotschalk von 1435—1449 und Conrad II. von 1448—1486. Rig. Rathsl. 236, 315, 332.

Aus der Matrikel von 1502.

14. 1513. Juni. **Johannes Vrangel de ryualia** diuolieusis (vermuthlich Rivalieusis) diocesis ad artes juravit et solvit.

15. — Aug. 19. **Lutgerus Scheper de Ryga** livoniensis diocesis ad artes juravit et solvit. Wohl ein Sohn des Rigaschen

Rathsherrn Johann Scheper. Nach dessen Tode wird im Jahre 1497 einestheils seiner Wittwe Katherine und anderntheils seinen Kindern „Katheken, Hinrik und Luder gebrodere, geheten Schepere, seligen her Johan Schepers und Kathrineken echte rechte und naturlike kindere" ein Haus aufgetragen. Rig. Rathsl. 399. EB. II. 73.

16. — Decbr. **Jasperus de Lyuonia ver Frerpen** ad artes juravit et solvit. Der Name ist offenbar verlesen. Vielleicht soll er heissen Jasperus von der oder up de Treppen. Eine Familie dieses Namens findet sich um diese Zeit in Riga. Siehe oben Nr. 4.

17. 1516. Aug. 4. **Johannes Zwyffel de Rygo** (so!) ad artes juravit et solvit. Ein durch seine Frau mit dem Gendenaschen Hause verschwägerter Frederik von Twyffel kommt von 1495 bis 1521 als Hausbesitzer in Riga vor und ein Johannes von Twibeln ist im Jahre 1604 secretarius. Zu dieser Familie wird auch wohl der vorstehend Immatriculirte gehört haben. RB. 285, 293, 391. EB. II. 34, 142, 214, 273, 407, 413. Lib. rur. 276.

18. 1517. Novbr. 18. **Andreas Stockmann de Riga** ejusdem diocesis ad jura juravit solvit.

19. 1518. Mai —. **Jasperus Aldenboecken de Livonia** ad artes juravit solvit.

20. 1518. Juli —. **Conradus Duerkop de Rygis** ad artes juravit solvit. Die Familie Duerkop war seit dem Jahre 1368 in dem Rig. Rath vertreten. Auch der vorstehende immatriculirte Conrad Durkop wurde 1531 in den Rath berufen, wurde 1537 Bürgermeister und 1542 Präses des Consistoriums. Er machte sich um die Einführung der evangelischen Lehre besonders verdient. Als der Erzbischof Wilhelm Markgraf von Brandenburg 1542 auf die geistliche Jurisdiction verzichtet und der Stadt Riga die freie Religionsübung zugesichert hatte, sprach Conrad Durkop auf Grund der noch rechtlich bestehenden zwiespältigen Oberherrlichkeit der Stadt in einer Schrift sich für die Huldigung auch dem Erzbischof gegenüber neben dem Ordensmeister aus. Dies zog ihm aber die Verfolgung des letztern zu, so dass er

es für gut fand, Riga zu verlassen. Nachdem er vom Kaiser ein günstiges Urtheil erwirkt hatte, war er im Begriff nach Riga zurückzukehren, erkrankte aber in Lübeck und starb daselbst den 2. November 1546 im Alter von 47 Jahren. Rig. Rathsl. 449.

21. 1519, zw. 15. März und 30. Juni. **Bernardus van dem Deyl rigensis** ad artes juravit et solvit. Der Name ist wohl verlesen und soll wohl Dall heissen. Bernd oder Bernard Dall war ein Sohn des Rig. Rathsherrn Gobel vam Dall, welcher 1504 in den Rath trat, 1527 Bürgermeister war und in diesem Jahre verstarb. Nach seinem Ableben heirathete seine Wittwe den Rathsherrn Antonius Tyling und seine nachgelassenen mündigen Kinder liessen die Besitzungen ihres verstorbenen Vaters am 19. Juli 1528 ihrem Stiefvater auftragen. Nach dem erfolgten Ableben des letzteren liess „der wirdige her Bernhard vam Dall" durch einen Bevollmächtigten eben diese Besitzungen an einen Dritten übertragen. Nach dieser Titulation ist er ohne Zweifel ein Geistlicher, und da er den sämmtlichen, von seinem Vater herstammenden Grundbesitz veräusserte, und zwar durch einen Bevollmächtigten, und sein Name ferner in Riga nicht mehr vorkommt, so scheint er im Auslande und vielleicht als katholischer Priester geblieben zu sein. Rig. Rathsl. 419, 439. EB. II. 563, 1005. Lib. rur. 133.

22. 1519. Aug. —. **Hieronimus Alous de rivalia** ad artes juravit solvit. Ein befremdlicher Name; vielleicht soll er Albus (Witte) heissen. Eine Familie dieses Namens kommt um diese Zeit in Reval vor.

23. 1521. Mai 24. **Andreas Loier de Revalia** diocesis ejusdem ad artes juravit et solvit. Ebenfalls ein befremdlicher Name, vielleicht soll er Luer, Lure heissen. Eine Familie dieses Namens, auch später Luhr geschrieben, kommt von Anfang des sechszehnten bis zur Mitte des siebenzehnten Jahrhunderts im Revalschen Rathe vor. Rev. Rathsl. S. 113.

24. 1522. Juni 27. **Jacobus mutort de rigis** ad jura juravit et solvit. Vielleicht ist der Name statt Mutort „Muter" zu lesen und der Inscribirte ein Sohn des Rig. Rathsherrn und

spätern Bürgermeisters **Tonnies Muther**, welcher im Rathe von 1502—1539 sass. Rig. Rathsl. 415.

Prof. Crecelius, von welchem die Namen von 14 bis 24 aus der Kölner Matrikel von 1502 ausgezogen sind, bemerkt, dass er für die spätere Zeit keine sich notirt habe, und meint, wahrscheinlich habe auch der Besuch ganz aufgehört, da die Universität Köln sehr gesunken sei und wenig Auswärtige mehr angezogen habe. Die zu erwartende vollständige Herausgabe dieser Matrikel wird darüber sichern Aufschluss geben.

Erfurt.

Erste Matrikel, erste Hälfte von 1392—1492.

1. 1392. Nach Ostern. **Andreas Kegel de Livonia.** Der Name Kegel oder Kegeler ist in den Urkunden vertreten durch Conrad Kegeler, Rathmann und Bürgermeister zu Reval von 1367 bis 1413, durch den Revaler Domherrn Detmar Kegeler von 1418—1427, durch den Dorpatschen Rathmann Hermann Kegeler von 1385—1392, und durch den Wolmarschen Rathmann Brun Kegel 1458. Ein Andreas Kegel ist Vasall der Rig. Kirche und im Jahre 1385 Richter in einem Streit zwischen dem Erzbischof Johann von Sinten und seinem Vasallen Henneke Pitkever. Rev. Rathsl. S. 108, 208. Hanserecesse 1431—1476, IV. S. 420. Briefl. I. 86. UB. V. 2273, 2459, 2502. UB. VI. R. 1528. UB. VII. 561.

2. 1404 n. Mich. **Hinricus Duderstat de Tarbate.** Ein Herman Duderstat ist 1415 Scholasticus eccl. Reval. UB. 2032.

3. 1405 n. Ost. **Godschalkus Wuste de Torbato.**

4. 1409 n. Ost. **Wigandus Grabow de Livonia** ist 1418 Cleriker in Kurland, wird vom Papst Martin V. zum kurländischen Propst ernannt, verzichtet aber 1419 den 19. Novbr. auf Einsprache des Hochmeisters. Im Jahre 1425 ist er Procurator des kurländischen Priesters Nicolaus Sumber in einer Streitsache desselben mit dem Cleriker Ludolf Grove wegen eines Canonicats. UB. V. 2278, 336, 45, 49 und UB. VII. 366.

5. 1409 n. Ost. **Johannes Swarthoff de Livonia.** Die Swarthof oder Schwarthof sind Vasallen der Rig. Kirche. Ein Johann Swarthoff ist 1417 im Juni Komthur zu Dünaburg und vom November 1417 bis October 1422 Komthur zu Ascheraden. UB. V. 2144, 2171, 2226, 2645, 3112.

6. — n. M. **Johannes Varensbek de Livonia.** Siehe Köln Nr. 5.

7. — — — **Marquardus Sartoris de Livonia.**

8. 1410 n. O. **Henricus de Becke** } **de Livonia.**
9. 1410 n. O. **Martinus Brakel** }

Im Revaler Rath sassen Heinrich von der Beke von 1344 als Rathsherr und von 1359 als Bürgermeister bis 1387 und Wennemar von der Beke als Rathsherr von 1427—1442. Ihrer Familie gehört auch wohl der vorgenannte Erfurter Student an, und es ist dieser wohl ohne Zweifel der spätere Clericus Henricus Beke, welcher ausdrücklich als Sohn eines Bürgers von Reval bezeichnet wird. Dieser hatte sich in Rom vom Papste die Ernennung zum Decan und Propst der Revalschen Kirche erwirkt. Der Bischof und das Capitel von Reval wollten diese Ernennung nicht anerkennen, auch selbst nachdem der Papst eine Commission, bestehend aus zwei Bischöfen und dem Decan von Dorpat nach Reval mit dem Auftrage abdelegirt hatte, den Heinrich von der Beke in das Decanat und die Propstei einzuweisen. Nachdem auch der Hochmeister und der Ordensmeister in die Verhandlung dieser Sache eingegriffen hatten, ward dieselbe zu Ende des Jahres 1420 gütlich beigelegt, und zwar wohl dadurch, dass Bischof und Capitel sich der päpstlichen Ernennung fügten, denn in den folgenden Jahren, namentlich von 1425—1427, erscheint Hinrik von Beke als Revalscher Decan. UB. VII. 240, 644.

Martin Brakel, der mit Heinrich Beke zugleich immatriculirt wurde, stammt wohl gleich diesem aus Reval, wo im Jahre 1403 ein Hans Brakel der jüngere als Bürger aufgenommen wird. UB. 2218.

10. 1411 n. O. **Johannes Lanche de Livonia** (hic arrestatus ex parte magistri Johannis Hamborch non curavit sed renunciavit juramento suo a. d. MCCCCXII. VII. kalendas augusti coram M. Henrico de Gheysmaria protunc universitatis rectore et recessit). Vielleicht ist in demselben der Lector der Predigerbrüder zu Reval, Johann Lange, zu sehen, welcher 1425—1428 als Vertreter seines Convents gegen die Revalsche Geistlichkeit auch als Procurator in Rom vorkommt. UB. VII. 319, 354, 355, 366, 451, 455, 515, 553, 564, 577, 598, 599, 610—12, 633, 640, 641, 643, 644, 649. Hansen Kirch. und Klöst. S. 70.

11. — n. M. **Theodoricus Swarthof de Livonia.**

12. 1413. O. **Gerlacus Stoltefut de Livonia.** Wahrscheinlich ein Sohn des Revalschen Bürgermeisters Johann Stoltefut. (Siehe Prag Nr. 23.) Gerlacus Stoltefut ist 1420 Domherr zu Reval. Aus dieser Revalschen Familie waren zwei

Bischöfe von Reval hervorgegangen: Arnold Stoltefut 1418 und 1419 und Iwan Stoltefut 1475—1477. UB. V. 2502.

13. — n. M. **Gerhardus Witte de Livonia.** Vielleicht ein Sohn des Revalschen Bürgermeisters Gert Witte, der im Revalschen Rath von 1384—1423 vorkommt. Im Jahre 1424 erscheint ein Gerhard Witte als Vicar der lübischen Kirche. UB. VII. 126.

14. 1414 n. M. **Georgius de Livonia.**

15. — — — **Arnolffus de Livonia.**

16. 1406 n. O. **Ditlevus de Livonia.**

17. — — — **Henningus de Revalia.** Im Jahre 1423 kommt ein Henningus Bekeman als scholasticus ecclesiae Revaliensis vor. UB. V. 2663. Siehe Köln Nr. 6.

18. — n. M. **Fredericus Wrangel de Livonia.** Die Wrangel sind ein bereits im 13. Jahrhundert in Ehst- und Kurland vorkommendes, noch heute existirendes Adelsgeschlecht. Unter den vielen Wrangel in der ersten Hälfte des fünfzehnten Jahrhunderts findet sich nur einer mit Namen Friederich, welcher um 1420 wegen eines begangenen Todtschlages aus Reval nach Stockholm geflohen war. UB. V. 2490, 2546. Ueber das Geschlecht der Wrangel. Hup. n. Misc. XV. S. 335. XVIII. S. 419.

19. — — — **Henricus Ryke de Livonia.**

20. 1417. O. **Theodoricus Brynge de Livonia.**

21. 1423. M. **Henricus Wrangel de Livonia.** Es findet sich in den Urkunden dieser Zeit nur ein Heinrich von Wrangel als Zeuge in einem zu Dorpat 1443 ausgestellten Schuldbriefe und im Jahr 1454 als Beisitzer des Wierischen Manngerichts. Briefl. I. 180, 221.

22. 1424. O. **Nicolaus Wilde de Livonia.** Es kommt um diese Zeit in den Urkunden nur ein Claus Wilde, etwa 1417, vor, welcher Revaler Kaufmann ist und mit Eisen Handel treibt. Möglicherweise ist er der Vater des Immatriculirten. UB. V. 2110.

23. 1425. O. **Gerhardus Schere de Livonia.**

24. 1428. M. **Henricus Misz de Riga.** Im Anfange des fünfzehnten Jahrhunderts lebte in Riga Herman Misz, seinem Erwerbsgeschäfte nach Goldschmied, der ein wohlhabender und an-

2

gesehener Mann gewesen zu sein scheint, da er 1407 drei Häuser in der Stadt erwarb, ausserhalb derselben auch noch einen Garten besass und im Jahre 1423 zugleich mit dem Rathsherrn Johann Brothagen als Delegirter der Stadt an den Erzbischof von Riga gesandt wurde. Er hatte mehrere Söhne, von denen aber nur einer, Evert mit Namen, in dem Erbebuche angeführt wird. Es ist sehr wahrscheinlich, dass auch Henricus Misz ein Sohn desselben gewesen ist. EB. I. 616, 617, 682. UB. V. 2659.

25. 1430. O. **Eggardus de Wenden.**

26. 1432. O. **Wendmarus Harmann de Livonia.** Es ist ohne Zweifel der Rigische Rathmann Wennemar Harmen, welcher von 1440—1455 als Sendbote der Stadt auf den Städte- und Landtagen genannt wird. Rig. Rathsl. S. 102.

27. —. M. **Jacobus Tuwe de Livonia.** Ein Jacobus Tuwe ist 1447 Beisitzer des Wierischen Manngerichts. Em Ende des fünfzehnten und im Anfang des sechszehnten Jahrhunderts kommen noch mehrere dieses Namens vor. Briefl. I. 190, 569, 752, 674, 1038.

28. 1433. O. **Fridericus de Wenden.**

29. —, n. O. **Gerhardus de Livonia.**

30. —. —. —. **Henricus Budding de Riga.**

31. 1434. M. **Henricus Buddinge de Riga,** wohl mit dem Vorhergehenden identisch. In den Jahren 1412—1444 kommt ein Rigischer Bürger Henrich Budding vor, welcher mehrere Häuser und Gärten besitzt, in dieser Zeit zwei Häuser kauft und auch wieder verkauft, in einer Erbschaftsstreitsache zwischen dem Kölner Domherrn Heinrich von Thunen und Dietrich von Bratbede im Jahre 1423 Glied eines Schiedgerichts unter der Obmannschaft des Rigischen Dompropstes Henning Scharpenberg ist und 1426 von dem Rigaschen Rath als ein „tuchwerdiger, erliker Mann“ in der Klempowschen Sache (siehe UB. VII. S. XIV. Anm.) als Zeuge vernommen wird. Nach seinem, um 1444 erfolgten Tode überträgt Wennemar Harman als Bevollmächtigter seiner, wohl abwesenden beiden Söhne, von denen der eine Heinrich genannt wird, ein Haus und einen Garten an Tese Unrowen. Es ist kaum ein Zweifel zu hegen, dass der

Immatriculirte, der genannte Heinrich, Sohn dieses Rigaschen Bürgers ist. EB. I. 497, 552, 580, 608, 636, 640, 645, 664, 700, 811, 822. UB. VII. 60, 812.

32. 1435. M. **Helmoldus de Riga.**

33. 1440. O. **Johannes Hole** }
34. —. —. **Henricus Hole** } **de Livonia,** } **fratres.**

Wahrscheinlich Söhne des Bürgermeisters von Dorpat Hinrich von dem Hole, welcher von 1423—1450 vorkommt. Rev. Rathsl. S. 209. UB. VII. S. 162, 218, 688. In Rostock sind im Jahre 1438 Johannes Hole und Vrowinus Hole de Terpt immatriculirt. Vielleicht ist der Vorname des letzteren hier oder dort verlesen und es sind dieselben.

35. — — **Johannes Rulen de Tarbato.** Magister arcium Rostoczensis. In den Rostocker Matrikeln ist dieser nicht vorgefunden.

36. 1440. M. **Hinricus Busche de Livonia.**

37. — — **Johannes Bockel de Revalia.** In Reval kommt von 1413—1443 ein Rathsherr, resp. Bürgermeister, Hildebrand von dem Bocle vor, möglicherweise der Vater des Vorstehenden. Rev. Rathsl. S. 82.

38. — — **Andreas Calle de Revalia.** Vielleicht ein Sohn des Revalschen Rathsherrn Herman Kalle, der von 1428—1450 vorkommt. Bunge, Rev. Rathsl. S. 108.

39. 1441. O. **Johannes Wytte de Dorbato.**

40. — — **Johannes Yxkull de Riga.** Die Uexküll sind eines der ältesten livländischen Adelsgeschlechter; sie kommen schon in Urkunden des dreizehnten Jahrhunderts vor. Ueber Johannes Yxküll aber war nichts zu ermitteln. UB. 15, 38, 53, 61—63, 70, 163, 524, 605. Mittheil. XII. S. 368, 374. Schuldbuch Nr. 17. Vergl. auch Hupel n. M. XV. 259, 377 u. ff.

41. 1442. O. **Albertus Aldenbreckelfelden de Livonia.**

42. — — **Theodoricus Stackelberg de Tarbato.** Die Stackelberg sind ein seit dem vierzehnten Jahrhundert in Livland ansässiges Geschlecht und Lehnsträger des Bischofs von Dorpat. Johann Stackelberg wurde im Jahre 1389 von Dietrich,

2*

Bischof zu Dorpat, mit 14 Haken Landes belehnt. Von dem immatriculirten Theodoricus findet sich keine Nachricht. Siehe Briefl. I. S. 57. Hup. n. M. XV. S. 271.

43. — — **Johannes Ungari de Livonia.** Die Ungern sind schon im dreizehnten Jahrhundert Lehnsleute der Rigischen Kirche. Johann und Wilhelm Ungern vergaben im Jahre 1436 Ländereien in Afterlehn an Hans von der Heyden unter der Verpflichtung desselben zur Kriegsfolge. Briefl. Nr. 12. 164. Ueber das Geschlecht Ungern: Hup. n. M. XV. S. 242 und ff. XVIII. S. 399. Russwurm: Ungern-Sternberg. Mit einem der in diesem Werke aufgeführten hat sich die Identität des vorstehenden Johannes Ungern nicht feststellen lassen.

44. —. M. **Hinricus Busch de Livonia,** wohl der oben sub Nr. 36 Genannte.

45. 1443. O. **Magister Brant Koskul de Livonia.** Vielleicht ist es derselbe, welcher als Decan der Kirche zu Dorpat unter dem Namen Brandamus Koszküll in der Einigungs-Urkunde des Erzbischofs Sylvester und des Ordensmeisters Joh. von Mengden, genannt Osthof, vom Dorotheentage (6. Februar) 1457 vorkommt. Arndt, Chronik II. S. 147. Ueber das Geschlecht Koskul siehe Hup. n. M. XV. S. 287.

46. — — **Otto Koskul.**

47. 1444. O. **Johannes Vadelkan de Riga.** Ein Vatelkan kommt in Riga seit 1430 als Eigenthümer eines Hauses vor, welches Johannes Vatelkan mit Zustimmung seiner Mutter, einer Schwester des Rathsherrn Johann Trerosz, im Jahre 1450 einem Andern überträgt. Der obige Johannes Vatelkan wurde Cleriker und nach dem Tode des Bischofs von Oesel, Ludolphus, von dem Capitel des Stifts Oesel 1458 zum Bischof von Oesel erwählt, erhielt aber vom Papst nicht die Bestätigung. Hup. n. n. M. XI. XII. 509. Anm. Chron. S. 260.

48. — M. **Engelbertus de Livonia.**

49. 1445. O. **Gotschalkus Schutte de Lifonia.** Ein Godeke Schutte findet sich 1464 als Hausbesitzer und Rathsherr und 1475 als Bürgermeister in Reval, ausserdem 1473 ein Rathsherr Evert Schutte. Vielleicht stammt der immatriculirte Got-

schalkus Schutte aus dieser Familie oder er ist selbst der Rathsherr Godeke Schutte. Briefl. 247. Rev. Rathsl. S. 130.

50. 1446. O. **Iwanus Beverman de Darpodia.** Im Dörptschen Rathe findet sich ein Johann Beverman von 1386—1402 und ein zweiter Johan Beverman in den Jahren 1444, 1445 und 1466. Zu der Familie dieser gehört wohl auch Ywanus Beverman. Rev. Rathsl. S. 208, 210. Hanserecesse 1431 1476. III. S. 75, 116.

51. 1448. O. **Henricus Vosch de civitate Rigensi in Livonia** Ein Henricus Vos überträgt in Gemeinschaft mit seinem Bruder Herman 1454 ein Haus in der Stadt Riga und erscheint 1468 und 1478 als Besitzer eines Heuschlages. EB. I. S. 98, 970, 1094.

52. 1448. M. **Conradus Fabri de Livonia.** Wahrscheinlich der nachherige Prediger-Mönch zu Dorpat, Doctor theologiae Conradus Fabri, welcher im Jahre 1484 von dem vom Ordensmeister vorgeschlagenen und vom Papst Sixtus IV. bestätigten Erzbischof Michael Hildebrand nach Wenden requirirt wird, um Zeuge zu sein, wie ihm vom Orden alle Schlösser, Länder und Kleinodien übergeben werden, wodurch er factisch in den Besitz des Erzbisthums kommt, während das Domcapitel, die Stadt Riga und die stiftliche Ritterschaft noch auf ihrer Wahl des Grafen Heinrich von Schwarzenberg zum Rigaschen Erzbischof beharren. Script. rer. Liv. II. 794.

53. 1452. O. **Theodoricus Hake de Tarbato.** Er wird Domherr der Kirche zu Dorpat und später Bischof von Dorpat von 1483 bis 1496. Chron. 363.

54. 1452. O. **Johannes Schulenburg de Tarbato.**

55. 1453. O. **Johannes Mole de Livonia.**

56. 1458. O. **Iohannes Warensbeck de Livonia.** Ein Johannes Varensbek ist 1529 Oeselscher Domherr. Briefl. 992.

57. 1465. O. **Gerhardus Schrove de Darpt.** Wohl ein Sohn des Dörptschen Rathmanns Gert Schrove, 1445—47. Er ist von 1505—1512 Bischof von Dorpat. Hanserecesse 1431—1476. III. S. 116, 173. Chron. S. 366.

58. 1466. M. **Georrius Patkul de Livonia.** Die Patkul erscheinen mit dem fünfzehnten Jahrhundert in Livland. Ein Andreas Patkul wird im Jahre 1385 im UB. 1218, als Vasall des deutschen Ordens, ein anderer gleichen Namens im Jahr 1426 als Propst der Rig. Kirche, UB. VII. 477, 551, 711, genannt. Ein dritter, Andreas Patkul, Ritter, tritt im Jahre 1524 auf. Briefl. 913. Der vorbezeichnete Georgius Patkul soll von der philosophischen Facultät zu Erfurt zum Magister promovirt worden sein, nach einer Anm. in Ersch und Gruber, Allgem. Encyklopädie. Sct. I. Thl. 36. S. 465. Ueber das Geschlecht der Patkul Hup. n. Misc. XV. S. 282.

59. 1475. O. **Helmoldus Lode de Livonia.** Die Lode sind ein seit dem Ende des zwölften Jahrhunderts in Ehstland ansässiges Adelsgeschlecht. Helmold Lode erscheint in den Urkunden zuerst 1489 als Besitzer von Tomel und der Dörfer Coall und Sackall und von 1492—1498 als Beisitzer des Wierländischen Manngerichts. Im Jahre 1515 ist Herman Lode, Helmolds Sohn, Besitzer von Tomel; Helmold daher wohl schon gestorben. Briefl. I. Nr. 365, 374, 464, 515, 582. 826. Paucker Lode. S. 27 und 28.

60. 1476. M. **Clemens Kruse de Revalia** gratis ob reverenciam Bertoldi scriptoris civitatis Erfordensis. Der bei den Namen jedes Immatriculirten hinzugefügte Betrag der erlegten Inscriptionsgebühren oder deren Erlass ist in vorliegendem Auszuge weggelassen. Die hier ausnahmsweise zugefügte Bemerkung des Erlasses der Inscriptionsgebühr ist hier aufgenommen wegen der Bezugnahme auf den Stadtschreiber von Erfurt. Im Uebrigen ist der Obengenannte unbekannt geblieben.

61. 1477. M. **Michael Kreyler** (Kreter) **de Livonia.**

62. 1482. O. **Hinricus Wedberch de Livonia.** Die Wettberg treten in der Mitte des fünfzehnten Jahrhunderts in Livland auf. Brun Wetberch wird den 27. Januar 1455 mit dem Hofe Angern von O. M. Johan von Mengden, gen. Osthof, belehnt. Peter Wettberg ist 1470 Doctor und Domherr zu Reval und 1472 Bischof von Oesel. In die livl. Adelsmatrikel sind sie nicht aufgenommen, weil zu der Zeit der Aufstellung derselben nicht

mehr in Livland ansässig, wohl aber in die kurländische Adelsmatrikel im Jahre 1648. Hup. n. n. Misc. XIII. S. 198. Von dem in Erfurt Immatriculirten findet sich keine Erwähnung in livländischen Urkunden.

63. 1485. O. **Georius Wedeberg de Livonia.**

64. 1485. M. **Fromoldus Vitinck de Livonia. Reinoldus Vitinckhoff de Revalia.** Diese Namen sollen dieselbe Person bezeichnen. Die Universität hat nämlich zwei Matrikelbücher geführt, von denen das eine ursprünglich eine Abschrift des andern war, später aber gleichzeitig mit dem andern als Original fortgeführt wurde. An der betreffenden Stelle steht nun in dem einen Buche der eine, in dem andern der andere der obigen Namen. Die Formen Viting, Vitinck, Vitinghof kommen auch in livländischen Urkunden für dieselbe Familie und dieselbe Person vor. Dagegen sind Fromhold und Reinhold doch verschiedene Namen und es muss in dem einen Matrikelbuche wohl ein Schreibfehler sein. Die Vietinghoff gehören zu dem ältesten Adel Livlands. Arnold von Vitinghoffen ist Comthur zu Marienburg, Goldingen und Reval, und sodann von 1360—1364 Ordensmeister in Livland. Viele Glieder dieser Familie werden in der Briefl. II. 120—22 genannt. Der in Erfurt Immatriculirte, von dem es keine weitere Nachricht giebt, ist wohl in den geistlichen Stand getreten, hierin dem Beispiel eines Andern seines Namens, des Dietrich Vitinghoff, folgend, welcher 1453 Rigascher Domherr war. Ueber das Geschlecht der Vietinghof siehe Hup. n. M. XV. 233 ff. XX. 192 und n. n. M. XIII. S. 409.

Rostock.

Aelteste Matrikel von 1419—1760.

1. 1419. **Wernerus de Curonia.**
2. — **Georgius de Livonia.**
3. 1420. 17. Juli. **Jacobus Tuve.** Ozaliensis dioecesis.
4. — — — **Jacobus Tuve.** Revaliensis dioecesis.
5. 1421. 14. April. **Johannes Sobbe,** } fratres domus teutonicae in Livonia.
6. — — **Bernardus Broyl,**
7. — — **Hermannus Yode,**
8. — 19. Sept. **Johannes Rule,** famulus dnorum de Livonia.

Schon im Jahre 1419 hatte der livländische Orden zwei junge Ordensbrüder, Sobbe und Schilling, nach Lübeck gesandt, in der Absicht, sie die Universität Rostock beziehen zu lassen, sobald die Errichtung derselben erfolgt sein würde, und dieselben bei dem derzeitigen Protonotar des Lübeckschen Raths, Johan Voss, untergebracht. Dieser in artibus et juris utriusque Baccalaureus, 1409 presbyter celebrans an der Marienkirche zu Lübeck, 1414 Protonotarius der Stadt Lübeck, als solcher 1415 Abgesandter der Stadt an den Kaiser Sigismund auf dem Concil zu Costnitz, später juris utriusque doctor, hatte sich für die Begründung der Universität Rostock interessirt und wurde zuerst 1421 und sodann bis 1429 noch viermal Rector derselben. Es liegen uns zwei Schreiben des livländischen Ordensmeisters Siegfried Lander von Spanheym aus den Jahren 1419 und 1420 in dieser Angelegenheit vor, welche in „Etwas von gelehrten Rostockschen Sachen für gute Freunde", Jahrgang 1740, S. 225 u. 226, nach dem in Lübeck befindlichen Original abgedruckt sind und ihres Interesses wegen hier um so mehr darnach wiedergegeben sein mögen, als dieses Werk, auch selbst in Rostock, zu den grössten Seltenheiten gehört und der Nachtrag zum livländischen Urkundenbuch, wo sie gewiss Aufnahme finden werden, wohl noch längere Zeit ausstehen dürfte.

„Unsen früntlichen Grut und was wir gutes umme juwer Leve willen vermogen altyt vor ersame vorsichtige leve Meister

Johannes bisunder Fründ und holde Gönner. Uns heft her Heinrich von Timen gescreven, dat he by ju hebbe gelaten de II Jungen unses Ordens Broder, also Sobben und Schillinge up eyn sulken offte tho Rostock ein Studium würde geconfirmiret, als in Worden steyt, dat gy se dan darhen van uns wegen wolden mede nemen und se anfüren in eren studio, dartho so wolde gy uns und in unsen Orden ok eynen juwer Maghe geven und den ok darhen mede nemen. Des wy juwer ersamen Vorsichtigheit und Leve ud gandes früntliken danken, so wy hogest konnen und mogen der groten Leve und Fruntschop de gy tho unsem Orden hebbet und alle Wege in allen Dingen und nemelix nu mit juwen Mage bewiset, gewe God mochte wy id an ju vorschulden des wy nicht wolden laten. So hebbe wy vermittels her Johan Poppendyke, Radtmanne, in unser Stad Woldemir bestald, dat gy von Arnde Salvyen tho Lübeke entfangen sollen hundert rinsche Guldene, to der Jungen ever theringe Behouff, und bidden juwe ersame Vorsichtigheit der Jungen Beste dar vortan mede tho provende, dat wy doch vorwar voll weten, dat wy offt God will denken to vordenende wor wy sullen und mogen, vortmer, wes de Jungen behoven und vortheren, dat uns dat mochte in Scrifft werden, dat wille wy allerwege gewtliken entrichten und wy senden ju eyne Tunne Medes und V droge Lasse, das sint over all XX Reymen tho früntliker Gedechtnisse, und bidden ju, dat gy des nicht wollen laten vorsmahen. Gegeven tho Riga am Dage Beati Laurentii (10. August) (14)19. ao."

Die Aufschrift lautet:

> „Dem Ersamen vorsichtigen Manne Meister Johann Voss utriusque juris Baccalario unsen sünderlix leven Fründe und holden Gönnern mit Wirdigkeit.
>
> Meister dütsches Ordens tho Lyflande."

„Unsen früntlichen Grut und wes wy gudes vermogen altyd tovorn. Ersame leve Mester Johannes juwe früntliche Breve, de gy uns hebben gescreven als von den twen jungen Heren unses Ordins Broder und dartho gekomen sy juwer Maghe eyn, wo wol dat sich da anleggen und flytich syn in eren Studio, des God gelovet sy, dat wy utermaten gerne hören. So danken wy juwer

Ersamicheit ud gandes früntlichen, so wy hogest konnen der Woldat Gunst und Flyth de gy so früntlichin uns an den Jungen bewiset, God geve dat wy id kegen juwe Ersamkeit möten vordeynen, und wy bidden ju vortan mit flytiger Begher, dat gy vortan dat beste proven by denselven III jungen Heren, to unses Ordens fromen, dat wy gerne mit unsem Orden kegen juwe Ersamkeit wollen vordenen, wor wy sullen und mogen. So senden wy denselben III jungen Heren tho Teryngen Kost und Kledinge (wir können die Zahl nicht verstehen, ob sie 92 oder 102 heissen soll)*) Rinsche Gulden in Arnd Salvyen Hus tho Lübeck, dar sall man die by emme synden und entfangen, vortmer, als gy schryven umme de Bökere henover to sendende den jungen Heren, so wetet, dat wy de Bökere in unser Liberye hebben, der wy darud nicht oversenden en mogen, sunder möchten man mit juw dort sodane Boke the kope hebben, vor eyn Gelyk dat gy darmede wolden unse besten proven, de wolden wy gerne betalen, ok senden wy ju in Arndes Hus eyn Tünniken Rigischen Modes, dat gy mit juwen fründen drinken und wy bidden ju wowoll dat it cleyne sie, nicht wollen laten vorsman und by den Jungen vortan des besten wollen vorramen. — Gegeven Riga am nesten Sunavende vor Cantate (4. Mai) anno (14)20. Sunderlix leve Mester Johannes offte wy sust ichtens ju mochten to leve bewisen ud unsen Landen, dar bidde wy ju umme, unser darane nicht to sparen, und dat gy dat Geld von Arnde entfangen und den jungen Heren ministreren, als en dat nütte wird wesen.

Die Aufschrift lautet:

„Dem Ersamen vorsichtigen Mester Johanni Voss in artibus utriusque juris Baccalario und der Stad Lübeck Prothonotario unsen sundergen guden Fründe mit Werdichkeit desses . . .

Von den in diesem Schreiben des O. M. genannten jungen Ordensbrüdern, welche zum Studium in's Ausland geschickt worden waren, ist nur der eine, Johannes Sobbe, am 14. April 1421

*) Dr. Hildebrand in UB. Bd. VII. S. 178 giebt nach einer Abschrift von G. v. d. Ropp die Zahl auf 150 an.

in Rostock immatriculirt worden. Von dem andern, Schilling, findet sich weiter keine Erwähnung. Von den beiden andern, gleichzeitig mit Sobbe immatriculirten, Bernardus Broye und Hermannus Yode, ist einer wohl der Verwandte des Johan Voss, ob aber gerade Yode muss wohl dahin gestellt bleiben. Johan Sobbe ist in den Jahren 1428 (Octbr.) und 1429 als Abgesandter des Ordensmeisters in Rom, um dort die Sache wegen der Habitsablegung des Erzbischofs und des Capitels von Riga zu betreiben. UB. VII. 747, 48, 98, 804 und 807. Hildebrand, Arbeiten 1873/1874. S. 7.

Herman Jode ist nach abgelegtem Examen am 13. Februar 1425 zum Baccalaureus des canonischen Rechts promovirt worden. UB. VII. 247.

9. 1423. 8. Juli. **Johannes Koke de Revalia.**

10. — 30. Aug. **Peregrinus Remelingrode de Tarbato.** Vielleicht ein Sohn des 1402 in Dorpat vorkommenden Rathmanns Godschalk Remmelinkrode. Rev. Rathsl. S. 208. Hanserecesse 1256—1430. V. S. 43.

11. — 23. Decbr. **Rodgerus Rothe de Tarbato.**

12. 1424. 26. Juni. **Baltazar Nunborgh de Riga.**

13. — 6. Juli. **Hinricus Grube de Revalia.**

14. 16. Juli. **Hinricus Hedemer de Perona nova.** Wahrscheinlich ein Sohn des Pernauschen Rathsherrn oder Bürgermeister Hinrik Hedemer, welcher auf dem Städtetage zu Wolmar vom 31. Januar 1427 als Sendebote der Stadt Pernau (Neu-Pernau) zugegen war. UB. VII. Nr. 571.

15. — 26. Juli. **Johannes Racke de Livonia.**

16. — 11. Septbr. **Bartholomeus Tzlzenhusen de Livonia.** Wohl derjenige Bartholomeus von Tiesenhausen (Peter's v. T. Sohn), der nach der Tiesenhausenschen Stammtafel (Hup. n. n. Misc. XVIII am Ende) Erbbesitzer von Kawelecht war. Die Tiesenhausen sind eines der ältesten und ausgebreitetsten Adelsgeschlechter und haben sich in einem Zweige auch nach Littauen und Polen verbreitet. Sie waren im sechszehnten Jahrhundert mächtige Vasallen des Rigaschen Erzstifts. Ueber das Geschlecht

der Tiesenhausen: Hup. n. n. Misc. VII. S. 227—354. XIII. S. 570—606. XVIII. 5—100. Mittheil. IV. S. 159—164.

17. 1424. 6. Octbr. **Nicolaus Molner de Riga.** Wahrscheinlich der in den Jahren 1434—1446 als Rigascher Rathsherr vorkommende Niclas Molner. Rig. Rathsl. 313.

18. 1425. 11. Novbr. **Georgius Dazbergh de Riga.** In dem Rig. Erbebuche von 1385—1482 kommt in den Jahren von 1398 bis 1415 ein Hermannus Dazeborch (Daseberch) vor; er leistet, bezeichnet als civis Rigensis, 1393 dem littauischen Fürsten Skirgielone Bürgschaft für einige Liefländer. Schirren, Verz. S. 227. Dieser kann der Vater des Obgenannten sein.

19. 1426. 29. Jan. **Conradus Jordani de Riga.**

20. 1426. 11. Juni. **Laurentius Rone de Riga.** Eine Familie Rone, vertreten durch Hinricus Rone sen. und junior, findet sich im Erbebuche in den Jahren 1398—1418 vor, welcher auch Laurentius Rone angehört haben mag. Hinrik Rone ist 1397 und 1405 Rig. Kaufmann. UB. IV. 871 und VI. 2940.

21. — 18. Septbr. **Johannes Slotel de Livonia.**

22. — 10. Octbr. **Hinricus Dersowe de Livonia.** Ueber ältere Angehörige dieser Familie siehe Rig. Rathsl. 93, 132, 156, 194.

23. — 31. Octbr. **Nicolaus Braxator de Livonia.**

24. 1427. 11. Novbr. **Helmoldus de Ryga.**

25. 1428. 16. Jan. **Gherardus Scottorp de Livonia.** Im Erbebuche 108, 170, 178, 189, 316 finden sich in den Jahren 1392—1403 die Namen Hermannus und Margareta Schottorp.

26. 1431. 27. Octbr. **Johannes Bose de Riga.** Ein Vrowin Bose ist 1514 Hausbesitzer in Riga.

27. 1432. 7. April. **Bartolomeus Purkel de Livonia.**

28. 1433. 25. Octbr. **Johannes Gyhanes de Livonia.**

29. 1436. 15. Mai. **Jacobus Durkop de Riga.** Die Familie Durkop ist seit der Mitte des vierzehnten Jahrhunderts bis zur Mitte des sechszehnten Jahrhunderts in Riga ansässig und während dieser Zeit durch sieben ihrer Glieder in dem Rath ver-

treten, welche hervorragen, indem sie wiederholt als Abgesandte auf den Städte- und Hansetagen erscheinen und die bedeutenderen Aemter im Rath einnehmen. Jacobus Durkop ist der Sohn des Rathsherrn Godeke Durkop, welcher im Jahre 1426 als Rathssendebote auf der Tagfahrt zu Pernau, 1437 noch in seinem Amte thätig, im Jahre 1442 aber bereits verstorben ist. In diesem Jahre lässt er, Jacobus Durkop, mit seinem Bruder Hans, zugleich in Vollmacht seiner übrigen Brüder, die von seinem Vater hinterlassenen Immobilien seinem Stiefvater Titeke Relin auf. EB. 796.

30. 1438. 26. April. **Johannes Hole de Terpt in Livonia.**

31. — — **Vrowinus Hole de Terpt in Livonia.** Wahrscheinlich Söhne des Bürgermeisters von Dorpat Hinrich von dem Hole, welcher von 1423—1450 vorkommt. In Erfurt werden Johannes und Henricus Hole immatriculirt. Siehe Erfurt Nr. 33, 34.

32. 1443. 8. April. **Herman Westphal Rigensis.** In der im 26. Stück der nordischen Miscellaneen von W. Chr. Friebe und sodann im Jahre 1848 in den Script. rer. Livon. Bd. II von Dr. Brachmann herausgegebenen, fälschlich dem Bürgermeister Melchior Fuchs zugeschriebenen Stadt-Chronik (in letzter Ausgabe S. 748) wird im Jahre 1454 Herman Westphal als Secretair, welcher der Deputation des Raths und der Gilden zum Wolmarschen Landtag beigegeben ist, bezeichnet, und im Erbebuch I, Nr. 930, wird Hermannus Westphal im Jahre 1456 ebenfalls als „Stadtschrever“ genannt. Nun wissen wir aber, dass bis zum Jahr 1453 ein gewisser Hinricus Stadtschreiber war, ihm im Jahre 1454 Herman Helewegh und diesem 1480 Mgr. Johan Molner folgte. Hieraus ergiebt sich denn die Identität des Hermann Westphal mit Hermann Helewegh, zumal ein in der Schohstrate belegenes Haus bald als Herman Westphal, bald als Herman Helewegh gehörig bezeichnet wird. Im Jahre 1455 unterschreibt er sich einmal am 2. März Hermannus Westphal, secretarius civitatis Rigensis, und sodann am 15. August Hermannus Helewech, secret. civit. Rig. — Hanserecesse IV. 1431 - 1476. S. 237, 274. EB. I. Nr. 247, 691, 728, 903, 1021. Beispiele von doppeltem Zu- oder Familiennamen kommen

in jener Zeit häufig vor. UB. Bd. II. Vorrede S. VII. Ueber Herman Helewegh siehe Rig. Rathsl. Nr. 379, S. 111 ff.

33. 1446. 2. Septbr. **Thomas Soltrump de Riga.** Wohl ein Sohn des Rig. Rathsherrn Reynold Soltrump von 1420 bis 31. December 1446, an welchem Tage er verstarb, eines zu den Verhandlungen mit dem Erzbischof und dem Ordensmeister und zu Besendungen der Land- und Städtetage vielgebrauchten Mannes, und wohl ein jüngerer Bruder des späteren Rathsherrn und Bürgermeisters Johan Soltrump von 1454—1477. Rig. Rathsl. 293, 345.

34. 1447. Juli. **Johannes Seghefried de Riga.** Ein Bruder des Rathsherrn Hartwich Sigefried von 1412—1443. Als solcher ist er ausdrücklich im Erbebuch I bezeichnet. Er trat in den geistlichen Stand; er wird in den Jahren 1468, 1473 und 1479 als Priester bezeichnet. EB. 973, 1030, 1120.

35. 1449. 10. Octbr. **Iwanus Stoltevot de Revalia.** Er erscheint den 19. September 1468 als Plebanus zu St. Nikolai in Reval, soll schon 1464 als solcher vorkommen, wird 1475 vom Domcapitel zu Reval zum Bischof erwählt und in demselben Jahre, den 26. Juli, vom Papst Sixtus IV. als Bischof von Reval bestätigt; als solcher regiert er bis in den Anfang des Jahres 1477 hinein. Er ist wohl ein Sohn des Revaler Rathmannes Gotschalk Stoltevot von 1428—57. Chron. S. 318—320. Rev. Rathsl. S. 132.

36. — — **Hinrik Velse de Revalia.**

37. — — **Johannes Stenwedder de Revalia.**

38. 1453. 9. April. **Petrus Ebinkhusen de Riga.** In der Rigaschen Rathslinie kommen zwei dieses Familiennamens vor, der Rathsherr und nachherige Bürgermeister Hinrich Eppinghusen, auch Ebbinckhusen geschrieben, von 1434—1471, und der Landvogt Johan Eppinghusen von 1436—1456. Ohne Zweifel ist Petrus Ebinkhusen ein Verwandter dieser beiden, vielleicht ein Sohn eines von ihnen. In den Jahren 1479 und 1480 werden einem Hans Eppenhusen zwei Immobilien in der Rikestrate aufgetragen. Rig. Rathsl. 321, 317. EB. 1112, 1128.

39. 1454. 7. Mai. **Gerardus Borke de Riga.** Ein Gerdt von Borken, der in Gemeinschaft mit Rathsgliedern Vormund, auch Vorsteher zu St. Jürgen ist und auch als Bevollmächtigter des Ritters Diedrich Vietinghof auftritt, kommt in den Jahren 1437—1477 häufig vor. Gerardus Borke mag wohl zu der Familie desselben gehört haben, die auch noch durch andere Glieder mit andern Vornamen, Jürgen, Hans, Merten und Mette, vertreten ist. Wahrscheinlich ist er derjenige Gerhard von Borken, welcher als Vicedecan und als Vertreter des Erzstifts Riga in Gemeinschaft mit der Ritterschaft desselben und der Stadt Riga am 24. Decbr. 1485 einen Vertrag zwischen dem Orden und dem Erzbischof von Upsala, dem Bischof von Stregnäs und dem schwedischen Reichsvorsteher Sten Sture abschliesst. EB. 746, 808, 889—892, 902, 937, 949, 1024. Hanserecesse 1477—1530. II. S. 11, Anm. 4.

40. — 7. Aug. **Petrus Blomenberg, Livoniensis de Nigenhuse.**

41. — 25. Septbr. **Andreas Ghute de Riga.** Die Familie Guthe, Gude, Gute findet sich in den Stadtbüchern innerhalb der Jahre 1398—1473 durch mehrere Personen vertreten, unter ihnen kommt aber Andreas Ghute nicht vor.

42. — 27. Septbr. **Hinrik Tymmerman de Riga.** Unter den vielen Tymmerman's, die in den Stadtbüchern vorkommen, befindet sich nur ein Hinrik Tymerman, welcher als Priester von Dorpat bezeichnet wird und im Jahre 1471 ein Haus auflässt, das ihm wahrscheinlich durch Erbrecht zugefallen war, daher er wohl aus Riga gebürtig war und wahrscheinlich der in Rostock Immatriculirte ist. EB. 1013.

43. — **Johannes Duvel de Riga.** Die Familie Duvel ist in Riga im 15. und 16. Jahrhundert mehrfach vertreten. Der Rathsherr Johan Duvel von 1523—1535 kann mit Obigem schwerlich identisch sein.

44. 1455. 17. Septbr. **Johannes Benthe de Dorpt.**

45. — 10. Octbr. **Bertholdus Lechte de Revalia.**

46. — 11. Octbr. **Degehardus Hillebold de Riga.** Er erscheint im Jahre 1476 als Magister und Canonikus des Capitels zu Riga, bald darauf als Domherr zu Riga und eifriger Vertreter des Erz-

bischofs Sylvester in dessen Streitigkeiten mit der Stadt Riga, reist als solcher nach Rom, erwirkt dort päpstliche Bullen, nach welchen der König von Polen das Erzstift Riga in seinen Schutz nehmen soll, und stirbt auf seiner Rückreise in Wilna. Script. rer. Liv. II. S. 755, 58, 60, 66, 76, 77.

47. 1456. 14. Aug. **Hinricus Grusz de Riga.** Ein Hinrich Grusz, Grose, kommt in dem Erbebuche I. 656, 671, 708, 776, 796 als Hausbesitzer in den Jahren 1431—42 vor, welcher wohl der Vater des Vorgenannten sein kann.

48. 1456. 26. März. **Johannes Meze de Riga.** Der Familienname kommt in dem Rig. Erbebuche in den Jahren 1434—80 wohl vor, nicht aber ein Johannes Meze.

49. 1457. 2. Juli. **Nicolaus Orten de Tarbato.**

50. — 1. Septbr. **Florentinus Moer de Revalia.**

51. 1458. 24. Octbr. **Godscalcus Tymmerman de Revalia.** Ein Gotschalkus Tymmerman ist in den Jahren 1435 und 1443 Rathsherr in Reval und im Jahre 1451 bereits verstorben. Er mag wohl der Vater des Obigen sein. Rev. Rathsl. S. 57.

52. 1460. 26. April. **Gotscalkus Bolman de Riga.** Wohl ein Sohn des Rigaschen Rathsherrn gleichen Namens von 1459—1475.

53. — 12. Mai. **Johannes Nenmester de Riga.**

54. — 2. Octbr. **Hinrich Vurner de Livonia.**

55. 1462. 21. Octbr. **Johannes vom Pale, Rigensis.** Die Familie de Pale, Pael, Pall ist in Riga in den Jahren von 1385 bis 1512 in den Stadtbüchern wiederholt genannt. Lubert de Pal ist 1408 und 1415 als Rathsherr bezeichnet. Johannes vom Pale kommt aber in denselben nicht vor.

56. 1463. 4. Mai. **Albertus Vegher de Revalia.**

57. — 23. Septbr. **Johannes Rese de Livonia.** Ein Johan Rese ist 1455—58 Radman to Lemsal, dessen Sohn der Obige möglicher Weise sein kann. EB. 905, 932, 958. Mitth. XI. S. 170.

58. 1464. 22. April. **Hinricus Greve de Riga.**

59. 1466. April 9. **Johannes Klovinchius de Dorpt.**

60. — April 9. **Wolmarus Ixkul de Dorpt.** Unter den Landständen, welche im Jahre 1472 auf dem Landtage zu Wolmar am

Tage Agnetis die Abstellung allen gegenseitigen Haders und Streites beschliessen und darauf 1486 am Sonntag Reminiscere in Riga erscheinen zur Beilegung der Streitigkeiten zwischen der Stadt Riga einerseits und dem Orden und dem vom Papste bestätigten Erzbischof Michael Hildebrand andrerseits, befindet sich auch ein Wolmar Ixkul, Herrn Conrads Sohn, als Bevollmächtigter der Ritterschaft des Stifts Oesel. Script. rer. Livon. II. S. 799. Hup. n. n. M. 3 und 4. S. 603, 672. Im Jahre 1464 verkaufen die Gebrüder Wolmar und Heinrich Ixkul ein in Reval belegenes Haus, 1474 ertheilt Johan, Bischof von Dorpat, den Vettern Peter und Wolmar Ixkul die samende Hand an ihre Erbgüter im Kirchspiel Antzen und an den Hof zu Wollust. Im Jahre 1477 tauscht Wolmar Ixkul gegen sein Gut Kulsdorf das halbe Gut Schloss Rosenbeck ein. Im Jahre 1482 überlässt Peter das Lehnsrecht aller seiner Güter an Wolmar, welcher 1484 die Bestätigung vom Bischof Johan erhält. Im Jahre 1508 ist Wolmar Ixkul von Vickel, Conrads Sohn, bereits verstorben. Ob dieser mit dem in der Matrikel Genannten identisch ist, muss zweifelhaft bleiben. Briefl. I. 247, 321, 342, 350, 409, 710. Hagemeister Mater. I. S. 155.

61. 1466. Nov. 4. **Johannes Aderkas de Riga.** In den Rigaschen Stadtbüchern kommt ein Aderkas nicht vor; anderweitig bezeugt aber ist ein Edelmann dieses Namens, welcher Güter, in der Wiek belegen, kauft und verkauft in den Jahren 1511—1518. Briefl. I. 763, 843, 844, 852. Ein Johannes de Adrikas kommt als Vasall der Rig. Kirche schon 1277 und 1292 vor. UB. 449, 547. Die Aderkas sind später 1745 in die livl. Adelsmatrikel unter die ältesten Adelsfamilien dieses Landes verzeichnet worden. Ueber die Familie Aderkas siehe Hup. n. M. XV. S. 360.

62. — Nov. 12. **Nicolaus Sunderina de Tarbato.**

63. — Nov. 20. **Johannes Gutlef de Riga.** Die Gutlef oder Gutzloff gehören zu den Lehnsleuten des Erzstifts Riga. Mon. Liv. V. 55. Ein Johan Goslef, Priester, 1480, kommt im EB. I. Nr. 1126 vor. Die Corruption des Namens Gutlef in Goslef ist leicht möglich und die Identität wahrscheinlich.

64. 1467. April 11. **Nicolaus Duvel de Riga.**

3

65. 1467. April 14. **Georgius Rose de Revalia.**

66. — Octbr. 15. **Johannes vom dem Broke de Riga.** Dieser Familienname kommt in den Stadtbüchern zur betreffenden Zeit mehrfach vor. Ein Heinrich vom Broke ist von 1451—1467 Glied des Raths und Johannes vielleicht sein Sohn.

67. — Novbr. 6. **Otto Brakel de Revalia.** Die Brakel sind ein schon im vierzehnten Jahrhundert ansässiges adeliges Geschlecht. (Siehe Briefl. Bd. II. S. 7.) Auch kommen sie als Bürger von Reval vor. (Siehe Erf. Matr. 9.) Ein Otto Brakel streitet mit seinem Bruder Bertold in den Jahren 1493 und 1495 hinsichtlich des väterlichen Erbes, Hof und Güter, vor dem Harrisch-Wierischen Rathe. Ihr Grossvater Otto Brakel wird Ritter genannt. Briefl. 150, 430, 433, 483.

68. 1468. Juli 31. **Gerwinus Gheismar de Riga.** Wohl ein Sohn des Rig. Rathmanns Johan Geysmar, von 1456—1482.

69. — August 17. **Nicolaus Bergheldorp de Riga.**

70. — Septbr. 24. **Iohannes von Werne de Revalia.**

71. — Octbr. 4. **Johannes Hanepol de Revalia.** Wahrscheinlich ein Sohn des Revalschen Rathsherrn Johan Hanepol von 1442—1455, welcher am 11. August 1453 als Abgesandter Revals auf dem Städtetage zu Wolmar erscheint. Rev. Rathsl. S. 57, 100. Hanserec. 1431—1476. IV. S. 120.

72. 1469. April 15. **Christianus Overdunk de Livonia.** In einem Erkenntniss des Harrisch-Wierischen Raths vom 24. Juni 1547 in Nachlass- und Erbschaftssachen des kinderlos verstorbenen Otto Tuve von Kynisse wird der Schwestersohn desselben, der Domherr Johan Overdunck, mit seinem Anspruche auf die liegenden Güter, weil in Harrien und Wierland kein Fremder Erbrecht an solche habe, abgewiesen und ihm nur der Anspruch an das baare Vermögen nachgelassen. Ein Johan Overdunk ist im Jahre 1557 Beisitzer des Dörptschen Manngerichts und eine Barbara Overdunk, Christophers Tochter, ist an Engelbrecht Tiesenhausen verheirathet, dem sie ein Höfchen im Schwaneburgschen zubrachte. Die Familie Overdunk ist also eine im fünfzehnten und sechzehnten Jahrhundert in Livland ansässige.

Christianus Overdunk mag ein Ascendent der hier Genannten sein. Briefl. 1296, 1469.

73. 1469. April 18. **Israel Hove de Riga.** Gabel (Gabriel) Hove ist Rathmann in Riga von 1451—1477; Israel wohl sein Sohn. Im Erbebuche I wird er Magister genannt und lässt im Jahre 1478 seinem Schwager Wennemar Mey einen ausserhalb der Jacobspforte belegenen Garten auf. EB. I. 1093, 1098.

74. 1469. Juni 17. **Conradus Bartman de Riga.** Wohl ein Sohn des vielgenannten Rathmannes und Bürgermeisters Conrad Bartman, welcher auf den Städte- und Landtagen dieser Zeit immerfort als Sendbote Rigas erscheint. Im Jahre 1500 lassen Bevollmächtigte der drei Brüder Bartman das Haus, in welchem ihr Vater, der selige Herr Cort Bartman, einst gewohnt hatte, und noch andere Liegenschaften desselben dem ersamen Jurgen Koninghe, dem nachherigen Rathmann und Bürgermeister, „na lude und vormoghe ener vorsegelden vordracht,“ also auf Grund wahrscheinlich eines Nachlass-Theilungsvertrags auf. Jurgen Koninghe ist wahrscheinlich der Ehemann einer Schwester derselben. Hier werden die Brüder genannt: Magister Reimarus, Thomas und Kristian. Conrad kommt hier nicht vor; vielleicht ist er zur Zeit dieser Erbschichtung bereits verstorben Rig. Rathsl. 332. EB. II. 81.

75. 1469. August 9. **Hinricus Witinghof de Riga.** Vielleicht zur bekannten livl. Adelsfamilie Vietinghof gehörig.

76. 1469. Septbr. 2. **Nicolaus Ninegal de Riga.**

77. — Septbr. 28. **Otto Vete de Tarbato.** Eine Familie Vete (Fetho) ist in der ersten Hälfte des sechszehnten Jahrhunderts im Stifte Dorpat angesessen. Briefl. Nr. 804, 1470.

78. — Octbr. 11. **Everhardus Gaberade de Revalia.**

79. — Octbr. 12. **Helmoldus Bade de Revalia.** Von der Familie Bade, Bahde, auch Bode, Baade, kommen in Reval vor als Rathsherren Jürgen B. im Jahre 1517; Heinr. B. 1658—77 und Heinrich II B. im Jahre 1686—1703. Rev. Rathsl. S. 81.

80. — Octbr. 23. **Johannes Schild de Livonia.**

81. 1470. April 7. **Jacobus Love de Narwa.** Eine Familie Love (Louve) ist am Ende des fünfzehnten und am Anfange des

3*

sechszehnten Jahrhunderts in Ehstland besitzlich. Briefl. 269, 352, 727, 944, 978.

82. 1470. Juni 26. **Hinricus Gendena de Riga.** In der Rig. Rathslinie erscheint ein Gerwin Gendena als Rigischer Rathsherr und Bürgermeister von 1439—1456. Dieser hatte einen Bruder Heinrich, welcher in den Jahren 1443—70 vorkommt, und vier Söhne, mit Namen Berndt, Hans, Gerwen und Heinrich; dieser letzte mag der Immatriculirte sein. Rig. Rathsl. 323. EB. I. 1102, 1113, 1116—1119.

83. — Juli 2. **Paulus Dene de Revalia.**

84. — Juli 4. **Johannes Brakel de Revalia.** Im Jahre 1486 erscheint Johannes Brakel in einer zu Reval ausgestellten Urkunde als Domherr der Kirche zu Dorpat. Briefl. 355. Ueber das Geschlecht der Brakel siehe Inland 1852. Sp. 638 und Sp. 649.

85. — Septbr. 19. **Costus (?) Naschert de Revalia.** Den Namen Naschert finden wir in Reval durch zwei Rathsglieder vertreten, beide mit Vornamen Diedrich; den ersten von 1438 bis 1445, den zweiten von 1484—1512. In der Mitte des 16. Jahrhunderts ist ein Georg Naschert Besitzer des Gutes Angern und Vormund der Kirche zu Hackers. Der zu Rostock immatriculirte Costus (?) Naschert gehört wohl dieser Familie an. Rev. Rathsl. S. 118. Paucker Landgüter. S. 6, 77, 80.

86. — Octbr. 10. **Johannes Brunkow de Revalia.**

87. 1471. Mai 13. **Martinus Schulte de Riga.** In den Jahren 1508 und 1511 kommt ein Meister Merten Schulte im Lib. red. III. (herausgegeben von L. Napiersky, 1881) vor. Mit der Bezeichnung „meister“ und ohne „her“ werden in diesem Buche auch andere, z. B. Helewegh genannt, die ohne Zweifel Magister sind.

88. — Juni 17. **Johannes Ghersem de Riga.** Wohl ein Sohn des Rathsherrn Johan Geresem von 1436—1466.

89. — Novbr. 4. **Nicolaus Grane** (Grawe) **de Livonia.**

90. 1472. August 23. **Gerhardus Colner de Revalia.** Aus dieser Familie kommen vor im Revaler Rath Volmarus 1324

und 1325 und Arnoldus von 1333—1350, Henricus von 1453 bis 1472. Gerhardus mag ein Sohn des letzteren sein.

91. 1472. Decbr. 1. **Hermannus Ewerdes de Riga.** In den Rig. Stadtbüchern kommen von 1454—1563 mehrere Personen mit diesem Familiennamen vor; doch kein Herman.

92. — Octbr. 19. **Otto Walmes de Livonia.** Ein Hennecke von Walmus verkauft im Jahre 1366 sein Gut Kuikatz an Johan von Ungern. In dem Rig. Erbebuche findet sich nur beim Jahre 1444 ein Didericus Walmes vor. Bartold Walmes kauft 1451 den Hof Clauonstein, welchen Hans Walmes im Jahre 1513 wieder verkauft. Jürgen Walmes, im russischen Kriege umgekommen, war Besitzer von Walmeshof im Schwanenburgschen Kirchspiel, welches seinem Sohne Georg vom König Sigismund III. im Jahre 1592 auf Lebenszeit gelassen wurde. Dieser Familie hat wohl auch Otto Walmes angehört. Briefl. 56. Hagemeister Mater. I. S. 81, 248.

93. 1473. April 5. **Tidemannus Knoke de Riga.** In dem Rentebuche Nr. 210 kommt er in dem Jahre 1485 als Magister und Vicarius in der Domkirche zu unser lieben Frauen Kapelle vor.

94. — April 28. **Johannes Hod de Riga.** Ein Johannes Hode kommt im Jahre 1406 als Hausbesitzer vor, vielleicht ein Vorfahre des Vorgenannten. Reinhold Hodde ist von 1477 bis 1540 Rigascher Rathsherr. EB. I. 385. Rig. Rathsl. 374.

95. — Mai 10. **Johannes Kysander de Riga.**

96. — Septbr. 9. **Georgius Sassenbeke de Riga.** Ein Jürgen Sassenbeke ist im Jahre 1481 Rathmann in Riga. Ihm voran gehen im Erbebuch I. in den Jahren 1412 und 1417 ein Hausbesitzer Hartwicus S. und 1417 und 1469 Henrik oder Heyno S. als Hausbesitzer. Ein Jürgen Sassenbeke kommt 1480 als Priester vor, der sich in Kurland hat ordiniren lassen. Script. rer. Liv. S. 778. EB. I. 1144.

97. — Septbr. 12. **Johannes Kannengeter de Riga.** In den Erbebüchern und in den Lib. red. finden sich mehrere dieses Namens zwischen 1410—1547, und sodann 1562 ein Hans Kangeter. Eine Familie dieses Namens ist also in Riga im fünf-

zehnten und sechszehnten Jahrhundert ansässig gewesen. EB. I. 460, 510, 520, 537, 889. Lib. red. 114, 206.

98. 1474. Octbr. 2. **Nicolaus Holstener de Riga.** Ein Nicolaus Golste, auch Holste geschrieben, ist von 1492—1506 Rathsherr in Riga. Ein Meister Nicolaus Holste lässt 1516 in Gemeinschaft mit seinem Bruder Lorenz ein Haus einem Dritten auf. Dieser ist möglicherweise der Immatriculirte. Rig. Rathsl. 397. EB. II. 333.

99. — Octbr. 19. **Johannes Krewel de Riga.**

100. — Octbr. 19. **Frowinus Geysmar de Riga.** Sohn des Rigaschen Rathmannes Johan Geysmar; er kommt von 1503 an als Rathmann vor und ist im Jahre 1514 verstorben. Rig. Rathsl. 417.

101. — Octbr. 19. **Gerhardus Krevitze de Riga.** Wahrscheinlich zur Familie Krywitz, Krivetze gehörig und wohl ein Sohn des Rathmannes Hinrik Kryvitz (1469—1506). Rig. Rathsl. 365. Hanserec. 1477—1530. II. Nr. 320.

102. — Octbr. 19. **Hinricus Meyg de Riga.** Wohl der Sohn des Rathmannes Hinrich Mey (Meygh) 1457—1494. Diese Familie ist eine verbreitete und angesehene gewesen. Von 1368 bis 1559 haben mehrere ihrer Glieder den Rathsstuhl eingenommen. Rig. Rathsl. 353.

103. 1475. Octbr. 5. **Theodoricus Strithane de Riga.**

104. — Octbr. 15. **Johannes Essen de Riga.** Die Familie erscheint in Riga von 1386—1536. Ein Johannes de Essen kommt von 1386—1447 vor. Derselben Familie gehört wohl auch der Obige an. EB. I. 20, 55, 148, 707, 796, 831.

105. 1476. Octbr. 15. **Conradus Bezul de Riga.**

106. — August 30. **Anthonius Wida de Riga.** Ein Herr Antonius Widen lässt im Jahre 1505 durch einen Bevollmächtigten ein Haus übertragen. EB. II. 128.

107. — Novbr. 30. **Hinricus Vorman de Revalia.** Wohl der Sohn des Revalschen Rathmannes Hilger Vorman, welcher von 1470—1482 vorkommt. Rev. Rathsl. S. 138. Briefl. Nr. 338. Script. rer. Liv. S. 775, 78.

108. 1477. Januar 29. **Gregorius Marso de Riga.** Im Erbebuche I finden sich die Namen Albert Merse, Hausbesitzer von 1434—69, und her Herman Merse. Der Name Marso is vielleicht latinisirt und der Träger desselben der Familie Merse zuzuweisen. Vielleicht wäre auch bei der schlechten Handschrift der Matrikel Morso zu lesen gewesen. Indess ist zu bemerken, dass auch im sechszehnten Jahrhundert in Riga eine Familie Marsso, Marsau, Marsow vorkommt, aus welcher der Revalsche Reformator Herman Marsow hervorgegangen ist. Siehe Wittenberger Matrikel 5, 34, 58. EB. I. 669, 866, 867, 882, 940, 960, 973, 984.

109. — März 11. **Johannes Vadeken de Riga.**

110. — März 29. **Johannes Walkemole de Riga.** Die Familie Walkemole ist in den Stadtbüchern vom Ende des fünfzehnten bis zur Mitte des sechszehnten Jahrhunderts durch mehrere Personen vertreten, darunter auch einen Hausbesitzer Hans Walkemole im Jahre 1480, welcher aber kaum der Vorstehende sein kann. EB. I. 1123.

111. — April. 23. **Christianus vam Dyke de Riga.** Im Erbebuche I lässt Rutgher vam Dyke ein Haus dem Herrn Joh. Schoening am 23. März 1479 auf. Dabei ist bemerkt, dass derselbe Auflass bereits im vergangenen Sommer, am 26. Juni 1478, von Kerstianus vam Dyke dem Herrn Joh. Schoening, seinem Ohm, vor den Bürgermeistern erfolgt ist. Dieser ausnahmsweise Fall eines Auftrags vor den Bürgermeistern, nicht vor dem sitzenden Rathe, lässt sich nur aus einem besondern Grunde, vielleicht einer eiligen Abreise, erklären. Im folgenden Jahre, 18. Mai 1481, lässt Kerstens vam Dyke wiederum dem Bürgermeister Johan Schoening ein anderes ihm gehöriges Haus auf. Es ist wohl anzunehmen, dass dieser Kersten oder Kerstianus mit dem Christianus vam Dyke identisch ist, und es scheint, als ob er die Häuser eilig während seiner Studienzeit verkauft habe, vielleicht um sich zu expatriiren, denn später kommt er nicht mehr in den Rig. Stadtbüchern vor. Da die von ihm übertragenen Häuser nach der Beschreibung ihrer Lage, „thegen dem radhuse achter Joh. v. d. Orde“ oder „tuschen Hans v. d. Orde

etc." und „in der Stekenstrate", dieselben sind, welche Johan Dike oder vam Dyke in den Jahren 1443 und 1447 erworben hat, so ist er wohl zweifelsohne ein Erbfolger und Sohn dieses letzteren, welcher in den Jahren 1450—1458 Rathmann zu Riga war. EB. I. 805, 825, 849, 1109, 1142. Rig. Rathsl. 339.

112. 1477. Juni 9. **Johannes Duseborch de Revalia.** Wir finden ihn im Jahre 1492 und 1500 als Domherrn der Kirche zu Reval, 1501 als Domherrn der Kirche zu Dorpat und 1510 als Propst der Kirche zu Dorpat. Im Anfange des Jahres 1514 wird er von dem Domcapitel zu Dorpat zum Bischof von Dorpat erwählt, aber schon am 10. Mai 1514 wird Christian Bomhower zum Bischof von Dorpat bestätigt; indessen tritt dieser erst im Febr. 1516 in den factischen Besitz des Bisthums, den bis dahin wohl Duseborch sich erhalten hat. Seinen Vater können wir wohl in Johan Duseborch sehen, welcher von 1436—58 als Revalscher Rathmann vorkommt. Briefl. III. S. 367. Bunge Rev. Rathsl. S. 57.

113. — Juni 9. **Henricus Wetberch de dioec. Reval.**

114. — Septbr. 10. **Andreas Kuskule de Tarbato.** Die Kosskull sind ein altes Adelsgeschlecht, dessen einzelne Glieder schon am Ende des vierzehnten Jahrhunderts in Urkunden vorkommen. (Briefl. Bd. II. S. 39.) Ueber das Geschlecht der Kosskull Hup. n. Misc. XV. S. 287, n. n. Misc. XIII. S. 227. XVIII. S. 170. Ueber den vorgenannten Andreas K. findet sich keine weitere Nachricht.

115. — Septbr. 22. **Albertus Stapel de Riga.** Vielleicht ein Sohn des 1482 verstorbenen Rig. Rathmannes Johan Stapel. Im Jahre 1504 verkauft der Erzbischof Michael Hildebrand das Gut Vifflusen an einen Albert Stapel, dessen Tochter Barbara, Wittwe des Kersten Hahn, dasselbe 1545 an Andreas Koschkull verkaufte. Hagemeister. Mater I. S. 158.

116. — Octbr. 9. **Karolus** } **Yxkule, fratres de Riga.**
117. — — **Hinricus** }

Ein Karoll Uxkull ist 1526 Domherr zu Oesel und 1534 Senior des Domcapitels. Ein Hinricus Uxkull ist 1533 Thesaurirer und 1534 Domherr des Oeselschen Stifts. Mon. Liv. V, 55. 86.

118. 1478. April 28. **Hinricus Gerysem Rigensis.** Vielleicht ein jüngerer Sohn des Rathmannes Johann Geresem (Geritsem), 1436—66, und ein Bruder des oben sub Nr. 88 genannten Johannes Ghersem de Riga. Rig. Rathsl. 318.

119. — Juli 28. **Johannes van Loen de Darpte.** In der Matrikel ist bemerkt: postea Doctor Magnus Prelatus in Livonia. Im Januar 1506 finden wir ihn als Propst der Kirche zu Oesel, der von dem päpstlichen Commissarius Christianus Bomhower, nachherigem Bischof von Dorpat, abgeordnet ist, um in dem Preussischen Ordenslande das Jubiläum aufzurichten, und der darauf von Königsberg nach Kurland geht, um daselbst eine Verlängerung des Ablasses vom Papst abzuwarten. Index 2524 und 2528. Chron. S. 368. Krabbe S. 244. Anm. Bunge, Rechtsgesch. S. 177. Anm. p.

120. — Septbr. 24. **Johannes Stewiter de Livonia.** Ein solcher Name kommt in den livl. Urkunden nicht vor, vielleicht ist er verlesen für Stalbiter, welcher als Name von Lehnsmannen der Rig. Kirche sich findet in den Jahren 1448 und 1485. Briefl. S. 131. Script. rer. Liv. S. 785. In Riga kommt ein Gotschalk Stalbiter von 1392—1436 als Besitzer eines Hauses und Gartens vor, welche sich 1437 im Besitz von Hans Stalbiter befinden. Ein Revaler Domherr Johan Stalbiter kommt schon 1427 vor und ein Domherr zu Dorpat Mag. Gerhard Stalbiter 1426. UB. VII. 477, 551, 561. EB. I. 102, 163 bis 65, 620, 718 u. a. m., 947. Siehe Köln Nr. 8.

121. 1480. April 14. **Wolmarus Meyg de Riga.** Im Lib. red. III. S. 127 findet sich bemerkt, dass der Rath der Stadt Riga dem Magistro Wilmaro Mey und seiner Mutter auf ihrer beiden Lebenszeit ein Haus verlehnt hat. Im Jahre 1512 wird von einem Hausbesitzer eine Rente verkauft dem würdigen Meister Wilmaro Mey für die Vicaria der Märtyrer St. Fabian und St. Sebastian im Dom, welche Rente 1527, „weil die geistlichen Renten nun aufhören", getilgt und abgeschrieben wird. Im Jahre 1519 ist Dr. Wolmar Mey dörptscher Domherr, welcher mit dem rigischen Vicar Richard Mey an Papst und Kaiser abgesandt wird, um für die Capitel die freie Bischofswahl zu erwirken. Siehe Hildebrand, Arb. 1875/76. S. 94.

122. 1480. Juli 19. **Johannes Wetberch de Livonia.**

123. — Novbr. 13. **Johannes Walkemole de Riga.** Wahrscheinlich der oben sub Nr. 110 Genannte, welcher, nachdem er die Universität verlassen hatte, wieder in dieselbe eingetreten ist.

124. — Novbr. 13. **Petrus Junge de Riga.** Der Familienname Junge kommt in den Rig. Stadtbüchern von 1452–1574 mehrmals vor, doch darunter kein Petrus.

125. 1481. März 9. **Georgius Wetborch de Livonia.**

126. 1482. April 24. **Hermannus Moldorpes de Riga.** Im Erbebuche I. 1021, 1035 kommt 1468 ein Arndt Molderpas vor, welcher 1473 gestorben ist.

127. — Mai 21. **Johannes Wenkhusen de Riga.** Der Name Wenkhusen scheint eine andere Form zu sein für Woinckhusen, Woynckhusen und Woyginkhusen. Im Rig. Rath sassen zwei dieses Namens, Johan Woynkhusen von 1406 bis 1429 und Johan Woynckhusen von 1443—1480. In den Jahren 1492, 1495 und 1496 kommt ein würdiger Herr und Magister Johan Woinckhusen, nach dieser Titulatur ein Geistlicher, in den Stadtbüchern vor, und im Jahre 1508 ein Herr Johan Wenkhusen. Ob dieser mit dem Magister identisch ist, muss dahingestellt bleiben. RB. 267, 285, 298. EB. II. 16, 200.

128. — Juli 20. **Andreas Lange de Livonia.**

129. — Septbr. 12. **Theodoricus Steyls de Riga.** In Riga giebt es von 1473—1478 einen Rathmann Johan Steels, von dem Theodoricus herstammen mag. Rig. Rathsl. 301.

130. — Octbr. 18. **Johannes Glambeke de Riga.** In dem Rig. Erbebuche und in Lib. rur. kommt ein Claus Glambeke von 1451—1478 als Hausbesitzer und Grundbesitzer vor. EB. I. 863, 1002, 1019, 1020, 1021, 1050, 1092. Lib. rur. 7, 17, 99.

131. — Octbr. 25. **Georgius Kedwich de Revalia.**

132. 1483. Febr. 26. **Hinricus Loss de Revalia.** Wohl der Sohn des Revaler Rathmannes Hinricus Loess, welcher 1485 vorkommt. Rev. Rathsl. S. 113.

133. — April 9. **Sifridus Holtsadel de Wenden.**

134. 1483. Juni 2. **Otto Mekes de Livonia.** Ein Otto Mex erscheint in den Jahren 1515, 1520 und 1526 als Domherr zu Reval. Briefl. 818, 875. Mon. Liv. V. S. 55.

135. — Juni 5. **Fromoldus Vitink de Revalia.** Arndt Viting theilt sich 1485 mit seinen Söhnen Arndt und Fromhold ab und giebt letzterem den Hof Kechtenel und Odenkolk. Briefl. 353, 94, 509, 40, 679, 722. Ein anderer Fromhold Vitink oder Vitinghof kommt um diese Zeit in den Urkunden nicht vor.

136. — Sept. 13. **Johannes Snybbe** (oder Gnybbe) **de Riga.**

137. — Octbr. 7. **Arnoldus Honinkhusen de Revalia.** Er erscheint 1509 als Domherr und Kirchherr zu St. Nikolai in Reval. Er stammt wohl von der Revaler Rathsfamilie Hunninckhusen (Huninghausen) ab, von welcher Bertold H. 1416—1430 Rathmann und Bürgermeister, Heinrich I H. 1458—60 Rathmann und Gerichtsvogt und Heinrich II H. 1495—1514 Rathmann und Gerichtsvogt, Andreas H. 1546 Rathmann war. Andres Honinkhusen wird von dem Ordensmeister Galen im Jahre 1555 mit Kuseweck, einer Mühle mit drei Haken Landes, bei Pawel gelegen, belehnt. Paucker, Geistlichk. S. 356. Rev. Rathsl. S. 106. Paucker, Landgüter. S. 34.

138. — Octbr. 15. **Johannes Garnyng de Livonia.**

139. — Decbr. 24. **Hinricus Menzelak de Livonia.** Heinrich Metzentaken (Mestaken) kommt in den Jahren 1459 und 1477 als Richter in Jerven vor. Er hatte zwei Söhne, Heinrich und Jürgen. Jürgens Sohn, Heinrich, ist 1503 Vogt in der Wiek, 1521—1525 Mannrichter in Wierland. In letzterem sehen wir vielleicht den Obigen. Briefl. 240, 292, 320, 636, 888, 904.

140. 1484. Decbr. 14. **Joachim Merwick de Riga.** Im Jahre 1495 kommt er als her Joachim Merwich, prester, im EB. II. 9 vor. Die Familie Marwich, Merwich, von der Marwygk ist vom Jahre 1456—1507 auch durch andere Personen in dem EB. vertreten.

141. 1485. April 14. **Johannes Hennynck** (oder Hemynck) **de Riga.**

142. — April 20. **Hinricus Voghet de Revalia.**

143. — Mai 18. **Michael Schoame de Dorpt.**

144. 1485. Mai 18. **Georgius Orgas de Riga.** In den Jahren 1485 und 1486 werden unter der Ritterschaft des Erzstifts Riga Jürgen Orgass und Friederich Orghes genannt. Der Vorgenannte wird auch zu dieser Familie und der Ritterschaft des Erzstifts gehört haben. Gleichzeitig ist ein Dr. Johan Orgas Decan auf Oesel. Script. rer. Liv. 749, 55, 71, 79. Hup. n. n. Misc. III u. IV. S. 676, 82, 702. Bunge, Rechtsgesch. S. 177, Anm. p.

145. 1486. Juni 27. **Nicolaus Steen de Livonia.**

146. — Octbr. 24. **Reymarus Bartman de Riga.** Ein Sohn des Bürgermeisters Cordt Bartman; er wird im Jahre 1500 mit dem Titel Magister bezeichnet. Siehe oben Nr. 74.

147. — Novbr. 20. **Everhardus Wekebrot de Revalia.** Ein Evert Wekobrot ist 1476 und 77 Harrischer Mannrichter und 1492 bereits verstorben. Unter seinen Kindern, so viel sie genannt werden, kommt ein Everhard nicht vor. Die Familie ist in Ehstland besitzlich. Briefl. 317, 318.

148. — Novbr. 20. **Jacobus Notge de Revalia.**

149. 1490. Mai 3. **Petrus Slanelin de Dorpte.**

150. 1491. April 28. **Gregorius van Lon de Dorpte.**

151. — August 23. **Anthonius Wrangel de Livonia.** Im Erbtheilungsvergleich zwischen den Söhnen des Otto Wrangel von Ittfer vom 20. April 1499 kommt ein Sohn Namens Tönnis vor, welcher mit seinem Bruder Christoffer den Hof Itterver nebst einigen Dörfern erhält. Briefl. I. 584.

152. — Octbr. 24. **Theodoricus Swarthoff Livoniensis.** Die Familie Schwartzhoff war eine alte, ausgebreitete, landbesitzliche Adelsfamilie in Livland. Hup. n. n. Misc. XIII. S. 308. Briefl. Thl. I. Bd. II. S. 80. Zu Erfurt finden sich schon 1409 ein Johannes und 1411 ein Theodoricus Schwarthof immatriculirt.

153. 1492. Jan. 23. **Georgius Steyn de Revalia.**

154. — Mai 16. **Johannes Palmedach de Tarbato.**

155. — April 21. **Tyleman Borstelt de Tarbato.**

156. — August 23. **Johannes Batebrock de Dorpte.**

157. 1493. Octbr. 30. **Johannes Plochvaget de Dorbato.**

158. 1493. Decbr. 3. **Nicolaus Runge de Riga.**

159. 1494. April 8. **Jacobus Hake de Tarbato.**

160. — Octbr. 13. **Georgius Dalhoff de Revalia.**

161. — Octbr. 13. **Petrus Gastian de Riga.**

162. — Octbr. 21. **Johannes Brethold de Revalia.** In der Revaler Rathslinie findet sich ein Marquard Brethold als Rathsherr und Bürgermeister von 1442—1473 und ein zweiter Marquard Brethold als Rathsherr von 1482 und als Bürgermeister von 1512—1524. Rev. Rathsl. S. 84. Hup. n. n. M. III. S. 531, 649. Hanserec. 1431—1476. IV. 237. Wahrscheinlich gehört Johannes B. dieser Familie an.

163. 1495. März 23. **Casparus Vrigdach de Revalia.**

164. — Oct. 19. **Theodoricus Boeckholt de Revalia.** Heinrich Böckhold war lutherischer Prediger an der heiligen Geist-Kirche zu Reval 1520. Paucker, Geistl. S. 380. Bienemann, Luthertage S. 34. Theodoricus B. wird wohl derselben Familie angehört haben.

165. — Decbr. 7. **Godescalkus Boleman de Riga.** Möglicherweise ein Sohn des Rig. Rathsherrn Gottschalk Boleman, welcher von 1459—1470 den Rathsstuhl einnimmt; jedenfalls aber wohl dieser Familie angehörig. Rig. Rathsl. 356.

166. 1496. April 21. **Johannes Stenwede de Livonia.**

167. — Juni 12. **Conradus Visch de Livonia.** Von der Familie Visch haben den Rigaschen Rathsstuhl eingenommen Cord V. von 1391—1420, Gottschalk V. von 1435—1450 und Conrad V. von 1448—1486. Der Conradus Visch in der Rostocker Matrikel ist sehr wahrscheinlich ein Sohn des zuletzt genannten Rathsgliedes, Bürgermeisters Conrad V. Im Rentebuch wird im Jahre 1507 ein Conradus Visk genannt, der in Vollmacht der Drude Viskes, wohl seiner Mutter, des seligen Herrn Corth Viskes nachgelassener Wittwe, eine Rente verkauft. RB. 363.

168. — Juni 16. **Johannes Muthardi de Riga.**

169. — Juli 6. **Hinricus Munster de Livonia.** Ein Johann Munster ist im Jahre 1473 ehemaliger Kirchherr zu Palmisse im Dörptschen Stift und leiht der St. Gertrud-Kirche zu Reval

400 alte Mark rig., deren Rente nach seinem Tode zu einer von ihm zu gründenden Vicarie verwandt werden soll. Hansen, Kirch. u. Klöst. S. 42.

170. 1497. Febr. 9. **Johannes Leueke de Livonia.**

171. — Febr. 27. **Wennemarus Folmers de Livonia.** Ein Herr Johan Volmers ist 1507 Hausbesitzer in Riga und ein anderer (?) Johan Volmers ist 1502 Bürgermeister zu Wenden. Ein Meister Vilmarus Volmers kommt 1516 in Riga vor. RB. 325, 368.

172. — April 1. **Andreas Teygheler de Dorpte.**

173. 1497. April 17. **Anthonius Westerman de Revalia.**

174. — April 25. **Georgius Bate de Livonia.**

175. — Octbr. 5. **Johannes Soeye de Revalia.** Wohl aus dem weitverbreiteten Geschlecht der Soye, Seye, Soie, Zoie. Ein Johannes, der Sohn des Ritters Herman Soye, kommt im Anfang des sechszehnten Jahrhunderts als Besitzer mehrerer Landgüter vor und ist 1537 verstorben. Briefl. 807, 877, 884, 888, 1009, 1101.

176. 1498. Mai 4. **Simon Meyh de Riga.** Wohl aus dem Rig. Rathsgeschlecht der Mey (Meygh, Meyen). Ein Sohn des oftgenannten Wenmer Mey. In den Jahren 1507 und 1510 erscheint Simon als Meister, wohl Magister. Er lässt 1507 im Namen seiner Mutter eine Rente abschreiben, welche im Jahre 1492 auf ein Haus aufgeschrieben worden war zum Besten der Vormünderschaft der Kapelle unser lieben Frauen in der St. Peterskirche, die aus vier Frauen, unter denen auch Wennemar Meyges Hausfrau, Apolonia, war, bestand. Im Jahre 1510 überträgt er ein Haus als Vormund der Apolonia Mey und ihrer nachgelassenen ehelichen Kinder. RB. 266. EB. II. 235.

177. — Mai 11. **Paulus Schutte de Tarbato.**

178. — Juni 21. **Johannes Gellynkhausen de Revalia.** Wohl ein Sohn des Revalschen Rathsherrn und Bürgermeisters Joh. Gellinghusen von 1481—1502. Er ist 1513 Decan und Domherr der Kirche zu Dorpat und kommt als solcher auch noch 1534 vor. Am 7. Juni 1546 wird er als verstorben erwähnt. Chron. S. 374 und 375, Anm.

179. 1498. Septbr. 19. **Lambertus Tzulken de Riga.** Wohl ein Sohn des Rigaschen Rathsherrn Tetze Sulken von 1487—1507. Rig. Rathsl. 389.

180. — Octbr. 28. **Anthonius Ketberch de Livonia.** Vielleicht richtiger Wetberch zu lesen. Die Wetberg sind im fünfzehnten und sechszehnten Jahrhundert ein in Livland sehr ausgebreitetes Adelsgeschlecht. Briefl. Thl. I. Bd. II. S. 128. Hup. n. n. Misc. XIII. S. 415.

181. — Octbr. 29. **Georgius Hasleverne de Livonia.** Wohl dem im fünfzehnten und sechszehnten Jahrhundert in Ehstland ansässigen und begüterten Adelsgeschlechte Hastever, später Hastfer geschrieben, angehörig. Im 16. Jahrhundert kommen mehrere des Namens Jürgen vor. Briefl. Thl. I. Bd. II. S. 26.

182. — Novbr. 17. **Andreas Smed de Revalia.** Wohl ein Sohn des Revalschen Rathsherrn Evert Smet (1469—1511). Rev. Rathsl. S. 128.

183. — Decbr. 15. **Johannes Bockholt** (oder Borkholt) **de Livonia.**

184. 1499. Jan. 25. **Jacobus Kenlener de Riga.** Er kommt in den Rig. Stadtbüchern nicht vor, wohl aber ein Hans Kentheuer von 1477—80. RB. 167. EB. 1089, 1122.

185. — April 20. **Laurentius Gregori de Revalia.**

186. — April 27. **Israhel van de Mere de Revalia.** Wohl ein Sohn des Revaler Rathsherrn Israel van Mer (1485—95). Rev. Rathsl. S. 115.

187. — Mai 4. **Thomas Stoingk de Riga.**

188. — Aug. 17. **Hinricus Ghellinghusen de Revalia.** Wahrscheinlich ein Bruder des oben Nr. 178 genannten Johannes G.

189. — Septbr. 13. **Johannes Granekamp de Dorpte.**

190. — Octbr. 29. **Johannes van Kerben de Livonia.**

191. 1500. Mai 26. **Anthonius Kerff de Riga.** In den Rig. Stadtbüchern kommt nur ein Hans Kerf vor in den Jahren 1472—98. EB. I. 1045. RB. 73, 102, 168, 204, 221.

192. — Mai 26. **Hinricus Gendena de Riga.** In den Jahren 1500 und 1507 bevollmächtigt ein her Hinrik Gendena (Gen-

denow) seinen Schwager Friederick vam Twiwel zum Auflass je eines Hauses und im Jahre 1521 erscheint er namens seiner Schwester Wendela, des Friderik vam Twiwel Wittwe, als Magister und ebenso im folgenden Jahre 1522 in einer andern Sache gleichfalls als Magister. Im Jahre 1534 trägt er als Bevollmächtigter ein Grundstück vor dem Rathe auf. EB. II. 142, 174, 407, 438. Lib. rur. 22.

192a. 1500. August —. **Johannes Duchel de Pernova.**

193. — Septbr. 1. **Godschalkus Ecke de Revalia.**

194. — Octbr. 24. **Andreas Murmester de Livonia.** Unter andern Personen dieses Familiennamens kommt in den Rig. Stadtbüchern auch ein Andreas M. von 1470—94 als Hausbesitzer vor, welcher möglicher Weise der Vater des Obigen ist. EB. I. 1081, 1146. RB. 147, EB. II. 41.

195. — Octbr. 24. **Johannes Glane de Revalia.**

196. 1501. Mai 11. **Johannes Frigeman de Terbet Livonia.**

197. — August 28. **Hinrik Forste Rigensis.** Vielleicht der Sohn des Hinrich Vorste, von welchem handschriftlich ein Tagebuch von 1460—1488 im Auszuge existirt. Im Jahre 1530 wird ein Magister Hinricus Furste im EB. II. 611 genannt.

198. — Aug. 28. **Thomas Wise Rigensis.** Die Familie Wise ist durch mehrere Glieder in den Stadtbüchern von 1386—1538 vertreten, doch kommt Thomas unter ihnen nicht vor, er mag aber immerhin zu derselben gehört haben.

199. — Septbr. 11. **Reinoldus Bickesheveden, Dorptens. dioec.** Es ist kein Anderer als der Reinhold von Buxhöweden, welcher im Jahre 1526 als Magister, Decan und Domherr der Kirche zu Oesel vorkommt, am 18. October 1530 zum Bischof von Oesel erwählt wird und in Streitigkeiten und Kämpfe mit dem erzbischöflichen Coadjutor, dem Markgrafen Wilhelm von Brandenburg, als dieser den Besitz des Bisthums Oesel zu erlangen suchte, verwickelt wird. Gestorben im Jahre 1557. Mon. Liv. V. S. XV, XXV u. 54. Chron. S. 271—290. Richter, Thl. I. Bd. 2. S. 278 ff.

200. — Septbr. 11. **Theodericus Vorensbeke, Osiliens. dioec.** Wohl Varensbeck zu lesen.

201. 1501. Septbr. 11. **Andreas Hennich Rigensis.**

202. — Septbr. 11. **Laurentius Stedingk Dorpatens.**

203. — Septbr. 17. **Joachim Trier Rigensis.** Wahrscheinlich der Rigaschen Familie Treer entstammend, von welcher Evert Treer Rathsherr von 1467—1488 ist. Rig. Rathsl. 362.

204. 1502. April 12. **Johannes Lumpman de Revalia.**

205. — Juli 26. **Johannes Hagenow de Riga.** In den Jahren 1519 und 1528 kommt er als Meister (Magister) Johan Hagenow im Erbebuche II, 382 und 556 vor. Wohl ein Sohn des Rathsherrn Johan Hagenow (1479—1492). Rig. Rathsl. 380.

206. — August 3. **Franciscus Schriver de Riga.** Die Familie Schriver (Schryver, Scryver) ist in den Rig. Stadtbüchern von 1412—1567 vertreten. Horman Schriver ist Rathsherr von 1534—1564. Rig. Rathsl. 454.

207. 1503. Januar 26. **Michael Cruse de Dorpte.**

208. — April 23. **Otto von Sacken de Livonia.** Ein Otto von Sacken kommt 1516 als Vertreter des Stifts Kurland vor, Mon. Liv. V. 55, und giebt 1546 dem Conrad Uxkull zu Padenorm ein Darlehn von 3000 Mrk. Briefl. 1284. Ueber das Geschlecht der Sacken Hup. n. Misc. XX. S. 112, n. n. Misc. XIII. S. 346.

209. — Mai 11. **Johannes Gedeonis de dioec. Rig.**

210. 1503. Juli 12. **Hinrich Wichman de Revalia.**

211. — Septbr. 4. **Hermannus Corveye de Riga.** Ein Herman Corvey kommt in den Rig. Erbebüchern als Hausbesitzer von 1473—1485 vor und ist vielleicht der Vater des Vorstehenden. EB. I. 1033, 1113, 1120.

212. — Septbr. 21. **Bartolomaeus von den Koten de Dorpte.**

213. — Decbr. 5. **Johannes Holderman de Revalia.**

214. 1504. März 13. **Arnoldus Aderkas de Riga.** Siehe oben Nr. 61.

215. — April 30. **Joseph Ronwendall de Livonia.**

216. — Juni 26. **Johannes Scheper de Riga.** Wohl der Sohn des Rathsherrn Johan Scheper (1493—1497). Im Erbebuche II, 682 wird er im Jahre 1534 Magister genannt. Rig. Rathsl. 399.

217. — Juli 10. **Bartolomaeus Brunyngk de Riga.**

218. 1504. August 12. **Johannes Tidinghusen de Revalia.** Ohne Zweifel ein Tisenhausen. Ueber die Familie siehe oben Nr. 16.

219. — Octbr. 12. **Johannes Bey de Torbato.** Eines Bürgers Sohn aus Dorpat. Als Propst der Dorpatschen Kirche vor 1529 vom Domcapitel zum Bischof von Dorpat erwählt, den 3. August 1532 als solcher vom Papst bestätigt, am 21. Mai 1543 gestorben. Chron. S. 371 u. ff.

220. 1505. April 1. **Fredericus Wrangel Rigensis.**

221. — August 23. **Jacobus vam Berge de Revalia.**

222. — Octbr. 20. **Hinricus Beringer de Pernow.**

223. — Decbr. 31. **Thomas Halderman de Revalia.** Siehe Nr. 213.

224. 1506. April 11. **Hinricus Brake de Revalia.**

225. — Juli 28. **Laurentius Mouwe de Riga.** Im Rig. Erbebuche I. 25, 1567 finden sich nur Hans und Jochim Mouwe vor in den Jahren 1493—1574.

226. — Octbr. 2. **Petrus Verman de Riga.**

227. — Novbr. 2. **Johannes Becker de Revalia.** Er ist 1523 katholischer Priester zu Kusal oder St. Laurentii in Harrien und später erster lutherischer Prediger daselbst. Paucker, Geistl. S. 113.

228. 1506. Novbr. 2. **Georgius Ketin de Tarbato.**

229. — — **Frater Martinus Kerke de Dorpte.**

230. — Novbr. 2. **Carstianus Becker de Revalia.**

231. 1507. April 14. **Laurentius Nicolai Sondost** (?), kurland. dioec. ex Intzia.

232. — April 17. **Nicolaus Ramme de Riga.** Er ist 1527 Prediger in Riga. Er übersetzte zuerst die zehn Gebote 1530 in's Lettische. Bergmann I. S. 27. Anm. Kallmeyer in Mitthl. VI. S. 191.

233. — April 17. **Eberhardus Schale de Revalia.** Ein Gert Schale ist in Reval Rathsherr und Bürgermeister von 1446 bis 1447. Rev. Rathsl. S. 128.

234. — Septbr. 9. **Nicolaus Withorff de Riga.**

235. — Octbr. 2. **Johannes Menved Revaliensis.**

236. 1507. Decbr. **Anthonius Manningk Rigens.** Goswin Mennink (Menningh) war Rig. Rathsherr und Bürgermeister von 1488—1515. Rig. Rathsl. 381. Der Vorstehende wahrscheinlich sein Sohn.

237. 1508. April 17. **Laurentius Gerholt de Riga.** Ein Laurenz Gerholt, wohl des Vorstehenden Vater, kommt als Besitzer von Häusern in den Jahren 1487—1514 vor. EB. II. 26, 46, 192, 279, 290, 305.

238. — April 10. **Jacobus Honwer de Revalia.**

239. — Juli 19. **Michael Speyer de Riga.** Die Familie Speyer ist von 1508—1573 durch mehrere Personen vertreten. Im Jahre 1509 kommt ein Michael Speyer, Sohn Simons Speyer, vor. EB. II. 210.

240. — Octbr. 3. **Hinricus Scheper de Riga.** Vielleicht ein Bruder des unter Nr. 216 Aufgeführten.

241. — Octbr. 11. **Frater Christophorus Hagensten, ord. cisterciens ex Torbata.**

242. — Octbr. 13. **Arnoldus Elerd de Narwa ex Livonia.**

243. — Octbr. 13. **Iohannes von Bo .... de Narwa ex Livonia.** Der Zuname ist unleserlich.

244. — Novbr. 3. **Hinricus Hollapel de Livonia.**

245. — Novbr. 10. **Iohannes Horninck de Riga.**

246. 1509. April 29. **Laurentius Scheper de Revalia.**

247. — Mai 5. **Fridericus Pawesse natus ex Revalia.**

248. — Mai 5. **Wolterus Ruter Rigensis.** Johan Ruter war Rathsherr in Riga von 1493—1512. (1521 bereits verstorben.) Wolter wohl ein Sohn desselben. Rig. Rathsl. 398.

249. — Juni 18. **Hermannus Scheper de Dorpte.**

250. — Juli 21. **Iohannes Vulleck de Dorpte.**

251. — Juli 30. **Everhardus Titvit de Riga.**

252. 1510. April 26. **Hinricus Widemannus de Revalia.** Wohl ein Sohn des Revaler Rathsherrn Heinrich Widemann (1500—1521). Rev. Rathsl. S. 140.

253. — August 22. **Iohannes Muter de Livonia ex oppido Vellin.**

254. 1511. März 24. **Theodorus Westhoeff,** | **Tarbatensis**
255. — — **Johannes Vagetizeky,** | **dioecesis.**
256. — — **Simon Canenko,** |

257. — Juli 24. **Laurentius Luders de Riga.** In den Stadtbüchern findet sich ein Laurenz Luder, auch Luders, welcher in den Jahren 1496—1517 Hausbesitzer und Vorstand der Tafelgilde „des klenen Gildestavens to den almissen in S. Jacobs kerken“ war; vielleicht war dieser der Vater des Vorgenannten. Ein Herr Hinrich Luder ist 1511 Vorstand des Kalands. RB. 304, 376, 377, 414.

258. — August 3. **Georgius Gotschalck de Livonia.**

259. — Octbr. 16. **Hardewicus Gendena de Riga.** Aus der viel vertretenen Familie Gendena, siehe oben Nr. 82 und 192. Im Jahre 1524 kommt im Rentebuch her Hortwicus Gendenow Domherr vor, welcher unzweifelhaft der Obige ist. RB. 215.

260. — Octbr. 16. **Johannes Pose de Torpato.**

261. — Decbr. 8. **Henricus Stenwedel de Tarbato.**

262. 1512. April 6. **Casparus Runge de Riga.**

263. 1512. Octbr. 8. **Johannes Becker de Riga.** Ein Johan Becker ist von 1513—1543 Rigischer Rathsherr; dieser kann mit dem Vorstehenden nicht identisch sein. Es kommt aber im Erbebuch II. 778, 79 ein her Johan Becker, des olden hern Johan B. sone, im Jahre 1538 und ebenda 1096 im Jahre 1552 her Johan B. etwan Kerkendener vor, in welchem der in Rostock Immatriculirte zu finden sein dürfte. In Padels Tagebuch ist unter dem 30. März 1542 verzeichnet: Her Johan Becker, Capellan tho St. Jakob, und im Jahre 1553, am 13. Juli, ist von den Vormündern der Kinder des seligen Johan Becker, des Diakonus, die Rede.

264. 1512. Octbr. 8. **Johannes Hune de Riga.**

265. — Octbr. 8. **Christianus Line** (Live) **de Riga.**

266. — Octbr. 25. **Stephanus Bremer de Riga.** Der Familienname Bremer kommt in den Rig. Stadtbüchern von 1525—1577 jedoch mit andern Vornamen vor.

267. 1512. Octbr. 25. **Johannes Moller de Riga.** Moller, Molner, Molre kommen in den Rig. Stadtbüchern von 1456–1536 zahlreich vor. Magister Johan Molner sitzt seit 1480 als Syndicus, seit 1522—26 als Bürgermeister im Rig. Rath. Im Jahre 1517 kommt im Erbebuche II. 530 ein her Johan Moller prester und 1535 im Rentebuche meyster Johan Molre vor. Dieser könnte wohl der in Rostock Verzeichnete sein.

268. 1513. April 9. **Arnoldus Cruse de Revalia.**

269. — April 22. **Johannes Bink** (oder Birk) **Dorpatens.**

270. — April 22. **Johannes Lode Revaliensis.** Johannes Lode ist 1530 Domherr der Kirche zu Oesel und steht bei den Streitigkeiten um das Bisthum von Oesel auf Seiten des Coadjutors Markgraf Wilhelm von Brandenburg, ist dessen Stellvertreter auf dem Ständetag zu Fellin am 8. Februar 1534 und wird gegen Ende dieses Jahres auf einem Gastmahl erschlagen. Mon. Liv. V. S. 270—424. Paucker. Lode, S. 37—39. Richter I. 2. S. 278 u. ff.

271. — Mai 4. **Johannes Reynsver de Dorpt.**

272. — Novbr. 9. **Hermannus Muther de Riga.** Tönnis Muther ist 1498 Aeltermann gr. Gilde und von 1502—1537 Mitglied des Rigaschen Raths. Wahrscheinlicher Weise ist er der Vater des Herman Muther. Rig. Rathsl. 415.

273. 1514. März 1. **Johannes Sasse de Revalia.**

274. — Mai 10. **Goswin Bellinckhusen** } **de Riga.**
275. — — **Christianus Bellinckhusen** }

Ein Hinrick Bellinghhusen, Hausbesitzer, wird im Erbebuche II. 904 im Jahre 1541 als verstorben erwähnt. Eine Familie dieses Namens ist demnach um jene Zeit in Riga ansässig gewesen. Ob diese mit der adeligen Familie von Bellingshausen (vergl. Hup. n. Misc. XV. S. 393 und Pabst, Beiträge Bd. I. S. 289 u. ff.) verwandt gewesen ist, muss dahingestellt bleiben.

276. — Mai 16. **Iheronimus Dorse de Revalia.**

277. — Septbr. 23. **Matheus Prabow de Livonia.**

278. 1515. Mai 10. **Severinus Smit Rigensis.**

279. 1515. Octbr. 16. **Bartholomaeus Carcel de Revalia.**

280. — Novbr. 24. **Georgius Tisenhusen de Riga.** Wohl der nachherige Dompropst der Kirche zu Oesel und Domherr der Kirche zu Reval, welcher auf die besondere Empfehlung des Raths und der gemeinen Ritterschaft des Stifts Riga d. d. 11. Febr. 1525 im März desselben Jahres zum Bischof von Reval erwählt wird. Chron. S. 329.

281. 1516. Mai 10. **Johannes Brunsten de Riga.** Ein Hans Brunsten, mit Vorstehendem aber wohl nicht identisch, kommt in dem Erbebuche II von 1532—1568 vor, ebenso ein Bruder desselben, Reynold. EB. II. 660, 61, 915—17, 1378, 1441, 1566.

282. — Juni 11. **Aorens (?) Magni de Revalia.**

283. — August 6. **Johannes Moelen de Torbato Livoniae.**

284. 1517. April 4. **Laurentius Volkersame de Livonia.** Im Jahre 1531 ist er Domherr zu Dorpat. Mon. Liv. V. S. 251.

285. — Mai 25. **Hinricus Stahlberg Rigensis.**

286. — Sept. 29. **Conradus Gheiszmer de Riga.** Die Familie Geismar ist in Riga von 1443—1550 ansässig.

287. — Novbr. 16. **Johannes Nurenberg de Riga.** In dem Erbebuche II und dem Rentebuche findet sich der Name Hans Norenberg, Nurnberg von 1499—1540, jedoch ist in den hier Genannten der Vorstehende nicht zu erkennen.

288. 1519. März 10. **Hinricus Sasse, Torbatens. dioec.** Ein Hinrick Sasse kommt in dem Schreiben des Bischofs Reinhold von Oesel an den Revaler Rath vom 6. December 1532 vor, in welchem derselbe sich über Markgraf Wilhelms Erwählung zum Bischof von Oesel und über den Versuch beklagt, welchen die Parteigänger desselben durch ihre Gesandten Hinrick Sasse und Tonnyes Lode gemacht haben, um den Stiftsvogt Godert v. Gilsen zur Uebergabe von Arensburg zu bewegen. Mon. Liv. V. S. 293.

289. — Mai 4. **Eggherdus Schell de Livonia.**

290. 1519. Juni 3. **Timannus Honnergheger de Tarbato.** In einer Entscheidung des Bischofs von Dorpat, Johan Bey, in einer Tisenhusenschen Erbstreitsache d. d. Dorpat den 14. Sept. 1538

wird ein Herr Gotke Honerjeger genannt. Briefl. I. 1124. Später, von 1557—1614, findet sich eine Rathsfamilie dieses Namens in Reval. Rev. Rathsl. S. 106.

291. 1519. Novbr. 28. **Hinricus Schrane de Revalia.**

292. — Decbr. 12. **Lambertus Schade de Revalia.**

293. 1520. März 9. **Wolmarus Wrangel de Revalia.** Ein Walmer Wrangel zu Adenal ist 1532 Beisitzer und 1542—47 Vorsitzer des Wierischen Manngerichts. Briefl. I. 1031, 1191 bis 200, 281, 311.

294. — April 17. **Johannes Parsenowe de Livonia.**

295. 1521. Septbr 24. **Gerardus Sconenbach de Revalia.**

296. 1522. Octbr. 20. **Johannes Venecke Revaliensis.**

297. 1523. Jan. 10. **Casparus Wolmari de Livonia.**

298. 1524. Juni 10. **Petrus Buch de Tarbato.**

Anm. *Nach Eintritt der Kirchenreformation nahm die Frequenz der Universität, welche katholisch blieb, bedeutend ab; die Immatriculationen wurden seltener, im Jahre 1531 fand überhaupt keine statt.*

299. 1536. **Fr. Antonius Meyer Torpatensis.**

300. 1538. — **Johannes Vegesack Tarbatensis.** Am 11. Juni 1555 ist ein Johan Vegesack, Pastor zu St. Johannis, Zeuge bei der Testamentserrichtung des Johan Mekes auf dem Hofe zu Popever. Briefl. I. 1431.

301. 1539. Juni 11. **Johannes Stockman Rigens.**

302. — — **Hinricus Stockman Rigens.**

303. — — **Hermannus Stockman Rigens.** Die Familie Stockman findet sich in den Rig. Stadtbüchern seit 1386. Albert Stockman ist Rathsherr von 1405—1420. Rig. Rathsl. 268.

304. — August 2. **Theodoricus Lindeman Rigens.** In dem Erbebuche kommen Hans und Margarethe Lindeman 1532 bis 40 vor. EB. 137, 138, 437, 496, 531, 600, 770, 802, 1646, 803.

305. — — **Johannes Butte Rigensis.** Wohl der Sohn des auf Land-, Städte- und Hansetagen viel gebrauchten Bürgermeisters Johan Butte, der von 1527—1557 Glied des Rig. Raths war. Rig. Rathsl. 444.

306. — Aug. 11. **Johannes Lotker** (Lacken) **Rigens.** Krabbe, Univers. Rostock, S. 434, hat diesen Namen Lacken gelesen.

In den Rig. Stadtbüchern findet sich weder der eine, noch der andere Name.

307. 1540. — **Henningus Gotrumm Rigens.**

308. — — **Carsten Prekel de Riga.** Kerstian Prekel kommt in dem Jahre 1556 vor, wo er durch Bevollmächtigte ein Haus überträgt. Hans Prekel ist 1525 Aeltermann der gr. Gilde. EB. 1777, 1221 und 501.

309. — Juni 11. **Detlevus Cori Rigensis.**

310. — Octbr. 30. **Baltasarus Pomeranus Revaliensis.**

311. — Octbr. 30. **Georgius Anevot Livoniensis.**

312. — Novbr. 3. **Jacobus Berekam Tarbotensis.**

313. 1541. Mai 6. **Johannes Snelle Torpatensis.**

314. — Juni 15. **Laurentius Molitor ex Livonia.** Am Rande der Matrikel ist von anderer Hand hinzugefügt: Artium Magister et Rector Scholae Lubicensis.

315. — August 15. **Johannes Hintelman Rigensis.** Im Rig. Erbebuche II wird ein Hans Hintelman als Hausbesitzer genannt, von 1524—1566; vielleicht der Vater des Obigen. Hans Hintelman steuert zu der von dem Ordensmeister Gotth. Kettler von der Stadt Riga 1559 aufgenommenen Summe von 30,000 Mark 100 Mark bei. Bienemann, Briefe und Urk. III. S. 231.

316. 1541. August 26. **Martinus Wittich Rigensis.**

317. 1542. Januar 7. **Lutke Snider de Livonia.**

318. 1543. April 30. **Petrus Helwichius Revaliensis.** Er wird den 9. Juni 1549 zu Wittenberg immatriculirt. (Nr. 41.)

319. — Juli 11. **Everhardus Dellingkhusen Reval.**

320. — — **Conradus Dellingkhusen Revaliensis.** Nach einer Randbemerkung in der Matrikel waren sie leibliche Brüder. Wahrscheinlich die Söhne des Revaler Rathsherrn Heinr. D. (1539—1546). Conrad D. war 1560 stellvertretender und 1567 wirklicher Syndicus der Stadt Reval, unterhandelte im Jahre 1569 als Gesandter des Raths mit den bekannten livl. Edelleuten Johann Taube und Elert Kruse, welche der Stadt Reval die Unterwerfung an Russland empfahlen, zu Wesenberg und starb

1598 oder 1603. Rev. Rathsl. S. 90 u. 102. Bienemann, Briefe und Urk. II. S. 257. IV. S. 41.

321. 1543. August 8. **Hinricus Rigeman Rigens.** Nach einer Bemerkung am Rande der Matrikel ist er 1550 zum jur. utriusque Licentiatus promovirt worden. Er wurde 1556 Glied des Rigaschen Raths, 1570 Bürgermeister und ist den 27. December 1576 gestorben. Rig. Rathsl. S. 138.

322. — Septbr. 5. **Johannes Kallis Dorpatensis.** Er war 1551 Caplan an der ehstnischen St. Johanniskirche zu Dorpat. Napiersky, Kirchen und Prediger. Heft 3. Thl. 2. S. 30.

323. — Octbr. 5. **Hermannus Smydt Rigensis.**

324. — Octbr. 5. **Joannes Smydt Rigensis.** Wahrscheinlich ist dies derselbe Johan Schmidt, Rigensis, welcher 1558 öffentlicher Notar, 1559 Secretair des Rig. Raths war und Aufzeichnungen über die in Livland stattgehabten Ereignisse seiner Zeit gemacht hat, deren Original sich in Kopenhagen befindet. Vergl. Hildebrand, Arbeiten 1875/76. S. 110 u. ff.

325. — Novbr. 20. **Martinus Herseveldt Revaliensis.** Im Revaler Rath kommen drei Rathsherren dieses Namens vor: Joh. H. von 1494 - 1512, Martin H. 1539 und 40 und Tileman H. 1532, deren Familie auch der Vorstehende wohl angehört haben mag. Rev. Rathsl. S. 102.

326. 1544. Jan. 17. **Conradus Elers Rigensis.**

327. — August 29. **Joannes Storbeck Livoniensis.** Ein Johannes Storbeck kommt in den Jahren 1524 und 1530 als Decan des Erzstifts Riga vor (Mon. Liv. V. 212) und wird den 14. Mai 1543 beerdigt (Padel). Die Familie ist also in Livland auch anderweitig vertreten.

328. — Septbr. 15. **Georgius ab Ungeren Livoniensis.** Ueber das Geschlecht der Ungern Erf. Matr. 43. Ein Georg von Ungern, Herr zu Purkel, hatte am 10. Juli 1531 von Karl V. einen Gnadenbrief erhalten, durch welchen dieser ihn, seine Hausfrau, seine Kinder, Güter, Leute und Unterthanen in seinen und des heil. röm. Reichs Schutz nimmt. (Arndt II. 198.) Es ist dieser wohl der in dem Streit um das Oeselsche Bisthum hervorragende Parteigänger des Markgrafen Wilhelm. Ein anderer

Georg Ungern, vielleicht des Ebengenannten Sohn und der Rostocker Student, erhält durch Vergleich vom 26. Juni 1548 von Wolmar Taube, dem Stiefvater seiner Frau Tordia Todwen, das Gut Paiack und am 23. Juni 1556 das Holzungsrecht im Dorfe Arkull von dem Abt des Klosters Padis. Briefl. 1326, 1438. Die Identität desselben mit einem der in Russwurm, Geschlecht Ungern-Sternberg, vorkommenden hat sich nicht feststellen lassen.

329. 1545. Septbr. 6. **Heso Vegesack Revaliensis.** Im Revaler Rath kommen im sechszehnten Jahrhundert der Rathsherr und Bürgermeister Albert V. 1502—1519 und Thomas V. 1525 bis 39 vor. Rev. Rathsl. S. 94.

330. 1546. April 28. **Georgius Bockholt Revaliensis.**

331. 1547. Juli. **Thomas Lindeman Rigensis.** Nach einer Randbemerkung in der Matrikel von anderer Hand war er später Pastor Rigensis. Als solcher wird er auch aufgeführt in Bergmann I. S. 28. Anm.

332. — Septbr. **Johannes Krubbel Livoniensis.**

333. — Octbr. **Ernestus Vuckebrot Livoniensis.**

334. — Novbr. 15. **Victor Ottingus Revaliensis.** Am Rande der Matrikel ist von anderer Hand bemerkt, dass er Jur. utriusque doctor geworden sei. Vielleicht ist er ein Sohn des Revaler Rathsherrn Lambert Otting, welcher als solcher in den Jahren 1503 und 1504 vorkommt. Rev. Rathsl. S. 119.

335. 1551. Mai. **Jacobus vam Leuenwolde Livon.** Im Jahre 1546 ist ein Jacob von Löwenwolde wierischer Landrath, welcher unter denjenigen Landräthen Harriens und Wierlands genannt wird, welche die Rechtssammlung des „Richtbuches" oder sogen. rothen Buches veranlasst haben. Im Jahre 1560 theilt ein Jacob von Lewenwolde, wahrscheinlich derselbe, sein Vermögen, darunter die in Ehstland gelegenen Landgüter, unter seine Söhne Johan, Tönnies und Jacob. Briefl. 1495. Auf der Rückseite der Urkunde sind die Schulden des „Bruders Herrn Jacob" verzeichnet. Ein Jacob Loewenwolde, Sohn Jacobs, ist im Jahre 1557 Domherr zu Dorpat und erhielt von dem Bischof die Erlaubniss, die mit 14,000 Mark Schulden belegte Dompropstei

zu Lugden und Ilmesar (Ilmazal) wiederum einzulösen, wozu Jacob der Aeltere das Geld hergab. Hagemeister, Materialien II. S. 21. Inland 1858. S. 308. Bunge, Rechtsgesch. S. 92.

336. 1551. Juni. **Hermannus Nihemius, Nobilis Livoniensis.** Er hatte vorher seit 1541 schon in Wittenberg studirt. Er wird in Schütz: Vita Chytraei, Lib. IV. S. 187 und ff., unter den daselbst aufgeführten Correspondenten des bekannten Historikers, Rostocker Professors David Chytraeus genannt. Den 16. Februar 1552 erhielt er in Rostock die Magisterwürde.

337. 1552. Juni 30. **Johannes Rotgerus Revaliensis.**

338. — Septbr. 12. **Joachimus Walter Revaliensis.** Ein Sohn des Pastors Joachim Walter zu St. Nicolai in Reval (gest. 1556); wurde 1555 ordinirt, zuerst Prediger zu Joerden, 1576 zu St. Olai in Reval. Paucker, Geistl. S. 140, 336.

339. — Decbr. 25. **Ioannes de Nieme Tarpatensis.**

340. 1553. April 5. **Joannes Bomgartnerus Rigensis.**

341. 1554. Mai 5. **Anselmus Buch ex Livonia.** Der Familienname Buck, Bok, Boch kommt in den Rig. Stadtbüchern von 1398—1544 vor. Nicolaus Boch ist von 1504—1526 Rathsherr in Riga. Ein Anselmus findet sich jedoch hier nicht unter den Gliedern dieser Familie. Er ist wahrscheinlich derselbe, der im August des folgenden Jahres, 1555, in Wittenberg als Anschelmus Bock immatriculirt wurde und ein Paar Schriften hat drucken lassen. Siehe unter Wittenberg Nr. 62.

342. — Mai 11. **Joannes Swarthoff, Livon. Nobilis.** Die adelige Familie von Schwarzhof wird vom 14. bis 16. Jahrhundert in Urkunden oft genannt, war mit den Tisenhausen verschwägert und hatte zur Ordens- und Polen-Zeit bedeutenden Grundbesitz. Im Jahre 1593 erhielten die Gebrüder Fromhold und Johan Schwartzhoff von Sigismund III. die Bestätigung ihres uralten Besitzrechtes auf das Gut Altenwoga. Hagemeister, Materialien I. S. 209, 249, 262, 267, 268.

343. 1554. Juni 3. **Mathias Suerdunk, Livon. Nobilis.**

344. — Juli 25. **Johannes a Medem, Livon. Nobilis.** Johan Medem, sehr wahrscheinlich der Vorgenannte, befindet sich unter den Bevollmächtigten der Ritter- und Landschaft Livlands,

welche im Jahre 1561 die Unterwerfung Livlands unter die polnische Herrschaft mit dem König Sigismund August abschliessen. Die Familie Medem kommt erst im sechszehnten Jahrhundert vor und erlangt im achtzehnten Jahrhundert den Grafenstand des heil. röm. Reichs. Hup. n. n. Misc. XIII. S. 289.

345. 1554. Decbr. 17. **Georgius Kurr Revaliensis.**

346. 1555. Juni. **Adrianus Schreder Revaliensis.** Magister und Pastor zu St. Olai in Reval 1576, gest. 1579. Paucker, Geistl. S. 336.

347. — Aug. **Hinricus Berg, Nobilis Livoniensis.** Geboren auf der Insel Oesel, gab zu Rostock 1557 eine dem OM. Wilhelm von Fürstenberg gewidmete Oratio de Laudibus Livoniae heraus. Schriftst.-Lex. 1. S. 110. Ueber die Familie Berg Hup. n. Misc. XX. S. 7.

348. — Octbr. **Wilhelmus Wilken Torpatensis.**

349. 1556. März. **Theodorus Schopping, Livoniensis Nobilis.** Die Schopping sind ein gegen das Ende des fünfzehnten Jahrhunderts aus Westfalen in Kurland eingewandertes Adelsgeschlecht. Diedrich Schopping, ein Sohn des Johan Schopping, Erbherrn von Bornsmünde, findet sich auch zu Marburg 1551 und zu Wittenberg 1555 immatriculirt. Er folgte seinem Vater in dem Erbbesitz von Bornsmünde, wurde Mannrichter von Semgallen und Kirchenvisitator des Bauskeschen Kreises. In dieser letzteren Eigenschaft nahm er thätigen Antheil an dem Aufbau einer Kirche zu Bauske. Geb. 1534, gest. 1606. Bornsmünde S. 15—17.

350. — März. **Hermannus Tegetmeyer, Livoniensis ex Riga.** Wahrscheinlich ein Sohn des bekannten Rigaschen lutherischen Predigers Sylvester T., der 1522 aus Rostock nach Riga kam, ein eifriger Reformator wurde und als Pastor der St. Petrikirche zu Riga 1552 verstorben ist. Von Herman T. ist weiter nichts bekannt.

351. — Juni. **Henricus Wangersen, von Dorpte Livoniensis.** Am Rande der Matrikel ist von anderer Hand bemerkt: Licent. juris. Wahrscheinlich ein Sohn des dörptschen Bürgermeisters Heinrich Wangersen, der von 1549—1556 als solcher vorkommt. Gadebusch, Jahrb. I. 2, 395, 463.

352. 1558. Novbr. **Bernhardus Eggerdes Rigensis.**

353. 1559. Juli. **Christophorus Wesaliensis Rigensis.**

354. — Novbr. **Gotfridus Remer Rigensis.**

355. 1560. Jan. **Arnoldus Grothusen Revaliensis.** Wohl ein Nachkomme des Revaler Rathsherrn Johan Grothusen 1521. Rev. Rathsl. S. 98.

356. — Novbr. 23. **Nicolaus Gueruus Rigensis.**

357. — Novbr. 23. **Hermannus Ficke Rigensis.** Im Erbebuche kommt von 1573—75 vor „her Hermannus Ficke, wirdiger her". Aus diesem Titel ist zu entnehmen, dass er Geistlicher gewesen ist. „Am 16. April 1577 dankte Herman Ficke ab vom Predigtamte," sagt Reckman in seinem Diarium in Bunges Archiv IV. S. 278. Wahrscheinlich ist er derselbe Herman Ficke, welcher als Pastor zu Sehren (jetzt Friedrichstadt) bei Gelegenheit der hier am 18. December 1596 abgehaltenen Kirchenvisitation vorkommt; auch soll seiner als Pastor daselbst schon im Jahre 1595 in der Vorrede zu Dan. Hermani discursus de monstroso partu (Riga 1596) erwähnt sein. Kallmeyer, Kurl. Pred.-Lex. Schriftst.-Lex. II, S. 258. Aus dem Lib. rural. 194, 196 und 308 ergiebt sich, dass er ein Sohn des Rathsherrn Nicolaus Ficke des älteren (gest. 1570) und ein Bruder des Rathsherrn Nicolaus Ficke des jüngeren (von 1570 bis 1591) und im Jahre 1604 bereits verstorben ist. 1588 ist er zu Michaelis in Riga persönlich anwesend.

358. 1561. Aug. 25. **Hinricus Vicke Revaliensis.**

359. — Octbr. 13. **Jacob de Hoie, Dorpatensis Livon.**

360. 1562. Mai. **Joannes Filius** (oder Silius) **Rigensis.**

361. — Aug. **Mathias Glaserus Revaliensis.**

362. — Septbr. **Christianus Mixius Rigensis.** Christian Micke war vorher, 1559, zu Wittenberg immatriculirt worden, wurde Pastor zu Eckau in Kurland, hielt als solcher den 31. August 1578 zu Riga Hochzeit mit Grete Dickmann und gehört zu denen, welche die ersten lettischen Lieder verfertigt und in das 1587 zu Königsberg gedruckte kurisch-lettische Gesangbuch geliefert haben. Auch soll er später Pastor zu Riga gewesen sein. Nord. Misc. IV. 104. Bergmann I. S. 28. Anm. Padel.

363. 1562. Septbr. **Johannes Meiburgk, Livoniensis Nobilis.** Es kommt in den Jahren 1508 und 1535 ein Blasius Meyborg als Besitzer des Landgutes Koddiak vor. Hagemeister I. S. 144. Blasius und Dietrich Meyborg sind in der ersten Hälfte des sechszehnten Jahrhunderts im Kirchspiel Salis ansässig. Archiv VI. S. 128.

364. 1563. Mai. **Jacobus Nort, Rositensis Livonus.**

365. — Juli 12. **Georgius Stackelberg Dorpatensis.**

366. — Septbr. **GerhardusHeblerus Rigensis.** Im Erbebuche kommt im Jahre 1574 „Her Gerhardus Hebeler, wirdiger her," vor; nach dieser Titulatur wohl ein Geistlicher. EB. II. 1578.

367. — Septbr. **Gerhardus Paludanus Rigensis.** Der Name ist latinisirt für Brook. M. Gerhardus tom Brook ist Prediger an der St. Johanniskirche und 1582 an der St. Jacobskirche zu Riga. Geb. zu Riga 1545, gest. 1590. Berkholz, Beiträge S. 100. Napiersky, Kirchen und Predig. S. 30 und 113.

368. — Septbr. **Christophorus Degetmeyer Rigensis.** Da Sylvester Tegetmeyer, wie Chytraeus (Chronicon Saxoniae, Ausg. v. 1593, S. 291) erzählt, nach Riga gekommen ist, um hier die Erbschaft eines verstorbenen Bruders zu heben, so muss dieser offenbar ohne Descendenz verstorben sein; es hat hier demnach zur betreffenden Zeit wohl keine andere Familie dieses Namens existirt. Daher ist denn Christophorus Tegetmeyer wahrscheinlich ebenfalls ein Sohn des Oberpastors Sylvester Tegetmeyer (siehe oben Nr. 350), und zwar wohl ein früh verstorbener, da er unter den Sylvester Tegetmeyerschen Erben, welche im Jahre 1588 einen Verkauf abschlossen, nicht vorkommt. Mitth. Bd. XIII. S. 79.

369. 1564. Jan. **Joannes Brunow Rigensis.**

370. — Aug. 15. **Fromholdus Tiesenhusen, Livoniensis nobilis.** Wohl derjenige Fromhold Tiesenhausen, welcher von seinem Vater Reinhold Tiesenhausen das Gut Fehgen, ein altes Tiesenhausensches Besitzthum, erhielt und welcher dasselbe noch 1599 besass, und im Jahre 1570 die Güter Saussen, Dogosken und Libegall von Reinhold Tiesenhausen kauft. Hagemeister I. S. 210, 218.

371. 1564. Aug. 15. **Johannes Wechmann, Wendensis ex Livonia.** Johan Wegmann war Pastor zu Frauenburg und nahm Theil an der Bearbeitung und Herausgabe der ersten 1586 und 1587 gedruckten lettischen Schriften (eines Katechismus, einer Liedersammlung, der Evangelien und Episteln und der Leidensgeschichte), deren Zueignung an die Herzöge Friedrich und Wilhelm vom 10. Octbr. 1586 er mit unterschrieben hat. Schriftst. Lex. IV. S. 478. Kallmeyer, die Begründung der evangelisch-lutherischen Kirche in Kurland. S. 191 u. ff.

372. — Septbr. 14. **Casparus Drellingius Rigensis.** Rigasche Rathsherr 1583. Gest. 1610. Rig. Rathsl. 517.

373. 1565. März 4. **Palma Rigeman Rigensis.** Die Familie Rigeman ist in dem Rigaschen Rathe von 1556—1695 durch neun ihrer Glieder vertreten. Heinrich Rigeman I. U. L. 1556 Rathsherr, 1570 Bürgermeister, 1576 verstorben, hatte drei Brüder: Diedrich, Rathsherr von 1579—1597, Gerhard und Palm. Von einem von diesen stammt wohl auch der in Rostock Immatriculirte ab. Ein älterer Palm Rigeman wird im Erbebuche vom Jahre 1562 als verstorben bezeichnet. Der Rathsherr Christoph Rigeman (1643—1658) wurde unter Verleihung des Namens Löwenstern am 14. November 1650 von der Königin Christine von Schweden nobilitirt. Rig. Rathsl. 478, 512, 532, 539, 571, 595, 613. EB. II. 1290.

374. — April 18. **Erasmus Dethers Rigensis.** In dem Erbebuche wird in den Jahren 1553—1567 ein Assmus Dethers als Hausbesitzer genannt, möglicherweise sein Vater. EB. II. 1078, 99, 1200, 1265, 1299.

375. 1566. Octbr. **Philippus Vroderus Rigensis.** Wohl der Familie Uroder, Huroder, Hurader angehörig und vielleicht ein Sohn des Mathias Urader, welcher als Commissar und Rath des O.-M. 1549 und 1559 vorkommt und in Riga besitzlich ist. Im Jahre 1583 wird er, im Jahre 1589 seine Wittwe im Dom zu Riga begraben. Ein Lambert Urader besitzt 1599 einen Hof jenseits der Düna. Von Philipp Uroder hat sich keine weitere Nachricht auffinden lassen. Padel. Gadebusch, Livl. Jahrb. I. 2, 550. EB. II. 1424, 1568. Lib. rur. 240.

376. 1566. Octbr. **David Bedeker Rigensis.**

377. — Octbr. **Philippus Brink, Livon. Nobilis.** Die Brink waren im sechszehnten Jahrhundert in Livland besitzlich, und zwei Landgüter tragen noch heute nach ihnen den Namen Brinkenhof; ein Philippus B. ist aber nicht weiter auffindbar.

378. 1567. April. **Johannes Albus Revaliensis.** Wohl latinisirt für Witte. Glieder der Familie Witte sassen im Revaler Rath von der Mitte des vierzehnten bis zur Mitte des jetzigen neunzehnten Jahrhunderts. Ein Paul Witte ist Rathsherr in Reval von 1539—50 und vor 1563 schon todt. Von ihm oder seiner Familie mag auch der Vorgenannte abstammen. Rev. Rathsl. S. 141, 142.

379. — Mai. **Johannes thom Dal Rigensis.** Nach einer Randbemerkung der Matrikel ist er zum Magister promovirt. Er war 1575 Prediger der lettischen Gemeinde zu Riga, welche damals die St. Jacobs-Kirche benutzte. Als diese 1582 den Jesuiten eingeräumt werden musste, wurde er Pastor am Dom. 1587 war er gegenwärtig, als die Jacobi-Kirche den Jesuiten wieder abgenommen wurde, und war 1590 Oberpastor zu St. Petri. Gest. 1612. Padel. Bergmann I. S. 36. Lib. red. 225, 265, 294—96.

380. — Oct. **Gothardus Welling Rigensis.** In ihm ist wohl der unglückliche Gotthard Welling I. U. D., Syndicus 1576, zu sehen, welcher in dem durch die Einführung des neuen Kalenders veranlassten Bürgeraufruhr am 1. Juli 1586 enthauptet wurde. Rig. Rathsl. 506.

381. 1568. Mai. **Hermannus Pistorius Dorpatensis.**

382. — Juli. **Theodoricus Butman Livoniensis.** Vielleicht der Dietrich Butman, der 1569 als deutscher Prediger zu Goldingen vorkommt. Hennig, 247 und 343. Kallmeyer, Kurl. Pred.-Lex.

383. — Juli. **Casparus Oberus, Wendensis Livoniens.**

384. — Septbr. **Wilhelmus Donat Rigensis.** „Anno 1576 den 8. August wurde Wilhelm Donat in der Domkirche privatim gehört im Predigen", heisst es in Reckmanns Diarium. Er wurde später Pastor an der Jakobskirche, dann an der Domkirche in Riga und starb im September 1582. Casp. Padel. Bunge, Archiv IV. S. 277. Bergmann I. S. 28. Anm. u. 36.

385. 1568. Septbr. **Wilhelmus Sturtz Livoniensis.**

386. — Septbr. **Hermannus Ueberhoff Rigensis.** Im Erbebuche kommen Herman (eyn sadelmaker) und Blasius Overhof 1514—72 vor; die Familie ist demnach in Riga nachweisbar.

387. — Octbr. **Marcus Bredholt Revaliensis.** Vielleicht ist in ihm der Revalsche Rathsherr und spätere Bürgermeister Moritz (Mauritius) Bretholt (1579—1604), oder ein Sohn des Rathsherrn Jasper Bretholt (1542—67) zu sehen. Rev. Rathsl. S. 83, 84.

388. — Novbr. **Detlevus a Tisenhausen, Livonus Nobilis.** Wohl derselbe, welcher im Jahre 1599 Erla, ein altes Tiesenhausensches Besitzthum, dessen Schloss Engelbrecht von Tiesenhausen im Jahre 1341 erbaut hatte, in seinem Besitz hatte. Detlev Tiesenhausen wird im Jahre 1586 auch als Besitzer von Odensee, eine gleichfalls alte Tiesenhausensche Besitzung, genannt. Hagemeister I. 208, 219.

389. 1569. Juni. **Joannes Dukarus, Livoniensis Nobilis.** Die Ducker waren im fünfzehnten, sechszehnten und auch noch im siebenzehnten Jahrhundert ein ausgebreitetes, adeliges Geschlecht, welches einen reichen Landbesitz hatte. Noch heute hat sich der Name in dem Gute Duckershof erhalten. Sie finden sich in der livländischen und in der ehstländischen Adelsmatrikel unter den ältesten Familien verzeichnet.

390. — Septbr. **Philippus Kunninck Rigensis.** Er gehört wahrscheinlich der Familie Konynk, Konigk an, welche im Rigaschen Rath repräsentirt wird durch Jürgen Konynk 1509 bis 1539, dessen Sohn Franz Konynk 1540—45, Jürgen Konynk 1548—1550 und Dr. Alexander Koning 1571—1579. Er ist sonst nicht weiter nachweisbar. Rig. Rathsl. 424, 458, 468, 500.

391. — Septbr. **Joannes Meierus Rigensis.** Wahrscheinlicher Weise der nachherige Rigasche Rathsherr Johann Meier (1581—1602). Rig. Rathsl. 515.

392. 1570. Juli. **Hinricus Arkenow Rigensis.** Im Erbebuche kommt in den Jahren 1553—1574 ein Hinrick Arkenowe vor, wohl des Vorgenannten Vater. EB. II. 1121—23, 1288, 1507, 1508, 1530, 1577.

393. 1570. August. **Johannes Pistorius Revaliensis.**

394. — August. **Johannes von Dorthesen, Livoniensis Nobilis.** Ueber die Familie Dorthesen siehe Hup. n. n. Misc. XIII, S. 149. Nach der Matric. Militar. vom Jahre 1605 mussten Johan Dorthesen jun. und Johan Dorthesen sen. aus dem Durbenschen Kirchspiel zusammen drei Reiter zum adeligen Rossdienst stellen. Klopman, Güter-Chronik S. 204.

395. — August. **Johannes Lindeman Rigensis.**

396. — August. **Martinus Provestein Rigensis.** Vielleicht ein Sohn des Rig. Rathsherrn Martin Pröbsting (1565—1593), dessen Name sehr verschieden geschrieben vorkommt, so z. B. auch Prowestynck. Rig. Rathsl. 489.

397. — August. **Johannes Heitzen, Wolmarensis ex Livonia.**

398. 1571. März. **Wernerus Foltel Rigensis.** Er ist 1582 und wahrscheinlich schon früher Prediger an der St. Jakobskirche in Riga, heirathet als solcher am 24. Juni 1582 und stirbt im Mai 1586. In dem Rig. Erbebuche kommen Albrecht und Wilhelm Foltel (Faltel) von 1553—1575 und im Lib. rur. 184 Albrecht Foltel im Jahre 1570 und 1577 vor. Ob einer von diesen beiden sein Vater ist, bleibt ungewiss. Padel. Berkholz Beiträge S. 100. EB. II. 557, 1117, 1268, 1349, 1423, 1610, 1624, 1248, 1287.

399. — Juni. **Pawel Berch Rigensis.**

400. — Decbr. **Sylvester Tegetmeier Rigensis.** Wohl ein Grosssohn des bekannten Rigaschen Reformators Sylvester Tegetmeyer, und entweder der Sylvester T., Pastor zu Sissegal, oder der Sylvester T., Pastor zu Schuijen, welche beide den von den Sylv. Tegetmeierschen Erben im Jahre 1588 abgeschlossenen Verkaufcontract unterschrieben. Mitth. XIII. S. 79.

401. 1572. August. **Laurentius Lembgen Rigensis.** Im Erbebuche II, 1223 wird dem Herrn Wentzeslav Lembken im Jahre 1552 ein Garten aufgelassen, welcher später dem Herrn Laurens Lemchen gehört. Dieser ist demnach ein Sohn des ersteren, welcher ebenfalls Pastor war. „Den 10. August 1576 ward Laurentius Lemken in dem Dom gehört im Predigen," heisst es in Reckman Diarium in Bunges Archiv IV, S. 277, 278, und

ferner ebendaselbst: „den 11. Septbr. ward Herr Laurentius Lemken geordiniret." Im Jahre 1599 ist er Pastor an der Domkirche. Gestorben 1611. Padel. Bergmann I, S. 37. Schriftst.-Lex. III, S. 35. Vgl. weiter unten Nr. 452.

402. 1573. Juni. **Laurentius Diander Rigensis.**

403. — Juni. **Melchior Montanus Rigensis.** Ein Melchior zum Berge kommt im Jahre 1594 im Erbebuche II. 1560, 1563 als Hausbesitzer vor.

404. — Novbr. 11. **Hermannus Rodewalt Revaliensis.**

405. 1574. Febr. 17. **Hermannus Sibenburger Revaliensis.**

406. — Febr. — **Theodoricus Sondag Revaliensis.** Im Jahre 1582 ist er Prediger zu St. Nicolai in Reval. Gestorben 1590. Paucker, Geistlichkeit S. 363.

407. — März. **Johannes Hilken Rigensis.** Wahrscheinlich ein Bruder des bekannten Rigaschen Syndicus David Hilchen. Als Apotheker Dr. Johannes Hilchen feierte er 1580 in Riga seine Hochzeit. Rig. Rathsl. S. 155.

408. — Septbr. **Joachim Wibers Rigensis.** Der Name Wybers, Wiberdes ist in dem Erbebuche 1514—1578 und im Lib. rur. von 1584—1599 mehrfach vertreten. Joachim Wibers ist in Riga Schulmeister und stirbt als solcher im Mai 1582. Casp. Padel.

409. — Septbr. **Georgius Sterbelius Rigensis.** Georg Sterbel, welcher am 30. Novbr. 1552 in Riga zum Predigtamt eingeweiht wurde, war wohl sein Vater. Bergmann I. S. 31.

410. — Octbr. **Johannes Moller Livoniensis.**

411. 1575, zw. April und October. **Christophorus Sturtz Rigensis.** Er war der Sohn des Kanzlers des Erzbischofs Wilhelm von Riga und seines Coadjutors Christoph von Mecklenburg Christoph Sturtz, welcher 1555 Besitzer der Güter Serben mit Aula und Drostenhof war. Diese wurden ihm 1580 zwar entzogen, aber 1596 seinem Sohne vom König Sigismund III. wieder zuerkannt, diesem jedoch unter der schwedischen Regierung als heimgefallen wieder aberkannt. Christoph Sturtz der jüngere wurde den 8. October 1584 unter dem Decanat des

Professors Dr. juris Hinrich Camerarius in Rostock zum Doctor juris promovirt, nachdem er vorher schon Licentiatus juris gewesen war. 1586 war er ordentlicher Professor der Geschichte an der Rostocker Universität und in der Folge Rath der Könige Friedrich II. von Dänemark und Sigismund III. von Polen. In seiner wahrscheinlich vor den Mecklenburgischen Herzögen gehaltenen, 1591 zu Rostock im Druck erschienenen „Oratio de laudibus Annae Sophiae Borussae et inclytae familiae ducum Megapolensium" giebt er an, dass, nachdem er verschiedene andere Orte gesehen, vor sechs Jahren nach Rostock gekommen sei, hier Ehren erworben habe und, bewogen durch die günstigen Verhältnisse des Orts wegen der herrschenden Eintracht in den religiösen Dingen und der ausgezeichneten Gerechtigkeitspflege, sich hier niedergelassen habe. Anna Sophia war die an den Herzog Hans Albrecht von Mecklenburg verheirathete Tochter des Markgrafen Albrecht von Brandenburg und die Nichte des Erzbischofs Markgrafen Wilhelm von Brandenburg. Die Beziehung seines Vaters zu letzterem und die Verwandtschaft dieses mit dem Mecklenburgischen Fürstenhause mag wohl mit einer der Beweggründe zu seiner Niederlassung in Rostock gewesen sein. Gestorben den 3. (13.) April 1602. Krey, Andenken. 7. St. S. 26. Schriftst.-Lex. 333. Seine zahlreichen Schriften sind hier S. 334 und in Etwas von gel. Rostocker Sachen für gute Freunde, Rostock 1737—42, Bd. 1, S. 408, Bd. III, S. 690, 823 und IV, S. 140 aufgeführt.

412. 1575. Novbr. **Guilhelmus Schedemaker, Wolmariensis Livonus.**

413. 1576. Jan. **Johannes Duerhoff** (Duerkoff?) **Rigensis.** Vielleicht ein Durkop, der Rigaschen Rathsfamilie dieses Namens angehörig.

414. — Febr. **Georgius Tegelmeister Revaliensis.** Auch Ciegler genannt. Wahrscheinlich ein Sohn des M. Nicolaus Tegelmeister, welcher 1556 Pastor in Reval wurde und 1566 gestorben ist. Geboren zu Reval den 2. Febr. 1551. Er wurde 1577 Rector der Schule zu Güstrow, 1578 aber Prediger zu Dassow, 1582 Diaconus und 1584 Pfarrer zu Schönenberg in Mecklenburg, wobei er 1586 zu Rostock Magister wurde. Auf Veranlassung

des Bürgermeisters Otto von Meppen wurde er 1588 nach Riga zum Prediger an der St. Petrikirche berufen, 1601 aber wegen einiger auf der Kanzel gemachten Aeusserungen seines Amtes entsetzt, worauf er nach Königsberg, wo er ebenfalls studirt hatte, ging, dort 1602 Diaconus, 1603 Pfarrer an der Altstädtischen Kirche und zugleich 1613 Beisitzer des Samländischen Consistoriums wurde. 1621 wurde er wegen vorgerückten Alters emeritirt und ist 1633 den 22. Februar gestorben. Er gab 1599 zu Riga heraus: „De incertitudine rerum humanarum," welches auch deutsch unter dem Titel „Weltspiegel" zu Lüneburg 1633, auch 1664 in 12° und holländisch Amsterdam 1663 in 12°, ferner schwedisch 1620 erschienen ist. Er ist auch einer der Correspondenten des Chytraeus. Bergmann I. S. 35. Arnoldt, Zusätze S. 125. Schriftst.-Lex. I. S. 350. Schütz, Vita Chytraci, Lib. IV. S. 201.

415. 1576. April. **Johannes Martini Revaliensis.**

416. — Mai. **Casparus Coquus Revaliensis.**

417. — Mai. **Philippus a Schwindern, Nobilis Livoniensis.** Einem Bartholomaeus von Swindern werden im Jahre 1574 in Riga nach dem Erbebuche II. 1556, 57 zwei Häuser aufgelassen. Sodann treffen wir in der Geschichte Livlands noch einen andern Bartholomaeus von Schwindern, vielleicht dessen Sohn, an, welcher, ohne Bürger in Dorpat zu sein, doch 1617 Glied einer städtischen Deputation an den König von Polen war und im folgenden Jahre Rathsherr in Dorpat wurde, nach nützlichen Diensten aber schon 1621 sein Amt niederlegte und nach Riga zog. Gadebusch, Livl. Jahrb. II. 2. S. 521, 568. Philipp von Schwindern mag ein Sohn des ersten und ein Bruder des zweiten Bartholomaeus von Schwindern gewesen sein.

418. — Mai. **Paulus Einhorn Livoniensis.** Sohn des ersten kurländischen Superintendenten Alexander Einhorn, wurde zum Magister promovirt und war Pastor zu Eckau. Schriftst.-Lex. I. S. 484.

419. — August. **Jodocus Holste Dorpatensis.** Er wurde 1586 Prediger in Riga und starb als Pastor an der Peterskirche 1596. Bergmann I. S. 34.

420. 1576. Octbr. **Waltherus Angeler, Wendensis ex Livonia.**

421. — Octbr. **Hermannus Bocerus Rigensis.**

422. 1577. Jan. **Casparus Timius Rigensis.** „Am 16. Juli 1577 ward Caspar Timm geordinirt," heisst es in Reckmans Diarium. (Bunge, Archiv IV. S. 278.) Er war darauf Pastor an der St. Jacobikirche und von 1594—1612 an der St. Johanniskirche zu Riga. Padel. Berkholz, Beiträge 100, 113, 114.

423. — August. **Conradus Meierus Rigensis.** Ein Conrad Meyer war Pastor zu Mesothen in Kurland und kaufte 1604 Kischhof für 9000 Mrk. Rig., welche der Verkäufer Dietrich Schultze, Besitzer von Skeerben und Grafenthal, ihm schuldig gewesen war. Seiner Wittwe wird 1636 gedacht. Kallmeyer, Kurl. Pred.-Lex.

424. — Septbr. **Lambertus Kemerlingus Revaliensis.** Im Jahre 1600 ist er Diacon an der St. Nicolaikirche zu Reval; gestorben 1603. Paucker, Geistl. S. 357.

425. — Septbr. **Giselbertus Crato Revaliensis.**

426. — Septbr. **Johannes Rubertus Revaliensis.**

427. 1578. August. **Hinricus Montanus Rigensis.**

428. — Octbr. **Andreas Schuringius Rigensis.** „Anno 1587 den 27. August ward Gott Lob und Dank wieder eingepredigt (nach dem vorher Erzählten wohl in der am 23. August gewaltsam eingenommenen St. Jakobikirche) von Andrea Schurinck den Morgen, auch in der Vesper, hielte auch die Messe". Reckman Diarium in Bunges Archiv IV, S. 290. In den Jahren 1583 ist er Pastor zu Pinkenhof und Babit, heirathet als solcher den 29. November 1584 Catharina Feene und ist 1612—1616 Pastor zu St. Johannis in Riga. Padel. Berkholz, Beitr. S. 113, 181.

429. 1579. Febr. **Frowin thor Hake Rigensis.** Von ihm sind zwei lateinische Gedichte in der ersten Ausgabe von Salomon Hennings Liefl.-Churländischer Chronica, Rostock 1590. Also verweilte er wahrscheinlich noch in diesem Jahre in Rostock.

430. — Mart. **Hinricus Arnoldi Livoniensis.** Er übersetzte des David Chytraeus Schrift „De statu ecclesiae graecae" in's Deutsche und gab dieselbe 1581 zu Rostock heraus. Sie ist dem

Herzog von Kurland, Gotthard, gewidmet. Daraus wohl hat Gadebusch Livl. Bibliothek Thl. I. S. 22 geschlossen, dass er ein Kurländer gewesen sei; die Bezeichnung Livoniensis würde dem nicht entgegenstehen, da unter dem Namen „Livonia" zu jener Zeit die heutigen drei Provinzen Liv-, Ehst- und Kurland zusammengefasst wurden. Titel und Inhalt der Uebersetzung ist in Hup. n. M. IV. S. 158—161 angegeben.

431. 1579. Septbr. **Gotthardus Lemchen Rigensis.** Er war vor oder um 1607 herzoglich kurländischer Hofprediger. Seine Tochter Catharina heirathete 1607 den Rig. Rathsherrn Ludwig Hintelmann. Er erhielt von dem Herzog Gotthard Kettler ein Gut im Baldohnschen zum Pathenpfennig erblich geschenkt. Hup. n. n. Misc. IV. S. 84. Rig. Stadtbl. 1882, S. 375. Kallmeyer Pred.-Lex.

432. 1580. Juni. **Bartholomaeus Rotert Revaliensis.** Die Familie Rotert ist im Revaler Rath von 1480—1646 durch sechs ihrer Glieder vertreten, und darunter durch Bartholomeus R. I von 1575—1584 und durch Bartholomeus R. II von 1611 bis 1646. Der letzte könnte der Zeit nach der in Rostock Immatriculirte gewesen sein. Rev. Rathsl. S. 126.

433. — Juli. **Hinricus ab Ulenbrock.** Die Ulenbrock sind im Rig. Rath von 1524—1657 durch fünf Personen vertreten. Der obgenannte Hinricus ab Ulenbrock ist ein Sohn des Bürgermeisters gleichen Namens (von 1558—1576) und der Margaretha Kolthoff. Er wurde 1588 Rathsherr, 1609 Bürgermeister und starb den 15. October 1641. Rig. Rathsl. S. 154.

434. 1581. Febr. **Johannes Rivius Livonus.** Wohl ein Sohn des Johannes Rivius, welcher Hofmeister der Prinzen von Kurland, Friedrich und Wilhelm, war, darauf bald nach 1589 Rector der Stadt- oder Domschule in Riga wurde und am 8. Mai 1596 gestorben ist. Von dem Immatriculirten selbst ist weiter nichts bekannt.

435. — Juli. **Hinricus Bergius, Rigensis patritius.** Nach seiner eigenen Angabe gehört er demnach der Rigaschen Rathsfamilie thom Berge an, von der Johan t. B. I von 1528—1564, Johan t. B. II von 1553—1576 und Caspar t. B. von 1577—1604 Glied des Rig. Raths war. Hinricus Berg ist wohl der Sohn

des letzteren. Er wurde 1587 unter dem Decanat des Professors Dr. juris Michael Grassus zum Licentiatus juris promovirt und trat den 1. October 1590 in Dienste des Herzogs Ulrich von Mecklenburg als Glied des 1570 gestifteten fürstlichen Consistoriums. Er wurde später fürstlich kurländischer Rath, wurde 1596 von dem Herzog Wilhelm von Kurland zur Erledigung eines Grenzstreits in Edwahlen deputirt und erhielt 1597 das Gut Behnen im Autzischen Kirchspiel zu Lehn. Er meldete sich 1620 bei der kurländischen Ritterbank und wurde auf Grund dessen, dass sein Vater nebst zwei Brüdern vom König Stephan nobilitirt worden war, in die kurländische Adelsmatrikel verzeichnet. Geschichte der Juristenfacultät der Universität Rostock. Rostock 1745. S. 124 und 125. Vogell, Geschlechtsgesch. des Hauses der Herren von Behr, Urkunden S. 214 und 215. Hup. n. n. Misc. IX. S. 267.

436. 1581. Juli. **Franciscus Spenkhausius Rigensis.** Das Geschlecht der Spenkhusen ist im Rigischen Rath vertreten durch Johan von 1514—32, Caspar 1535—1548, Johan 1541—1570, Melchior 1564—1570 und Wyllem 1574—1595. Melchior S. starb ohne Leibeserben. Im Jahre 1590 wird dem „achtbaren und wohlgelahrten" Francisco Spenkhusen namens der Erben des sel. Balzer Spenkhusen ein Hof sammt der Mühle über der Düna aufgetragen, gleichwie derselbe dem seligen alten Melchior Spenkhusen zugeschrieben worden. 1597 überträgt Franciscus Spenkhusen diesen Hof an Herrn Benkendorff und erwirbt 1599 einen Heuschlag. Lib. rur. 214, 230, 232.

437. 1582. Juli. **Thomas Hornerus Livoniensis.** Möglicher Weise ein Sohn des Thomas Horner, des Raths des OM., von dem eine „Historia Livoniae in compendium ex annalibus contracta, Regiomonti 1551" existirt, welche zuletzt in Script. rer. Liv., Bd. II, S. 371—388 wieder abgedruckt ist. Die zweite an den Ordensmeister Johann von Recke gerichtete Dedication dieser Schrift ist von Pernau, Febr. 1551, datirt; er hat also hier gelebt. Thomas Horner, der ordensmeisterliche Rath, ist Stammvater der kurländischen Adelsfamilie von Hörner. Nach der Matric. militaris vom Jahre 1605 musste Thomas Hörner aus dem Frauenburgischen, wahrscheinlich der Immatriculirte,

zwei Pferde zum adeligen Rossdienst stellen. Gadebusch, Livl. Bibl. Bd. II. S. 97. Hup. u. n. Misc. XIII. S. 193.

438. 1582. Sept. **Caspar Mancelius Rigensis.** Ein Sohn des Rigaschen Kaufmanns Joachim Manzel, wurde er zuerst Hofprediger des Herzogs von Kurland und später Pastor zu Gränzhof. Gadeb., Livl. Bibliothek II. S. 215. Kallmeyer, Pred.-Lex.

439. — Septbr. **Christophorus Firks, Nobilis Livon.** Die Firks, in den älteren Zeiten Virkes geschrieben, kommen schon in der ersten Hälfte des vierzehnten Jahrhunderts als königl. dänische Vasallen und Ritter in Wierland in Ehstland vor. Im fünfzehnten Jahrhundert (1454) erhielt Dietrich Virkes das Gut Loper vom OM. Mengden in Lehn und im sechszehnten Jahrhundert zog sein Enkel Marcus Firks nach Kurland, wo die Familie noch heute ansässig ist. Christopher Firks, wohl der vorgenannte Student, war im Jahre 1620 in Kurland Burggraf und Ritterbanksrichter und wurde in diesem Jahre in die Adelsmatrikel verzeichnet. Sein Vater war Georg Firks, welcher im Talsenschen Kreise 1605 besitzlich war. Briefl. 42 u. a. m. Hup. n. n. Misc. XIII. S. 161. Hagemeister, Mater. II. 199. Klopman, Güter-Chron. S. 205.

440. — Septbr. **Wernerus Behr, Nobilis Livoniens.** Werner Behr, geb. 1565, ist der Stammvater der kurländischen Linie der Behr und wird als Churfürstlich-Brandenburgischer Rath und Erbmarschall des Stifts Verden bezeichnet in der Stammtafel zu Vogell, Versuch einer Geschlechtsgesch. des hochadeligen Hauses Behr im Hannoverschen und Kurländischen. Celle 1815.

441. — Septbr. **Volmarus Holthusen Revaliensis.** Wohl ein Sohn des Revaler Bürgermeisters Johan Holtzhausen (1575 bis 1608); er kommt im Jahre 1606 als Niedergerichtssecretair des Revaler Raths vor. Rev. Rathsl. S. 76 und 104.

442. 1583. April. **Reinoldus Fridericus Rigensis.** Er wurde im Jahre 1603 Rigischer Rathsherr, war 1607 Glied der Deputation, die auf den Reichstag zu Warschau gesandt wurde, und starb auf der Rückreise von dort zu Thorn am 22. Octbr. desselben Jahres. Rig. Rathsl. 542.

443. 1583. Juli. **Georgius Herbertus Rigensis.** Wohl ein Nachkomme des Kersten Herberd, welcher im Rigaschen Rath, zuletzt als Bürgermeister, sass und im Jahre 1502 gestorben ist. Rig. Rathsl. 373.

444. — Octbr. **Philippus ab Ulenbrock, Liv. Rig.** Er ist ein Bruder des oben sub Nr. 433 erwähnten und der weiter unten sub Nr. 468 und 476 zu erwähnenden Gotthard und Johann Ulenbrock, denn bei der Revision von 1599 wurden diese vier als Gebrüder und Nobiles genannt. Die Familie Ulenbrock starb im Jahre 1733 mit dem Capitain Friedrich Johan von Ulenbrock, Besitzer der Güter Repshof und Toikfer, aus. Die Güter fielen seiner Schwester Beate Justine, vermählten Majorin von Löwenstern, zu. Nord. Misc. XXIII. S. 463.

445. 1584. Juni. **Johannes a Buchholz, Nobilis Liv.** Ein Hans Buchholz besass im Jahre 1550 das Gut Gailewack in Livland. Die Buchholz waren bereits im Jahre 1605 auch in Kurland ansässig. Die in der „Formula regiminis ducatuum Curlandiae et Semigalliae“ vom Jahre 1617 dem kurischen Adel zugewiesenen Rechte machten die Feststellung dessen nöthig, wer zum Adel gehöre, und in Gemässheit des § 39 dieser Verordnung wurde eine Ritterbank im Jahre 1620 niedergesetzt, welche diese Frage zu entscheiden hatte. Zu den Richtern dieser Bank gehörte auch Johannes von Buchholz, der ebenfalls vor derselben seine Adelsbeweise beibrachte. N. nord. Misc. XIII. S. 127.

446. 1585. Febr. **Christophorus Duker Livonus.** Siehe oben sub Nr. 388.

447. — April. **Bernhardus Wyburg Rigensis.** Die Familie Wiborch kommt im EB. II. vielfach vor. Bernhardus W. gehört ihr ohne Zweifel an.

448. — April. **Bernhardus Messingius Rigensis.** Er hat einen rigaschen Kalender auf das Jahr 1591 herausgegeben. Sitzungsber. der Gesellsch. f. Gesch. u. Alterthumsk. aus den Jahren 1882 und 1883, S. 39.

449. — Mai. **Herbertus Ulrichs Rigensis.** Die Familie wird im 16. Jahrhundert meist Oelrichs, in spätern Jahrhunderten Ulrichs genannt. Der obige Herbertus Ulrichs wurde 1590 Prediger an der St. Johanniskirche zu Riga, wo er am 30. No-

vember dieses Jahres seine erste Predigt hielt, wie Casp. Padel in seinem Tagebuche anmerkt.

450. 1585. Juli. **Victor Wellingus, Rigensis patritius.** Wahrscheinlich ein Sohn des Syndicus Dr. Gotthard Welling.

451. — Juli. **Johannes Derfeldus Dorpatensis.**

452. 1586. Mai. **Wenceslaus Lemmeke Rigensis.** Ein M. Wenceslaus Lembke (Lembchen) wurde 1546 Pastor am Dom zu Riga und wird im Erbebuche II. Nr. 1543 beim Jahre 1573 bereits als verstorben bezeichnet. Dessen Sohn war wohl der Vorstehende, welcher im Jahre 1602 Pastor in Pinkenhof ist. Padel. Rig. Stadtbl. 1883. S. 374. Berkholz, Beitr. S. 181. Vgl. oben Nr. 401.

453. — Novbr. **Franciscus Collens Rigensis.**

454. 1587. Juni. **Gotthardus Johannes a Tiesenhausen Livonus.** Erbherr auf Ueltzen, Nabben, Salis, Pfandherr der Hauptmannschaften Marienburg, Kirempäh und Schwaneburg, Woiwod von Dorpat, Starost von Kremon und Kastellan von Wenden; er liess in Rostock 1587 in Druck erscheinen „Carmen in honorem Illust. Dni. Gotthardi ducis Curlandiae, pie defuncti". Im Jahre 1594 wohnte er dem Landtage zu Wenden wegen des Vergleichs zwischen dem livl. Adel und den Städten bei, war 1613, 1618 und 1626 unter den vom König von Polen zur Unterhandlung mit Schweden ernannten Commissarien. Bei der Eroberung Livlands durch Schweden folgte er den Polen, verlor seine sämmtlichen Güter in Livland, die von Schweden eingezogen wurden, und wurde der Stammvater der polnischen Linie des Geschlechts der Grafen Tiesenhausen, die im Jahre 1880 durch das Ableben des Grafen Reinhold Tyzenhaus, Erbherrn von Rakizki und Postawy, in männlicher Linie erloschen ist. Schriftst.-Lex. IV. S. 371. Hagemeister I. 175, II. 86.

455. — **Georgius Huls Livonus.**

456. — **Jacobus Huls Livonus.**

457. — **Fridericus Cruydener Livonus.** Ein Friedrich Krüdener war zu Ende des sechszehnten Jahrhunderts Besitzer von Essenhof und Saadsen und erhielt solchen Besitz 1602 vom König Sigismund III. bestätigt. Hagemeister, Materialien I. S. 69 u. 70.

458. 1587. Juli. **Gaspar Dellinghausen, Revaliensis Nobilis.** Caspar Dellinghausen ist 1590 Adjunct des Revaler Raths-

secretairs und 1602 Raths- und Niedergerichtssecretair. Rev. Rathsl. S. 90.

459. 1587. Juli. **Gottherdus Scheffenbergius Livonus.**

460. — **Joachim Manselius Rigensis.** Ein jüngerer Sohn des Rigaschen Kaufmanns Joachim Manzel und Bruder des oben sub Nr. 438 aufgeführten Caspar M. Nach einer Randbemerkung der Rostocker Matrikel wurde er Pastor zu Warnemünde und war der Vater des Rostocker Senators Joachim Manzelius († 1688) und Grossvater des M. Johan Manzelius, Professors an der Rostocker Universität und spätern Pastors und Propstes zu Neukalden in Mecklenburg. Krey, Andenken St. V. S. 14 und Anhang S. 49. Gadeb., Liv. Bibl. II. S. 215.

461. — Septbr. **Mathias Mittendorpius, Rigensis Livon.** Er wurde Pastor zu Parchim in Mecklenburg-Schwerin und als solcher 1597 zu Rostock Magister.

462. — — **Andreas Baumannus Rigensis.** Er verheirathete sich 1598, bei welcher Gelegenheit Samson eine kleine Schrift drucken liess; wurde 1612 Oberpastor und starb 1616. Bergmann I. S. 38.

463. 1588. August. **David Scopman Rigensis.** Die Familie Schopman ist in Riga in den Jahren 1520—1632 durch mehrere Personen im Lib. ruralis und im Erbebuche II. vertreten, doch findet sich unter ihnen kein David.

464. — August. **Joachim Mollerus Rigensis.** Er war 1593 Pastor zu Pinkenhof. Berkholz, Beitr. S. 181.

465. 1589. August. **Johannes Weberus Rigensis.**

466. — Septbr. **Ioachim Balchius Osiliensis.**

467. — Decbr. **Christophorus Cothenius, Osiliensis Livonus.** Ein Cothenius kommt in der Mitte des folgenden Jahrhunderts von 1642—1649 in Riga vor, der sich mit dem Auftrage von Häusern beschäftigt, wahrscheinlich also Rechtsanwalt ist. Lib. rur. 383, 416, 420, 439.

468. 1590. August. **Gothardus ab Ulenbrock Rigensis.** Siehe Nr. 444. Im Lib. ruralis 276 wird im Jahre 1604 in Vormundschaft seligen Gothards von Ulenbrock nachgelassener Wittwe ein Heuschlag auf der Spilwe dem Rathsherrn Johan Friedrichs

übertragen. Ein anderer **Gotthard von Ulenbrock** lässt sich nicht auffinden.

469. 1590. Novbr. **Hermannus Nolde,** | **fratres Nobiles de**
470. — — **Gerhardus Nolde,** | **Curlandia.**

Ein **Gerhard Nolde** aus dem Hasenpothschen wurde 1605 in der Matricula militaris auf acht Pferde zum adeligen Rossdienst angeschlagen und war kaiserl. Hatschierhauptmann von der Leibgarde und fürstlich kurländischer Rath und Vater der beiden unglücklichen Gebrüder **Gotthard** und **Magnus von Nolde**, welche in Folge ihrer Streitigkeiten mit den Herzögen Friedrich und Wilhelm von Kurland am 10. August 1615 in Mitau ermordet wurden. Ob die hier genannten Herman und, **Gerhard** auch Söhne desselben gewesen sind, muss dahingestellt bleiben. **Magnus Nolde** soll auch zu Rostock studirt haben, wo er eine Rede zum Gedächtniss des verstorbenen Herzogs von Kurland, Gotthard Kettler, gehalten und 1587 hat drucken lassen, ist aber in der Matrikel nicht verzeichnet oder übersehen worden. N. nord. Misc. XIII. S. 310.

471. — — **Gothardus Schroders, Nobilis ex Curlandia.** Er war 1620 Oberhauptmann und producirte vor der curländischen Ritterbank das seinem Vater von Sigismund August im Jahre 1568 ausgestellte Adelsprivilegium. Hup. n. nord. Misc. XIII. S. 366.

472. — Novbr. **Salomonius Henninck, Nobilis Curlandus.** Ohne Zweifel ein Sohn des bekannten **Salomon Henning**, fürstlich kurländischen Raths und Kirchenvisitators, des Verfassers der „Liffländischen Churländischen Chronica“, welcher von dem Könige von Polen, Sigismund August, am 10. Mai 1566 geadelt wurde. Ueber die Familie **Henning** siehe Hup. n. nord. Misc. XIII. S. 189.

473. 1590. Novbr. **Detlevus Kersbrock, Nob. Livonus.** Die **Kerssenbrock** sind ein in der Mitte des sechszehnten Jahrhunderts besonders in Ehstland, auch in Kurland (Mitth. III. S. 45, 55) ansässiges Geschlecht. **Detlev Kersbrock** war des Herzogs Wilhelm von Kurland Obermarschall und galt als dessen besonderer Anhänger und Rathgeber. Er mochte schon in Rostock demselben nahe getreten sein, da dieser hier in demselben Jahre die Universität bezog. Siehe Nr. 475. Hennig, S. 68.

474. 1590. Novbr. **Henricus a Rosen, Nobilis Livonus.** Die Rosen sind ein seit dem dreizehnten Jahrhundert in Livland ansässiges Adelsgeschlecht. Auch in Baron Andreas Rosen Skizze zu einer Familien-Geschichte der Freiherrn und Grafen von Rosen (992—1876), St. Petersburg, 1876, findet sich nichts über Henricus Rosen.

475. — Novbr. **Guilhelmus in Livonia Curlandiae et Semigalliae dux illustrissimi principis ac domini Uldarici, ducis Megapol. ex sorore Anna nepos.** Gleich nach seiner Ankunft in Rostock übernahm der Herzog Wilhelm von Curland das Rectorat und verwaltete dasselbe während seines anderthalbjährigen Aufenthalts unter Beihilfe eines Prorectors, der wie der Rector mit dem Anfange jedes Semesters von Neuem gewählt oder wiedergewählt wurde. Herzog Wilhelm nahm thätigen Antheil an den Angelegenheiten der Universität, ja es findet sich sogar auf einem der üblichen Beerdigungsprogramme, welches einen Studenten aus Halle betrifft, sein Name: Wilhelmus dux Curlandiae, als Verfasser und Redner. Krabbe, Universität Rostock. S. 746 und 747.

476. 1591. Juli. **Johannes ab Ulenbrock Rigensis.** Siehe Nr. 443. Seiner wird im Jahre 1602, 1631 und 1633 im Lib. rur. 278, 349, 364 als Secretair erwähnt; im Jahre 1641 ist er bereits verstorben. Lib. rur. 410.

477. 1592. Juli. **Hinricus Fasterus Rigensis.**

478. — August. **Valentinus Reimarus, Bauschenburgensius Livonus.** Sohn des Pastors zu Bauske, Gotthard Reimers, wurde zuerst Pastor zu Grünhof, sodann 1607 Pastor zu Bauske, als Nachfolger seines Vaters. Er ist Herausgeber des 1615 erschienenen ungemein seltenen zweiten lettisch-kurischen Gesangbuchs. Gest. 1622. Schriftst.-Lex. III. S. 509.

479. — August. **Casparus Rigeman Rigensis.** Er war 1617 bis 1628 Prediger zu St. Johannis in Riga. Gest. 1629. Bergmann I. S. 39.

480. — Septbr. **Mathias Baumann Rigensis.**

481. 1593. Febr. **Fridericus Henniges, Livonus Nobilis.** Möglicher Weise ein Bruder des ad Nr. 472 aufgeführten, die Form

des Namens kann dagegen nicht streiten, da in früheren Jahrhunderten darin so viel Willkür herrschte und eine andere adolige Familie solchen Namens nicht nachweisbar ist.

482. 1593. August. **Johannes Sasse Livonus.**

483. — Novbr. **Hinricus Marquardus Rigensis.** Heinrich Marquardt ist nach dem Piltenschen Kirchenbuche von 1621 bis 1628 Pastor zu Pilten. Kallmeyer, Pred.-Lex.

484. 1594. Febr. **Vincentius Rigemannus Rigensis.** Von ihm ist nichts weiter zu ermitteln gewesen, als dass er sich 1599 in Riga mit Elisabeth Kanne verehelichte, indem zu dieser Gelegenheit der Notarius publicus Balthasar Holzschuer eine Ode drucken liess. Schriftst.-Lex. II. S. 341.

485. — Mai. **Detlevus Wittenbergius Rigensis.** Geboren 1570, starb als Prediger bei der deutschen Gemeine in Riga. Bergmann I. S. 39.

486. — Juni. **Hinricus Melle Revaliensis.**

487. — Juni. **Johannes Neuhoffius Rigensis.** Er war zuerst Conrector der Schule zu Riga, darauf 1618 Pastor zu Babbit, Pinkenhof und Holmhof, noch 1636 daselbst. Bergmann II. S. 17. Napiersky, Kirchen und Pred., Heft II. Thl. I. S. 72, Anm.

488. — Juni. **Bernhardus Aelffrich Livonus.** Wahrscheinlich wohl Helfreich. Ein Bernhard Helfreich besass im Anfang des siebzehnten Jahrhunderts das Gut Restfer mit Kublitz; derselbe oder ein anderer gleichen Namens war um dieselbe Zeit Besitzer vom Gute Kersel, das einem Melchior Helfreich im Jahre 1580 vom König Stephan Bathory verliehen worden war. Hagemeister II. S. 128, 164.

489. — August. **Johannes Flinthius, Patricius Livonus.** Dieser Name kommt unter den Patriciern der livländischen Städte nicht vor, wohl aber in Riga ein Iheronymus Flynd in den Jahren 1550 und 1561, ausserdem noch ein Johannes Flint, welcher Schulmeister in Riga war und am 13. Mai 1588 zufolge einer Notiz in Caspar Padels Tagebuche beerdigt wurde. Dieser ist wol der Vater des Obigen. EB. II. 1019, 1060, 1263.

490. 1598. März. **Nicolaus Vicclus Rigensis, Livonus Nobilis.** Im Rigaschen Rathe sassen Nicolaus Fick von 1557—1570

und der in den Kalenderunruhen als Parteigänger der aufsässigen Bürger hervortretende Nicolaus Fick von 1570—1591. Nicolaus Viccius ist wohl ein Sohn des letzteren. Rig. Rathsl. 480, 498.

491. 1598. März. **Magnus Wohlfeldt, Osiliensis Livonus.**

492. — Juli. **Simon thom Dale Rigensis.** Sohn des Pastors Johannes thom Dal (Nr. 379). Er war 1607—1616 Prediger an der St. Petrikirche, 1616—1624 Wochenprediger am Dom, 1646 wegen Kränklichkeit seines Amtes entlassen. Gest. 1647. Berkholz, Beiträge 31, 55. Schriftst.-Lex. I. S. 404. Bergmann I. S. 39.

493. — August. **Otto a Grothausen, Livonus Nobilis.** Geboren 1579, gest. 1652. Erbherr auf Kapschden in Kurland, Kurländischer Landbotenmarschall, 1620 Oberhauptmann zu Goldingen, 1624 Oberburggraf. Hervorragend als Vertreter des kurländischen Adels in dessen Streitigkeiten mit den Herzögen Friedrich und Wilhelm. Ueber ihn siehe die Monographie von Th. Kallmeyer: Otto von Grothuss, seine politische Thätigkeit und seine Schriften in den Mon. Livon. antiq. Bd. II. Bog. 62, 63. Schriftst.-Lex. II. S. 133.

494. — August. **Salomon Spier Livonus.** Von ihm hat nichts weiter ermittelt werden können, als dass er sich 1600 neben andern Rigensern zu Riga in das Stammbuch des Adam Helms, welcher zwischen 1595 und 1601 in Riga das Gymnasium besuchte und später Prediger und Senior des Ministeriums in Lübeck wurde, eingetragen hat. Sitzungsb. d. ehstn. Gesellsch. 1880, S. 113.

495. — Octbr. **Sebastianus Garicaeus, Rig. Livonus.**

496. — Octbr. **Rotgerus Neinerus, Riga Livonus.** Wahrscheinlich ein Sohn des in die Kalenderunruhen verwickelten Oberpastors Georg Neuner (gest. 1587). Er war 1624 Pastor an der Domkirche in Riga und starb 1625. Bergmann I. S. 39.

497. — — **Nicolaus Sunderus, Osiliensis Livon.**

498. — — **Eustachius Libas, Rig. Livonus.**

499. 1599. April. **Jacob Germerius, Revaliens. Livon.**

500. 1599. Mai 26. **Hermannus Kraufmejer, Rigens. Livonus.** Auch dieser, wie der oben sub Nr. 494 Genannte, findet sich in dem Stammbuch des späteren Lübecker Predigers Adam Helms im Jahre 1608 eingetragen. Weiteres war von ihm nicht zu ermitteln. Sitzungsber. d. ehstn. Gesellsch. 1880. S. 112.

501. — Mai 26. **Henricus Sprenger, Rigens. Livonus.** Auch dieser hat sich in das Helmssche Stammbuch zu Riga 1601 eingezeichnet; sonst ist von ihm nichts zu erfahren gewesen.

502. — Juni 1. **Christianus Bacherdus Livonus.**

503. — Juli. **Balthasar Paremius Livonus.**

504. — August. **Hermannus Samson Rigensis.** Geb. zu Riga am 4. März 1579; studirte zuerst in Rostock, sodann in Wittenberg, wurde hier 1605 Magister, 1608 in Riga Prediger der Stadtgemeinde und Schulinspector, 1616 Oberpastor zu St. Petri, 1622 Superintendent von Livland, 1630—43 auch Professor an dem Gymnasium; erhielt 1633 von der Königin Christine das Gut Festen geschenkt und wurde 1640 in den Adelstand mit dem Zunamen von Himmelstiern erhoben. Napiersky, Kirchen und Prediger. Heft 4, Thl. 3, S. 25. Schriftst.-Lex. IV. 22—31. Berkholz, M. Herman Samson.

505. 1600. April. **Joachim Golcealcus Rigensis.**

506. — April. **Tilemannus Neuhof Rigensis.** Ein Tilman Newhoff ist 1600 Besitzer eines Gartens in Riga. Lib. rur. 258.

507. — — **Reinoldus Uxküll, Nobilis Livonus.**

508. — — **Eberhardus Delwich, Nobilis Livonus.** Ueber die Familie von Delwig siehe Hup. n. nord. Misc. IX. S. 112.

509. — April. **Casper Dreilingus Rigensis.** Geboren zu Riga 1572, studirte auch zu Leyden, wo er 1605 als Jurist, 23 Jahre alt, immatriculirt wurde, war 1616 Bevollmächtigter des Herzogs Friedrich von Kurland, der ihn nach Warschau sandte, damit er ihn gegen die wider ihn beim Könige erhobenen Anklagen vertheidige. Dies gelang ihm auch so gut, dass der Herzog Friedrich von der Felonie freigesprochen und im Besitze seines Herzogthums gelassen wurde. Später wurde Caspar Dreiling fürstlicher Rath und Gesandter an mehreren Höfen und erwarb 1618

6

das Gut Grünfeld in Kurland. Mon. Liv. II. S. XXI. Hup. n. nord. Misc. XIII. 153. Schriftst.-Lex. I. S. 450. Klopmann, Güter-Chronik I. S. 10.

510. 1600. April. **Wernerus Becker Rigensis.** Er studirte auch zu Leyden, wo er 1604, Febr., 22 Jahre alt, als Jurist immatriculirt wurde.

511. — — **Otto Grothusen, Livon. Nobilis.** Ob dieser der oben sub Nr. 493 Genannte ist, der etwa nach einem Abgange von der Universität wieder nach Rostock zurückgekehrt ist und sich von Neuem hat immatriculiren lassen, oder ob ein Anderer, muss dahingestellt bleiben.

512. 1601. Juli. **Laurentius Wittingk Rigensis.** Geboren den 25. März 1580, ging von Rostock zu weiterem Studium 1606 nach Wittenberg, wurde darauf in Folge des durch seine Kenntnisse erworbenen Rufes als Rector der Schule zu Teterau in Mecklenburg berufen, sodann Pastor zu Giewertz in Mecklenburg, kehrte, nach dreiunddreissigjähriger Amtsführung durch den Krieg vertrieben, 1638 nach seinem Vaterlande zurück, wurde in demselben Jahre deutscher Pastor und Schulinspector in Libau und starb 1652. Tetsch, Kirchengeschichte II. S. 127 und 327. Kallmeyer, Pred.-Lex.

513. — Juni. **Fridericus Saggitarius Osiliensis.**

514. — Octbr. **Arnoldus Cuper Rigensis.** Er war 1615 Conrector der Rigaschen Domschule, hat deutsche und lateinische Gedichte geschrieben und ist 1627 gestorben. Schriftst.-Lex. I. S. 390.

515. 1602. Febr. **Johannes Fridericus Rigensis.** Wohl ein Sohn des gleichnamigen Rigaschen Rathsherrn und Bürgermeisters (1593—1621). Den 28. Mai 1605 wird er zu Leyden als Joannes Frederix Livonus, 22 Jahre alt, immatriculirt. Rig. Rathsl. 527.

516. — Mai. **Laurentius Schmidt, Wendensis Livonus.**

517. — Juni. **Mathias Saccus, Revaliensis Livon.** Er hat ein Gedicht unter folgendem Titel im Druck erscheinen lassen: „Magnif. dni. Georgii Schenking, Castellani in Livon. Wenden. anno 1605 in urbe Cracov. defuncti, 1606, 5. Jan. vero Thorunii

Borussorum humo demandati—cineribus has debiti amoris et amaroris lacrymas aspersi. Matth. Saccus. Rev. Livon. Thorunii Borussorum excudebat Andr. Cotenius". Das einzige bekannte Exemplar dieser Druckschrift befindet sich in der Rig. Stadtbibliothek. Auch er hat sich (vgl. oben Nr. 494, 500 u. 501) in das Stammbuch des Adam Helms eingetragen.

518. 1602. **Johannes Strassberg, Revaliensis Livon.**

519. 1603. Juni. **Christianus Butnerus, Bauenburgensis Livonus.** Sohn des Pastors Johan Büthner zu Bauske, wurde 1609 dessen Nachfolger im Amte. Schriftst.-Lex. I. S. 303.

520. Juni. **Gothardus Brisemeisterus, Mitoviensis Livonus.**

521. — Novbr. 1. **Johannes Wisman Rigensis.**

522. 1605. Juni. **Hemboldus zur Mhulen, Reval. Livonus.** Er ist 1614—1624 Schulcollege, 1632 Rector in Reval, von 1638 bis 1641 Pastor zu Goldenbeck und Assessor consist., wird M. genannt und ist 1648 gestorben. Paucker, Geistl. 23, 48, 50, 101, 263.

523. — Juni. **Ericus de Beck, Revaliensis Livonus.** Er wurde 1612 von der philosophischen Facultät zu Rostock zum Magister promovirt, 1617 Diacon und 1632 Pastor zu St. Nicolai in Reval. Geb. 1588, gestorben 1650. Paucker, Geistl. S. 357, 366.

524. — Juli. **Georgius a Lohn, Revaliensis Livonus.**

525. — Septbr. **Nicolaus Barneke, Rigensis Livonus.** Er wurde im Jahre 1616 Secretair, 1619 Rathsherr und 1631 Bürgermeister in Riga. Im Jahre 1621 leitete er als Quartierherr die Vertheidigung der Stadt. Gestorben als Burggraf und Oberlandvogt den 30. Juni 1647. Rig. Rathsl. S. 167.

526. 1606. Juli. **Wernerus Arens, Osiliensis Livonus.** Im Jahre 1610 Prediger der ehstnischen Stadtgemeinde in Dorpat, gestorben 1611. Napiersky, Kirchen und Prediger. Heft 2, Thl. I. S. 5.

527. — — **Lazarus Otgerus, Osiliensis Livonus.**

528. — August. **Gerhardus zur Avest, Rigensis.** Wahrscheinlich ein Sohn des Averinus thor Avest, welcher seit 1573 Prediger an der St. Johanniskirche zu Riga war und im März 1589 starb. Die thor Avest sind ein im siebenzehnten und achtzehnten Jahrhundert in Riga ansässiges Geschlecht. Als

6*

Aelteste der grossen Gilde zu Riga kommen vor: 1633 Hans thor Avest, 1687 Hans thor Avest, 1704 Johan thor Avest und 1710 Arend thor Avest. Mon. Liv. IV. S. CCCXXIX, CCCXXXV, CCCXXXVII, XVIII.

529. 1607. Jan. **Valentinus Schinkel, Dorpatensis Livonus.** Wohl der Sohn des Dörptschen Bürgermeisters Heinrich Schinkel (gest. 13. März 1608). Gadeb., Jahrb. Thl. II. Abth. 2. S. 394.

530. 1608. Octbr. **Wernerus Tieffenbruch, Rigensis Liv.** Vielleicht ein Sohn des Rathsherrn Rötger Depenbrock, welcher 1592 Aeltermann der gr. Gilde in Riga war, 1596 in den Rath gezogen wurde und 1601 starb, oder auch des Werner von Depenbrock, des Vaters des Rathsherrn Michael von Depenbrock, welcher aus Kosfeldt nach Riga eingewandert war, im Jahre 1613 ein Stipendium für Studirende stiftete und 1615 starb. Magister Werner von Tieffenbrock war von 1616—1631, in welchem letzteren Jahre er starb, Diaconus zu St. Petri in Riga. Berkholz, Beitr. S. 31. Rig. Rathsl. S. 159, 176.

531. 1609. Juli. **Simon Blankenhagen, Pernoviensis Livonus.** Geboren in Pernau 1589, Pastor der ehstnischen Gemeinde in Reval 1617, gestorben 1640, 23. Juni. Paucker, Geistl. S. 381. Gadeb., Livl. Bibl. I. S. 73. Schriftst.-Lex. I. S. 184.

532. — Octbr. **Andreas Stampel, Revaliensis Livonus.** Im October 1610 wird er, 22 Jahre alt, zu Leyden immatriculirt. Er wurde Rathsherr in Reval 1523, Bürgermeister 1643, gestorben 1653. Rev. Rathsl. S. 132.

533. — Novbr. **Theodorus Elerus, Rig. Livonus.** Er wird als Respondent genannt bei den Disputationen des Professors Paulus Berens über die Institutionen, welche zu Rostock 1610 und 1613 gedruckt sind. Rostocker Jurist.-Fac. S. 38. Im Libr. rur. 333 lässt er den 24. März 1615 als Vertreter von Erben vor dem Rath und den Landvögten dem Aeltesten grosser Gilde Andreas Dassel einen Garten auf; er ist demnach wohl hier Rechtsanwalt geworden.

534. 1610. April. **Alexander Sibeth, Reval. Liv.**

535. — April. **Johannes Marquard, Rigens. Liv.** Die Rostocker Chronik von 1600—1625 in „Neuen wöchentlichen Rostockschen

Nachrichten und Anzeigen", 1841, S. 310, besagt über ihn Folgendes: „Den 17. Februar (1612) ist unter andern Studenten einer mit Namen Johannes Marquardt von Riga von der Nachtwacht am Hopfenmarkt mit ihren Hellebarden so viel geschlagen worden, dass er den 21. Februar daran gestorben und den 25. in St. Jakobskirchen begraben worden, welchem Magister Petrus Hintelmann, Prediger derselben Kirchen, die Leichpredigt gehalten. Es sollen aber die Studenten solche Schläge verursacht haben, die aber auf den einen zu schwer gefallen sind." In Riga erschien in dieser Veranlassung folgende Schrift: Philaret, Epistola ad centumviros Rostockienses de vindicanda nece I. Marquardi Rigensis. Riga 1614. 4°.

536. 1611. Octbr. **Andreas Cojen, Riga Livonus.** Sohn des Rig. Rathsherrn Andreas Koye (Cojen), geb. 1586. Secretair 1615; Obersecretair 1625; Syndicus 1630; Bürgermeister 1642. Ein viel verwandter Mann. Gest. 1653, 6. Octbr. Rig. Rathsl. S. 169, 170.

537. — Decbr. **Mathias Arnoldi, Parnoviensis Livonus.**

538. 1612. April. **Hermannus Arnoldus, Osiliens. Livonus.**

539. — — **Reinholdus Molleros, Osiliensis Livonus.**

540. — — **Georgius Lemannus, Osiliens. Livonus.**

541. — Mai. **Bartholomaeus Smoldius, Riga Livonus.** Er liess 1613 zu Rostock eine Disputation über den Anabaptismus drucken. Schriftst.-Lex. IV. S. 222.

542. — Mai. **Johannes Cojen, Riga Livonus.** Wohl ein Bruder des Nr. 536 genannten Andreas Koye (Cojen).

543. 1612. Juli. **Jacobus Dassovius, Parnoviens. Livonus.**

544. — Octbr. **Georgius Mancelius, Semigallia Livonus.** Sohn des herzogl. Hofpredigers und nachherigen Pastors zu Grenzhof in Kurland, Caspar Manzel (siehe oben Nr. 437). Geb. 1593. Im Jahre 1616 Prediger zu Walhof, 1620 Prediger zu Selburg, 1625 der deutschen Gemeine zu Dorpat, 1626 Rector der Schulen und Propst des Dörptschen Kreises, 1632 Professor der Theologie an der neu gestifteten Universität Dorpat, 1636 Rector derselben; 1637 wurde er vom Herzog Friedrich von Kurland zu seinem Hofprediger und Beichtvater zurückberufen. Gestorben

den 17. März 1654. Er ist ausgezeichnet durch seine Pflege der lettischen Sprache, in welcher er ein Gesangbuch, einen Katechismus, die Sprüche Salomonis, eine Postille und anderes mehr herausgab. Ueber ihn und seine Schriften siehe Schriftst.-Lex. 3, S. 152—156. Gadebusch, Livl. Bibliothek 2. S. 215—220. Tetsch, Kirchengeschichte II. S. 288. Mittheil. VII. S. 163.

545. 1612. Novbr. **Georgius Michels Livonus.**

546. 1613. Mai. **Joannes Lascovius, Mitovia Semgallus.**

547. — Mai. **Joannes Berkoffius, Riga Livonus.** Vielleicht ist er der Dr. Berghoff, welcher am 19. August 1621 von Herzog Friedrich von Kurland zu seinem Leibmedicus bestellt wurde. Inland 1837. S. 845.

548. — Juni. **Thomas Carthusius, Dorpatens. Livon.** Vielleicht ein Sohn oder Verwandter des Dörptschen Aeltermanns Hans Karthausen, welcher, wegen seiner heftigen Opposition gegen den Dörptschen Rath des Aufruhrs angeklagt, auf seiner Flucht in Riga in Verhaft genommen, hier verurtheilt und am 31. Mai 1593 mit dem Schwerte hingerichtet wurde. Gadebusch, Jahrb. II. 2. S. 78, 95, 100, 105, 107, 109, 131, 135.

549. — Juli. **Fridericus Wetterus, Riga Livonus.**

550. — Octbr. **Friedrich Manzelius, Mithoviensis Livonus.** Sohn des Pastors Caspar Mancelius zu Grenzhof und Bruder des Georg Mancelius; er wurde Pastor zu Doblen und stand um 1620 im Amte. Kallmeyer, Kurl. Pred.-Lex.

551. — Octbr. **Wilhelmus Kleissen, Semigalla Livonus.** Es findet sich in dieser Zeit kein anderer solchen Namens als der M. Wilhelm Cleisse, auch Cleissen, welcher 1623 Pastor zu Uexküll, 1624 Diacon, dann Wochenprediger und 1646 Pastor primarius an der Domkirche zu Riga war und den 16. Juli 1647 starb. Nach Gadeb. Livl. Bibl. I. S. 165 und Napiersky, Kirchen und Prediger, Heft I. S. 41 soll dieser jedoch zu Riga geboren sein, während Obiger sich bei der Immatriculation als aus Semgallen herstammend bezeichnet.

552. 1614. April. **Fridericus Meierus Livonus.**

553. 1614. Juni. **Nicolaus Frank Livonus.** Er war Pastor zu Doblen, wurde 1656 Superintendent in Kurland und starb 1657. Gadebusch, Livl. Bibl. S. 365.

554. — Juni. **Hinricus ab Ulenbrock Rigensis.** Sohn des Bürgermeisters Hinrich von Ulenbrock, geb. 2. Febr. 1592, wurde 1628 Rigascher Rathsherr, 1649 Bürgermeister und starb den 4. Febr. 1656. Rigasche Rathsl. S. 169.

555. — Septbr. **Hinricus Linden Livonus.**

556. — Septbr. **Balthasar Benkendorff Rigens.** Wohl ein Sohn des 1615 oder des 1636 gestorbenen Rigaschen Rathsherrn Johan Benkendorf. Im Jahre 1638 lassen Zobelius im Namen seligen Herrn Johan Benkendorff Erben und deren Vormünder und Balzer Benkendorff als Vollmächtige der zu Königsberg andern Miterben einen Hof jenseits der Düna dem Dietrich Friederichs auf. Lib. rur. 381.

557. — Novbr. **Wenceslaus Lemcken, Riga Livonus.** Im Jahre 1630 ist ein Wenceslaus Lemken Pastor zu Cremon, welcher wohl der Vorgenannte ist. Rig. Stadtbl. 1883, S. 374. Napiersky, Kirchen und Prediger. Heft 3, Th. 2, S. 50.

558. 1615. Mai. **Paulus Einhorn Livonus.** Sohn des Pastors zu Eckau, Paul Einhorn, wurde 1621 Prediger zu Grenzhof und 1634 deutscher Frühprediger in Mitau. Bei der damals erfolgten Einrichtung der Präposituren in Kurland war er sehr thätig. Er starb am 25. Mai oder 26. August 1655 auf der Kanzel während der Morgenpredigt. Unter seinen Schriften sind hervorzuheben: Historia lettica d. i. Beschreibung der lettischen Nation; Reformatio gentis letticae in ducatu Curlandiae, und Widerlegung der Abgötterei etc., welche in den Scriptores rer. Livon., Bd. II., wieder abgedruckt sind. Daselbst, S. 633—656, befindet sich auch eine Lebensbeschreibung und Charakteristik Paul Einhorns.

559. — Septbr. **Franciscus Hilchen, Rigensis Livonus.** Wahrscheinlich ein Sohn des Rigaschen Syndicus David Hilchen. Diese Abstammung wird um so wahrscheinlicher, als er 1625 zwei Heuschläge auftragen lässt „in den Gränzen, wie sie a. 1599 dem weiland Herrn Bürgermeister Franz Neustetten aufgetragen

worden." David Hilchen war der Schwiegersohn und Erbe des Bürgermeisters Franz Nyenstede. Rig. Rathsl. S. 155. Ein Franz Hilchen kaufte von Joh. Ramm das Gut Hilchensfähr, welches seinen Erben von Gustav Adolph 1623 bestätigt wurde. Im Jahre 1642 besassen die Erben des Franz Hilchen auch das Gut Kunal oder Nandelsstädthof. Hagemeister, I. S. 54, 169.

560. 1615. Octbr. **Valius Fedlerus, Curlandus Nobilis.**

561. — Octbr. **Johannes Einhorn Livonus.** Wahrscheinlich ein Bruder von Paul Einhorn.

562. 1617. Juni. **Ludowicus Dunte Revaliensis.** Sohn des Revalschen Rathsherrn Jobst Dunte (1604—1615), geboren 1597. Er wurde 1629 Diaconus an der St. Olai-Kirche in Reval, nachdem er vorher schon Katechet zu St. Michaelis gewesen war, und 1636 Oberinspector der Schulen. Gestorben 11. December 1639. Eine Leichenpredigt auf ihn mit angehängtem Lebenslauf von Pastor Eberhard von Renteln erschien 1640 zu Reval. Paucker, Geistl. S. 348 und 375. Schriftst.-Lex. I. S. 462.

563. — Juni. **Henricus Stalius Revaliensis.** Sohn des Aeltermanns gr. Gilde zu Reval, Heinrich Stahl, wurde 1623 als Pastor zu St. Petri und zugleich zu St. Matthei in Ehstland angestellt. 1627 Propst zu Jerven, 1633 Pastor zu St. Katharinen oder Titsfer, zugleich auch Propst über Wierland, 1636 Assessor des Ehstländischen Consistoriums, 1638 Oberpastor am Dom und Assessor des von dem Bischof Ihering in demselben Jahre restaurirten Provinzialconsistoriums. Im Jahre 1641 wurde er als Superintendent über Ingermanland nach Narva berufen, wo er das Consistorium und die schwedische Schule einrichtete. Gest. den 7. Juli 1657. Er gab die erste ehstnische Grammatik, das erste ehstnische Gesangbuch und den ersten ehstnischen Katechismus, Riga 1632, überhaupt das erste Buch in ehstnischer Sprache, heraus. Schriftst.-Lex. IV. S. 257. Paucker, Geistl. S. 55, 220, 232. Hup. n. Misc. 11, 12. S. 402.

564. 1617. Juli. **Reinhold Mittendorf Rigensis.** Dr. der Weltweisheit und Arzneikunst, geb. 1596. Wurde Stadtphysikus in Riga. Gest. 1657. Schriftst.-Lex. IV. S. 233. Rig. Stadtbl. 1821. S. 67.

565. 1618. Mai. **Henricus Rigeman Rigensis.** Der Zeit nach wahrscheinlich ein Sohn des Cordt Rigeman, welcher 1610 Dockmann, 1612 Aeltester der gr. Gilde in Riga wurde und 1657 starb. Mon. Liv. V. S. CCCXXVII. Ueber die Familie Rigeman siehe oben Nr. 373.

566. — Juni. **Stephanus Derenthal, Revaliensis Livonus.** Wohl ein Sohn des Revalschen Bürgermeisters und nachherigen Assessors des Hofgerichts zu Dorpat, Joh. Derenthal. Rev. Rathsl. S. 91.

567. — Juli. **Johannes Elers, Mitovia Livonus.**

568. — — **Herbertus Ulricus, Mitovia Livonus.**

569. — — **Carolus a Sacken, Nobilis Livonus.** In den nord. Misc. XX, S. 112—159 findet sich ein längerer Aufsatz über die vorzugsweise in Kurland ansässige Familie von der Osten genannt Sacken, doch kommen unter den daselbst genannten Gliedern derselben weder der vorstehend genannte Carl v. Sacken, noch die später sub Nr. 575 und 576 zu erwähnenden Heinrich und Christopher von Sacken vor. Auch sonst lassen sich die hier Genannten nirgends auffinden. Ein Carl von Sacken findet sich unter denjenigen Gliedern der kurländischen Ritterschaft, welche 1643 von dem Herzog von Kurland beauftragt waren, den Derschauschen Landrechtsentwurf durchzusehen. Bunge, Rechtsgesch. S. 255.

570. — **Johannes Sigismundus Behr, Nobilis Livonus.** Die Behr, auch Baer geschrieben, sind ein in Livland und Kurland ansässiges Geschlecht, welches in die livl. Matrikel erst 1772, Nr. 211, aufgenommen ist. Ein Johan Sigismund kommt in der Stammtafel zu Vogells Geschlechtsgeschichte des Hauses Behr nicht vor.

571. — — **Otto Vitinghoff Livonus.**

572. 1619. Septbr. **Christophorus Polmannus Livonus.**

573. 1620. Septbr. **Gothardus Reimers, Buschb. Livonus.** Wohl der Sohn des Predigers zu Bauske gleichen Namens (gest. 1607), des Herausgebers des ersten kurisch-lettischen Gesangbuchs. Ein Gotth. Reimers befindet sich am 12. Februar 1641 in Riga. Inl. 1852. S. 875.

574. 1620. Septbr. **Petrus Dessew, Riga Livonus.**

575. 1621. März. **Henricus von Sacken,** } **Nobiles Curland.**

576. — — **Christophorus von Sacken,** } **fratres germani.**

577. — Juni. **Ludolphus Holler, Patritius Rigensis.** Wohl ein Grosssohn des gleichnamigen Rigaschen Rathsherrn (1579—1591). Er wurde zu Wittenberg Magister 1626, Pastor zu Helmet 1630, Assessor des Pernauschen Unter-Consistoriums 1640, und war Besitzer des Gutes Morsel-Ilmus im Helmetschen, gestorben vor 1674. Napiersky, Kirchen und Prediger. Heft 3, Thl. 2. S. 19.

578. 1622. April. **Fridericus Meseke, Curo-Livonus.**

579. — Januar. **Ludowicus Wegner Revaliensis.**

580. — — **Johannes Liphardus Revaliensis.**

581. — Septbr. **Eberhardus Herbarius Livonus.** Pastor zu Dahlen 1630, auch noch 1640. Napiersky, Kirchen und Prediger. Heft 3, Thl. 2. S. 12.

582. 1623. Juli. **Franciscus Myricus Revaliensis.**

583. — Juli. **Wilhelmus Meck Revaliensis.**

584. — Juli. **Henricus Wesstringius Revaliensis.** Im October 1627 zum Prediger in Kosch oder St. Nicolai ordinirt, war 1639 Propst in Jerwen und starb 1643. Paucker, Geistl. S. 144.

585. — Septbr. **Henricus Kleinschmidt, Riga Livonus.** Pastor zu Segewold und Allasch 1630, Assessor des Rigaschen Unter-Consistoriums 1643, gestorben 8. Juli 1657. Napiersky, Kirchen und Prediger. Heft 3, Thl. 2. S. 35.

586. — Septbr. **Herman Pröbsting, Riga Livonus.** Mag., Pastor zu Uexküll und Kirchholm, 1637 Pastor an der Jesuskirche zu Riga, 1646 Diaconus am Dom, 1649 zu St. Petri. Gest. 1. Februar 1657. Napiersky, Kirchen und Prediger. Heft 3, Thl. 2. S. 119.

587. — Septbr. **Nicolaus Mejer Rigensis.**

588. 1623. Septbr. **Mathias Reelandt Rigensis.** Wurde 1629 Pastor zu Uexküll und Kirchholm, 1631 Pastor zu St. Georg 1643 Diaconus an der St. Johanniskirche, 1646 Wochenprediger und 1656 Oberpastor am Dom. Geb. 1599, gest. 28. Juni 1657. Schriftst.-Lex. III. S. 512. Im Lib. rur. 435 wird er 1652 als

Besitzer eines Heuschlages „Herr Magister“ genannt. Er wurde Magister den 11. Mai 1629 zu Rostock.

589. **1623.** Septbr. **Paulus Crugerus Rigensis.** Von ihm existirt ein Disp. theol. de ecclesia (Praes. Joh. Tarnow), Rostochii, 1628. Schriftst.-Lex. I. S. 381. In „Weitere Nachrichten von gelehrten Rostockschen Sachen“, 1743, Rostock, findet sich S. 43 ein von Cothmann 1628 verfasstes Leichenprogramm für Paul Krüger verzeichnet, der aber als Reval. Stud. bezeichnet wird. In dieser Bezeichnung liegt wohl ein Fehler, da ein Paul Krüger aus Reval sich in der Matrikel nicht findet. Er ist also als Student in Rostock gestorben.

590. — — **Hermannus Ibing Rigensis.** Er wurde den 11. Mai 1629 in Rostock Magister.

591. — — **M. Johannes Struborgius, Riga Livonus.** Zuerst Docent in Rostock, 1630 Professor der Philosophie an dem neugestifteten Gymnasium zu Riga. Gest. 16. April 1645. Schriftst.-Lex. IV. S. 316.

592. — Octbr. **Nicolaus Hanenfeld, Riga Livonus.** Disputirte zu Rostock unter dem Vorsitze Johan Quistorps de Sacra coena und wurde den 6. April 1630 Magister. Nachdem er bereits „im Ministerio“ gewesen, wurde er am 8. Septbr. 1636 zum herzoglichen Hofprediger in Mitau ernannt. Von 1639—1641 war er Pastor zu Selburg und Propst der Selburgschen Diöcese, wurde dann deutscher Frühprediger in Bauske, auch Inspector der Schulen, und starb an der Pest 1657. Inland, 1848. Sp. 49. Tetsch. I. 250, 253. Kallmeyer, Kurl. Pred.-Lex.

593. — Octbr. **Fridericus Löwenstein, Livonus.** Wurde 1630 Pastor der ehstnischen Gemeinde und in demselben Jahre Oberpastor bei der deutschen Gemeinde zu Pernau, auch Inspector der Schulen daselbst. Geb. zu Mitau 1603, gest. am 16. Juli 1657. Schriftst.-Lex. III. 101.

594. 1624. Juni. **Melchior Fosse, Rigensis Livonus.** In Leyden den 4. November 1626, 23 Jahre alt, immatriculirt. Dies ist wohl kein Anderer als Melchior Fuchs, Sohn des Aeltesten gr. Gilde Johan Fuchs, geb. 1603, welcher 1634 Rigascher Rathsherr und 1647 Bürgermeister, Burggraf, königlicher Praefectus Por-

torii und Präses des Consistoriums wurde. Gest. den 11. Novbr. 1678. Rig. Rathsl. S. 171.

595. 1624. Juni. **Conradus Betken, Rigensis Livonus.** Im Jahre 1636 kommt ein Alexander Betken als Besitzer eines Gartens in Riga vor. Lib. rur. 357, 387.

596. — Novbr. **Johannes Flügel Rigensis.** Er besuchte noch verschiedene andere Universitäten, namentlich Leyden, wo er den 9. März 1630, 27 Jahre alt, als Jurist immatriculirt wurde, bereiste nach Beendigung seiner Studien das westliche Europa, wurde nach seiner Rückkehr in die Heimath Rath des Herzogs Jacob von Kurland, der ihn mit einer Botschaft an den König von England sandte, 1639 Assessor des livl. Hofgerichts, 1640 bis 1643 Professor der Rechtswissenschaft am Rigaschen Gymnasium, 1643 Vice-Syndicus des Rigaschen Raths, 1654 Syndicus, 1655 Bürgermeister, 1660 Livländischer Landrath des Dörptschen Kreises. Er nahm Theil an dem Entwurf eines revidirten Rigaschen Stadtrechts. Geboren den 21. September 1603; gest. den 22. April 1662. Rig. Rathsl. S. 174.

597. — Decbr. **Johannes Hartman Rigensis.** Nachdem er den 6. April 1630 zu Rostock Magister geworden war, wurde er zuerst Pastor zu Sissegal, dann 1644 zu Uexküll und Kirchholm, 1646 Diaconus bei der St. Johanniskirche zu Riga, 1650 am Dom, 1656 Archidiaconus zu St. Petri und starb 1657 an der Pest. Schriftst.-Lex. II. S. 196.

598. 1625. April. **Eberhardus Bremen Livonus.** Er studirte auch zu Leyden, wo er den 4. Novbr. 1627 mit dem Alter von 20 Jahren als Philosoph oder Philolog immatriculirt wurde.

599. — April. **Christophorus Helmerus Curlandus.** Geboren 1605, wurde 1632 Pastor in Birsgallen und starb daselbst den 26. März 1684. Als Zeichen ihm gewordener Hochachtung wurde sein Bild in Oel gemalt, von dem derzeitigen Gutsherrn von Sacken in der Birsgallenschen Kirche gestiftet. Kallmeyer, Kurl. Pred.-Lex.

600. 1625. April. **David Wiek Livonus.** Er studirte auch zu Leyden, wo er den 3. Novbr. 1627, 22 Jahre alt, als Jurist immatriculirt wurde. Wahrscheinlich der nachherige Hofgerichts-

Assessor und Ritterschaftssecretair, welcher im December 1656 zu Riga an der Pest starb. Rig. Stadtbl. 1812. S. 413.

601. 1625. Juni. **Johannes Elers, Riga Livonus.** Er starb 1628 zu Rostock. Das Beerdigungsprogramm ist von dem Professor Quistorp verfasst. Weitere Nachrichten 1743. Erst. St. S. 27.

602. — Juni. **Johannes Hovel, Riga Livonus.** Auch Johan von Höveln genannt. In Leyden wurde er den 22. Juni 1627, 24 Jahre alt, als Mediciner immatriculirt und später wahrscheinlich dort Doctor med. Er war 1631—1652 Professor der Physik am Rigaschen Gymnasium, auch Stadtphysikus, und seit 1638 kurländischer Archiater. Geb. zu Riga 1601; gest. den 6. Januar 1652. Rig. Stadtbl. 1811. S. 176. Schriftst.-Lex. II. S. 325.

603. — Juli. **Martinus Beck, Narwa Livonus.**

604. — Septbr. **Fridericus Peitman Livonus.**

605. 1626. Juni. **Nicolaus Cosmus Livonus.**

606. — Juni. **Wilhelmus Ulrici, Riga Livonus.** Er studirte auch zu Leyden, wo er den 28. October 1630, 26 Jahre alt, als Jurist immatriculirt wurde. Er war ein Sohn des Dr. jur. Johan Ulrich, Herrn zu Ruill. In den Jahren 1645 und 1649 ist er Vice-Präsident des livländischen Hofgerichts zu Dorpat. Später wurde er zum ehstländischen Landrath und Statthalter erwählt. Gadebusch, Livl. Jahrb. III, I. S. 9. Paucker, Das Landraths-Colleg. S. 53.

607. 1627. Mai. **Paris Zypandko, Livonus Nobilis.** Unter dem 24. Mai 1629 findet er sich als Paris Spandko Livonus, 20 Jahre alt, Jurist, in Leyden immatriculirt. Unter den livländischen Edelleuten kommt ein solcher Name nicht vor, dagegen besorgt ein Paulus Spandko in den Jahren 1598—1603 in Riga als Bevollmächtigter verschiedener Personen Aufträge von Immobilien und ist auch Besitzer eines Gartens. Lib. rur. 225, 232, 235, 252, 268, 285, 288, 291, 292.

608. — Mai. **Laurentius Grellius, Pernov. Livonus.**

609. — Mai. **Mathias Schall, Pernov. Livonus.**

610. — Juni. **Antonius Walte, Reval. Livonus.** Auch Walde und Walle genannt, wurde 1630 bei der Kirche zu St. Johannis

in Ehstland angestellt und 1642 Assessor des Consistoriums. Gest. 1654. Paucker, Geistl. S. 128.

611. 1627. Juni. **Reinholdus Vogt, Reval. Livonus.**

612. — Juni. **Nicolaus ab Hovellen, Reval. Livonus.** Diacon in Reval zu St. Nicolai 1637, Pastor zu St. Olai 1650, gest. 1657. Paucker, Geistl. S. 337, 349. Inl. 1852. S. 877.

613. — Juni. **Isaacus Johannis, Reval. Livonus.**

614. — Juni. **Georgius ab Wangersen, Reval. Livonus.** Als Student in Rostock 1630 gestorben. Das Leichenprogramm wurde von dem Professor der Physik Joachim Stockman geschrieben, gedr. zu Rostock 1630. Wohl der Sohn des Revaler Bürgermeisters von 1626—1657, Georg Wangersen, geadelt von Wangersheim. Weitere Nachrichten 1743. Erstes Stück S. 72.

615. 1627. August. **Ernestus Derendalius Revaliensis.** Vielleicht ein Sohn des Revalschen Bürgermeisters Joh. Derenthal (gestorben 1630). Ueber diesen siehe Kaffka, nord. Archiv, 1806, IV. S. 214—216.

616. — Novbr. **Theodorus Lupolovius, Grunhovensis Livonus.** Ohne Zweifel ein Sohn des Pastors Hennig Lupelow, welcher bis um 1630 Pastor zu Grünhof in Kurland war. Ein anderer Sohn, Namens Christian, wurde um 1630 Adjunct oder Nachfolger seines Vaters. Kallmeyer, Kurl. Pred.-Lex.

617. 1631. Novbr. **Wilhelmus Woelkerus, Golding. Curlandus.**

618. 1632. Novbr. **Henningus Fricke, Riga Livonus.** Pastor zu Pebalg 1636 und noch 1647. Napiersky, Kirchen und Pred. Heft 2. Thl. 2. S. 72.

619. — Novbr. **Antonius Walde, Reval. Livonus.** Wohl der oben unter 610 Genannte. Wahrscheinlich hatte er in Folge der Kriegsunruhen und der Wallensteinschen Belagerung der Stadt Rostock, durch welche die Thätigkeit der Universität in den Jahren 1629—30 fast aufgehört hatte, seine Studien unterbrochen, war heimgekehrt und darauf zur Fortsetzung derselben in diesem Jahre, 1632, wieder dahin zurückgegangen.

620. 1633. Juni. **Jodocus Lutter Curonus.** Geboren in Goldingen, stammte aus einer alten, daselbst ansässigen Kaufmanns-

familie von Lutter ab, wurde 1639 lettischer, 1650 deutscher Prediger zu Goldingen und starb 1676. Hennig, S. 221, 266, 277.

621. 1633. August. **Simon Lühr, Revalia Livonus.** Wahrscheinlich aus der Revaler Rathsfamilie Lühr, aus welcher wir finden Simon Lühr, Rathsherr 1518, Herman Luhr, Rathsherr und Bürgermeister 1571—1596, und Thomas Luhr, Rathsherr 1615, Bürgermeister 1630—1646. In der Leydener Matrikel findet sich, wohl derselbe, am 1. April 1637 als Simon Luhrer Livonus, 24 Jahre alt, Jurist, immatriculirt. Rev. Rathsl. S. 113, 114.

622. 1633. August. **Joachimus Rennenkampf Livonus.** Von Rostock ging er nach Leyden, wo er den 10. April 1642 mit der Altersangabe von 22 Jahren (?) als Jurist immatriculirt wurde. Nach sonstigen Nachrichten wurde er 1618 in Riga geboren. Er wurde 1644 Professor der Rechte und Politik am Rigaschen Gymnasium, 1657 Glied des Rigaschen Raths, der Stammvater des adeligen Geschlechts dieses Namens und starb den 22. Januar 1658. Rig. Rathsl. S. 181.

623. — August. **Georgius Schulz, Reval. Livonus.**

624. — Septbr. **Andreas Stephani, Mitovia Curlandus.** Er wurde 1641 Pastor in Hofzumberge, bediente auch die Schmuckensche Kirche als Filial und starb 1655. Kallmeyer, Pred.-Lex.

625. — Novbr. **Simon zum Dale, Riga Livonus.** Sohn des Pastors gleichen Namens. Am 27. Febr. 1644 als Prediger zu St. Georg in Riga ordinirt. Gest. 1657. Schriftst.-Lex. I. S. 405. Berkholz, Beitr. S. 134.

626. 1634. Jan. **M. Petrus Bauer, Riga Livonus.** Geb. zu Riga 1606, wurde 1635 Prediger an der Gemeinde von Skadding, jetzt Olai, darauf 1637 Pastor an der Jesus-Kirche, 1643 an der St. Georgen-Kirche, 1646 Diaconus an der St. Petrikirche, 1647 Wochenprediger am Dom, 1657 Oberpastor am Dom und ist 1657 gestorben. Berkholz, Beiträge S. 31, 53, 54, 55, 134, 150.

627. — Jan. **Hermannus Potthast, Riga Livonus.** Am 2. September 1634 wurde er zu Leyden, 27 Jahre alt, als Jurist immatriculirt. Ein Bartell Pothast, vielleicht sein Vater, kommt in den Jahren 1624, 1631 und 1635 als Besitzer einer Scheune und eines Gartens vor. Lib. rur. 342, 347, 348, 375.

628. 1634. Novbr. **Jacobus Eowald, Osiliensis Livonus.**

629. 1635. August. **Theodorus Carstens, Livonus.**

630. — August. **Johannes Carstens, Livonus.**

631. 1636. Jan. **Nicolaus Specht, Revalia Livonus.** Sohn des Kaufmanns Georg Specht zu Reval; er hatte vorher schon zu Wittenberg studirt, wurde daselbst 1630 Magister, war nach seiner Rückkehr von den Universitäten, noch 1641, Lehrer des jungen Grafen Heinrich Thurn zu Pernau, wurde 1642 Diaconus, 1651 Pastor zu St. Nicolai in Reval und starb 1657. Schriftst.-Lex. III., 252. Paucker, Geistl. S. 357, 364. Inland 1837. Sp. 105—112.

632. — Juni. **Marcus Longius Revaliensis.**

633. 1637. Mai. **Johannes Lysander, Livonus Curonus.** Er wurde um 1644 Pastor in Sezzen und 1650 in Hofzumberge, wo er 1662 starb. Kallmeyer, Pred.-Lex.

634. — Juli. **Johannes Bremerus, Riga Livonus.** Noch in demselben Jahre, den 5. September, findet er sich in Leyden, 22 Jahre alt, als Theologe inscribirt. Er wurde Mag. der Phil., 1646 Pastor an der Jesus-Kirche in Riga und, als diese von den Russen im Kriege 1656 zerstört worden war, im folgenden Jahre Pastor zu St. Georg, auch noch in demselben Jahre Wochenprediger in der Stadt. Gest. den 8. Juli 1657 an der Pest. Schriftst.-Lex. I. S. 247.

635. — Juli. **Georgius Joesens, Goldinga Curonus.** Er war seit dem 24. November 1643 Pastor zu Windau und wurde 1659 Propst des Goldingenschen Kirchspiels; gest. den 16. Octbr. 1677. Hennig, S. 225. Kallmeyer, Gesch. S. 31.

636. 1639. Septbr. **Johannes Boninghausen Rigensis.** Die Bonninghausen waren im Rig. Rath vertreten durch Karsten B. von 1497—1526 und durch Peter B. von 1531—1560. Der Vorstehende ist wohl ein Nachkomme derselben. Er wurde den 5. Mai 1642 in Rostock Mag. und von 1646—1660 Pastor zu Katlakaln und Olai. Berkholz, Beitr. S. 186.

637. 1640. März. **Petrus Weier ex Livonia.**

638. — Juni. **Johannes Reckman, Riga Livonus.**

639. 1640. Juni. **Bruno Hanenfeldt Riga Livonus.** Er wurde Magister, 1647 Pastor zu Uexküll und Kirchholm, 1657 Diakon an der Johanniskirche zu Riga und 1662 Pastor an derselben. Gest. 1681. Schriftst.-Lex. II. S. 178. Berkholz, Beitr. S. 113. Ein Bruno Hanfeldt kommt 1603 als Besitzer einer Scheune in Riga vor, wohl Kaufmann und des Obengenannten Vater. Lib. rur. 208.

640. — Septbr. **Nicolaus Witte Riga Livonus.** Sohn des Rathsherrn Hans Witte (gest. 1623, Novbr. 1.) und der Anna Dassel, und ein Vetter des Rathsherrn Johan Witte (1656 bis 1657) und dessen Stiefbruders, des Professors Henning Witte. Er zeichnete sich schon auf der Schule aus und Henning Witte in seinem Diarium Biographicum giebt ihm das Zeugniss, dass er vieler Sprachen mächtig war. Von Rostock ging er nach Leyden, wo er den 23. Decbr. 1642, 24 Jahre alt, als Mediciner immatriculirt wurde, erwarb sich dort den Doctorgrad, durchreiste Frankreich und Deutschland und kehrte nach zehn Jahren nach Riga zurück. Er wurde hier Stadtphysikus und darauf auch zum Leibarzt des Königs von Schweden ernannt, von welchem er am 20. October 1666 mit dem Zunamen von Lilienau nobilitirt wurde. Ausser Schriften medicinischen Inhalts hat er auch Gedichte in griechischer, lateinischer und deutscher Sprache geschrieben. Geb. den 6. Decbr. 1618, gest. den 5. Januar 1688. Für seine dem Rathe übersandte Doctor-Disputation erhielt er von demselben unter rühmlichster Anerkennung seines Fleisses 500 Reichsthaler. Rig. Stadtbl. 1823. S. 115. 1884. S. 154. Schriftst.-Lex. IV. S. 550.

641. — Octbr. **Reinholdus Groth Revalia Livonus.**

642. — — **Johannes Vestring Revalia Livonus.** Er hatte, wie es scheint, schon vorher in Leyden und zwar Theologie studirt, denn hier ist am 19. August 1637 ein Joannes Vestringius, Livonus, 21 Jahre alt, als Theologe inscribirt. Sohn des Superintendenten Heinrich Vestring, wurde zu Greifswald Doctor der Rechte, 1646 Vice-Syndicus, 1653 Syndicus in Reval. Im Jahre 1659 nahm er an den Olivaischen und nachher an den Moskowischen Friedensunterhandlungen als Gesandter Antheil. Gestorben in Riga. Rev. Rathsl. S. 137.

7

643. 1641. **Johannes Saeonis (?) Bornaas (?) Gothus e Livonia.** Diese Stelle ist so unleserlich geschrieben, dass für die Richtigkeit der entzifferten Namen nicht eingestanden werden kann.

644. — April. **Fridericus Rosel Osiliensis Livonus.**

645. 1642. Juni. **Hermannus Erdman Rigensis Livonus.**

646. 1643. Juni. **Johannes Rickman Rigensis.** Auch Richman genannt. Geboren 1622, ging von Rostock nach Wittenberg, wo er 1645 die Magisterwürde erhielt und 1648 Adjunct der philosophischen Facultät wurde. Darauf war er in Leyden, wo er den 11. August 1649 als Magister, 27 Jahre alt, und Jurist immatriculirt wurde. Der Rig. Rath berief ihn zum philosophischen Lehramt an das Gymnasium; er trat jedoch erst 1650 diese Stelle an, indem er sich zuerst noch in Jena aufhielt und einige Reisen in Deutschland und Holland machte. 1657 wurde er Wochenprediger, 1659 Pastor an der Domkirche und starb 1671. Bergmann I. S. 42. Schriftst.-Lex. III. S. 534.

647. — August. **Georgius Tempel Arensburgo Livonus.**

648. — — **Joachimus Kühn Riga Livonus.** Er vertheidigte 1646 zu Wittenberg unter Dr. Jacob Martini eine Kathederabhandlung de deo, welche ihm die Magisterwürde erwarb. Diese Schrift hat er der Dreilingschen Familie zugeeignet. Hupel n. M. XXVII. S. 370. Schriftst.-Lex. II. S. 575.

649. — — **Thomas Schultz Riga Livonus.** Er studirte später auch in Leyden, wo er den 1. Septbr. 1648 als Thomas Scholtz, Riga Livonus, 27 Jahre alt, Theologe, inscribirt wurde, erwarb sich in Wittenberg 1646 die Magisterwürde und wurde 1650 Pastor zu Babit, Holmhof und Pinkenhof. Geb. 1621. Gest. 28. April 1657. Schriftst.-Lex. IV. S. 141.

650. 1644. Juli. **Balthasar Kohl Osiliens. Aren. Livonus.**

651. — August. **Timon Schrove Revalia Livonus.** Wohl ein Sohn des Revalschen Bürgermeisters Thomas Schrowe (auch Schreve genannt), von 1615—1643. Er gab zu Rostock eine theologische Dissertation heraus. Rev. Rathsl. S. 129. Schriftst.-Lex. IV. S. 129.

652. 1645. Juni. **Theodorus Müllerus Revalia Livonus.**

653. — Juli. **Hieronymus Depkin Riga Livonus.** Sohn des Rigaschen Kaufmanns Boris Depkin, geb. zu Riga den

21. August 1625, hat Rostock wohl bald wieder verlassen und ist zu seinem weiteren Studium nach Wittenberg gegangen, wo er in den Jahren 1647 und 1649 zwei Dissertationen in Druck ausgehen liess und die Magisterwürde erhielt. 1650 wurde er Pastor zu Sissegal und starb den 2. Januar 1657 an der Pest, die sich in Folge des russischen Krieges über das Land verbreitet hatte. Berkholz, Die alte Pastorenfamilie Depkin in der „Neuen Zeitung für Stadt und Land". 1881. Separatabdruck S. 5—9.

654. 1645. August. **Johannes Trost Reval Livonus.**

655. — Octbr. **Hermannus Woestman Revalia Livonus.**

656. 1646. August. **Guilielmus Klüver cognomento Kerstens, Curo Livonus.**

657. — Septbr. **David Calen Riga Livonus.** Sohn des Pastors Schotto Calen, studirte zuerst in Wittenberg, wurde dort Magister, am 27. Juni 1657 als Diaconus an der St. Johanniskirche zu Riga ordinirt, starb am 4. Juli 1657 an der Pest. Schriftst.-Lex. I. S. 316.

658. — Septbr. **Johannes Schultz Riga Livonus.** Wahrscheinlich ein Bruder des oben (648) genannten Thomas Schultz. Gleich diesem ging auch er von Rostock nach Leyden, wo er ein halbes Jahr später als jener, am 26. Mai 1649, als Riga Livonus, 26 Jahre alt, Jurist, immatriculirt wurde.

659. — Septbr. **Justus Bisemwinkelius Riga Livonus.** Er studirte auch zu Wittenberg und Leipzig, an welchem letzteren Orte er Magister wurde und auch eine Zeit lang Adjunct der philosophischen Facultät war. Am 7. August 1652 wurde er zum Pastor von Sunzel ordinirt, am 10. Juli 1657 nach Riga als Diaconus zu St. Peter berufen, starb aber gleich nach dem Antritt seines Amts an der Pest am 30. Juli 1657. Napiersky, Kirch. und Geistl. Heft 2. Thl. 1. S. 22. Schriftst.-Lex. I, 179.

660. 1647. Januar. **Wilhelmus Ulrici Bauskovia Semgallus.** Wahrscheinlich ein Sohn des Pastors Ulrich in Dondangen, welcher 1651 Pastor in Lessen wurde, daselbst noch am 3. Novbr. 1684 lebte, aber nicht lange darauf, 84 Jahre alt (?), an den Blattern starb. Kallmeyer, Kurl. Pred.-Lex. Zweifelhaft wird

7*

diese Annahme nur dadurch, dass er sich als Bauskovia Semgallus bezeichnet, doch kann der Dondangensche Pastor Ulrich früher wohl in Bauske gewesen sein.

661. 1647. August. **Jodocus Helste Riga Livonus.**

662. — Decbr. **Johannes Petersen Rigensis.** Er starb als Student 1648 zu Rostock; das Leichenprogramm ist von dem Professor Quistorp geschrieben. Weitere Nachrichten, S. 54.

663. — — **Hermannus Hermelingus Rigensis.** Geboren in Riga als Sohn eines Schlossers am 19. Mai 1626, hatte das Gymnasium seiner Vaterstadt besucht, wurde in Rostock 1651 Magister, nach seiner Rückkehr von der Universität zuerst königl. schwed. Hofprediger an der Schlosscapelle in Riga, 1659 Wochenprediger bei der Stadt und 1682 Prediger am Dom. Gestorben den 8. Juni 1685. Seine Bibliothek vermachte er der Rig. Stadtbibliothek. Hupel n. Misc. IV. S. 77. Bergmann I. S. 44. Schriftst.-Lex. II. S. 263.

664. 1648. Juni. **Hermannus Stephani Mitova Semigallus.**

665. — — **Johannes Gasterus Mitoa Semigallus.**

666. — — **M. Johannes Hesplus Mitoa Semigallus.** Er wurde 1650 Pastor in Tuckum, 1665 Propst seiner Diöcese und starb daselbst 1674 oder 1675. Inland 1852. Sp. 875. Kallmeyer, Kurl. Pred.-Lex.

667. — Juli. **M. Johannes Krüger Riga Livonus.** Geboren 1622; wurde 1654 Pastor zu Bickern, 1657 Diaconus in Riga am Dom, 1658 Diaconus zu St. Peter, 1671 Oberpastor am Dom. Gestorben 1685. Berkholz, Beiträge S. 31, 53, 54, 173.

668. — Octbr. **Johannes Christoph Schwartz Revalia Livonus.** Sohn des Andreas Schwartz, welcher Gouvernementssecretair und königl. Pfundherr zu Narva war, und seiner Ehefrau Margaretha zur Hoge. Geboren 1627; er machte nach Beendigung seiner Studien Reisen in Deutschland, Holland, Frankreich und Italien, zuerst mit einem Grafen Oxenstiern, darauf mit einem Mecklenburgschen oder Holsteinschen Prinzen. Später liess er sich in Narva nieder, wurde dort in den Rath gezogen, Bürgermeister und Häradshöfding von Iwangorod. Gestorben den 16. September 1699. Karl XI. nennt ihn in einer Urkunde vom

28. August 1687 einen fünfundzwanzigjährigen getreuen fleissigen und brauchbaren Diener, der sich jeder Zeit redlich bewiesen habe. Gadebusch, Livl. Bibl. III. S. 128.

669. 1648. Decbr. **Wilhelm Johan Teuringk Curlandus.** Er wurde 1658 Pastor zu Schrunden und starb daselbst den 12. Octbr. 1697 als „wohlverdienter 42jähriger Pastor", muss also schon 1656 anderswo Pastor gewesen sein. Kallmeyer, Pred.-Lex.

670. 1649. August. **Caspar Martens Riga Livonus.** Er schrieb 1650 in Rostock eine „disputatio de Christi sacerdotio et regno adversus Socianos", in Folge deren er zum Magister promovirt wurde. Er wurde Pastor zu Gramsden in Kurland, verliess aber seine Gemeinde im Sommer 1659, weil die Kirche durch den Einbruch der polnischen Armee ruinirt und die Gegend unsicher geworden war, und ging nach Riga. Er wurde darauf 1661 als Pastor nach Kokenhusen berufen und ging 1670 als Prediger nach Rujen, wo er noch 1674 lebte. Schriftst.-Lex. III. 165. Kallmeyer, Kurl. Pred.-Lex.

671. — August. **Nicolaus Kohl Livonus.** Von Rostock ging er nach Leyden, wo er den 22. October, 20 Jahre alt, als Jurist immatriculirt wurde.

672. — Octbr. **Martinus Meyer Goldinga Curlandus.** Vielleicht ein Sohn des 1642 vorkommenden Bürgermeisters Daniel Meyer zu Goldingen. Hennig, S. 209.

673. 1650. August. **Elias Welsch Riga Livonus.** Er wurde den 5. Mai 1653 zu Rostock Magister.

674. 1651. Juli. **Arnoldus Böttcher Revaliensis Livonus.**

675. — Novbr. **M. Georgius vom Damme Livonus.** Er studirte zuerst zu Leipzig und Jena, erhielt 1652 in Rostock die Magisterwürde und wurde 1657 Diaconus zu St. Johannis in Riga, starb jedoch schon am 12. September an der derzeit hier herrschenden Pest. Schriftst.-Lex. I. S. 406.

676. — — **Benedictus Heintzke Nobilis Livonus.** Wahrscheinlich ein Sohn des Rigaschen Rathsherrn Benedict Hinze (1637 bis 1649), auch Hinzke genannt, dem der Rigasche Rath 1646 ein an den König gerichtetes Attestationsschreiben über seine adelige Herkunft ausstellte. Rig. Rathsl. 574.

677. 1652. Mai. **Adamus Fridericus Fischbach Livonus.** Geboren in Riga. Er schrieb in Rostock 1653 eine theologische Dissertation, wurde Secretair der ehstländischen Ritterschaft und zugleich des Oberlandgerichts; wurde als solcher von dem König Karl XI. in den Adelsstand erhoben und am 10. Februar 1676 unter den ehstländischen Adel recipirt. Er verfertigte einen Auszug aus der handschriftlichen Chronik des Gustav von Lode unter Fortführung bis zum Jahre 1693, welcher von dem Landrath Wrangel in seine Chronik aufgenommen und in der von Dr. C. J. A. Paucker besorgten Ausgabe der letzteren, Reval 1845, mit abgedruckt ist. Schriftst.-Lex. I. S. 563.

678. — Mai. **Christianus Layell Nobilis Livonus.**

679. — Juli. **Henricus a Dellenhorst Riga Livonus.**

680. }
681. } — August. **Georgius et P(etrus?) Magiri fratres Livoni.**

Ein Nicolaus Magirus war bis 1644 Pastor in Gramsden und wurde 1645 Pastor in Siuxt in Kurland. Ein aus Kurland gebürtiger Levin Magirus ist 1661 Pastor auf Sissegal. Die Vorstehenden mögen wohl Verwandte von ihm sein, da dieser Name sonst nicht vorkommt. Napiersky, Kirchen und Prediger. Heft 3. Thl. II. S. 63. Kallmeyer, Kurl. Pred.-Lex.

682. — August. **Fridericus Yöpping Lubav. Curland.**

683. — Septbr. **Henricus Bückelman Eston. Livonus.**

684. 1653. Octbr. **Bartholdus Rolofsen Mitoa Semigallus.**

685. — — **Johannes Reck Mitoa Semigallus.** Er war Pastor zu Grösen (Lihkuppen und Pampeln) in Kurland um 1660. Kallmeyer, Pred.-Lex.

686. — — **Johannes a Campen Goldinga Semigallus.**

687. 1654. April. **M. Urbanus Strahlborn Revalia Livonus.** Er wurde den 4. October 1656 zum Pastor zu Kirrifer oder St. Nicolai in Ehstland berufen. Paucker, Geistl. S. 275.

688. — Septbr. **Gregorius Strubergius Riga Livonus.** Wohl der Sohn des gleichnamigen Professors am Rigaschen Gymnasium. Siehe oben unter 591.

689. — Octbr. **Hinricus Gigingius Livonus.** Er wurde 1664 zum Pastor von Segewold ordinirt, war 1682 Propst und 1684 Assessor

im Unter-Consistorium des Rigaschen Kreises. Sein Vater war wohl der Heinrich Giginck, welchem im Jahre 1639 in Riga ein Garten aufgetragen wurde. Napiersky, Kirchen und Pred. Heft 2. Thl. I. S. 77. Lib. rur. 392.

690. 1654. Decbr. **Franciscus Steffens Riga Livonus.**

691. 1655. Januar. **Johannes Axelius ab Hintzke Livonus.** Vielleicht zu der sub Nr. 676 genannten Familie gehörig. Schon den 14. Juli 1655 liess er sich zu Leyden als Eques Livonus und Stud. Eloq. et Pol., 21 Jahre alt, immatriculiren.

692. — Mai. **Hinrich Hein Livonus.** Wahrscheinlich ein Sohn des Professors und Doctor juris gleichen Namens, welcher letztere, von Rostock nach Dorpat berufen, 1631 Assessor des Hofgerichts, 1640 und 1649 Rector der Universität war und sich noch 1656 in Reval, wohin er gleich andern Professoren Dorpats geflüchtet war, U. I. D. Professor et Universitatis Gustavianae p. t. Rector nec non dicasterii regii dorpatensis Adssessor senior unterschreibt. Mitth. VII. S. 166. Inland 1852. S. 877.

693. — Juni. **Johannes Christoph Janichius Ubbenormia Livonus.** Sohn des Pastors zu Ubbenorm und Dickeln Johann Janichius, wurde 1661 Pastor zu Salisburg und lebte noch 1679. Napiersky, Kirchen und Pred. Heft 3. Thl. 2. S. 24.

694. 1655. Juni. **Friedericus Johannes Arend Goldinga Curonus.** Vielleicht der Sohn des Pastors Johan Arend, der als Hofprediger des Herzogs Wilhelm im Anfange des siebzehnten Jahrhunderts in Goldingen lebte. Tetsch, Kirchengesch. I. S. 211.

695. — — **Johannes Meinerus Goldinga Curonus.** Wahrscheinlich ein Sohn des Johan Mainer, welcher im Jahre 1642 herzogl. kurländischer Fiscal wurde und dabei ausser andern Emolumenten auch eine Kammer, d. h. wohl eine Wohnung, sowohl zu Mitau als zu Goldingen eingewiesen erhielt. Inland, 1840. Sp. 744.

696. — August. **Friedericus Johansen Riga Livonus.** Er liess zu Rostock 1658 und 1662 zwei theologische Disputationen drucken. Schriftst.-Lex. S. 383.

697. — — **Hinricus Sehlmann Riga Livonus.** Geboren 1632, wurde 1661 Pastor zu Mitau, 1671 Pastor zu Uexküll und

Kirchholm, und 1682 Diaconus am Dom zu Riga. Gestorben den 19. Febr. 1683. Napiersky, Kirch. und Pred. Heft 4. Th. 3. S. 45.

698. 1655 August. **Jacobus Comminus Riga Livonus.**

699. — — **Johannes Hofman Mitovia Curonus.**

700. — — **Joachimus Wittig Revalia Livonus.** Er starb als Student in Rostock 1657, indem er auf der Warnow durch das Eis brach und ertrank. Sein Leichenprogramm wurde vom Professor Caspar Mauritius geschrieben. Weitere Nachrichten, 1743. S. 75.

701. — Decbr. **M. Eberhardus Müllerus Revalia Livonus.** Er war Adjunct der philosophischen Facultät zu Wittenberg, dann Feldprediger in Preussen, und zwar zuletzt in Thorn. Gest. den 4. Octbr. 1660. Schriftst.-Lex. III. S. 275.

702. 1656. Januar. **M. Georgius Dunte Revalia Livonus.** Er kam wohl schon als Magister nach Rostock, da er als solcher immatriculirt wurde, nicht aber ist er hier dazu promovirt worden. Er liess zu Rostock zwei Abhandlungen, 1654 und 1656, in Druck ausgehen und war von 1672 bis an seinen 1677 erfolgten Tod Professor der griechischen Sprache am Revaler Gymnasium. Schriftst.-Lex. I. S. 461. Albanus, Schulb. 1815. S. 106. Berting, S. 12. Hansen, Geschichtsbl. S. 43, 187.

703. — Mai. **Caspar Krause Rigensis.**

704. — Juni. **Christophorus Briennius Goldinga Curlandus.**

705. — Juli. **M. Joachim Salemann Revalia Livonus.** Sohn des Pastors Georg Salemann an der heil. Geist-Kirche in Reval, geb. 1629. Als er in Rostock eintrat, hatte er bereits mehrere Universitäten besucht und war zu Wittenberg 1655 Magister geworden. Nach beendigten Studien kam er 1658 nach Reval, wurde hier Diaconus zu St. Olai, 1660 Inspector der Schulen, 1663 Compastor und Cosuperintendent, 1673 Superintendent, 1693 bei dem Jubiläum der Universität Upsala Doctor der Theologie und in demselben Jahre bei Aufhebung der Superintendentur Bischof. Paucker, Geistl. S. 339 und 349.

706. — August. **Gothardus Tirol Frawenburga Curlandus.**

707. — Decbr. **Nicolaus Wlöm Mitoa Semgallus.**

708. 1657. Jan. **Laurentius Zimmerman Riga Livonus.** Sohn des Rig. Rathsherrn Carsten Zimmerman, geb. den 27. März 1640. Er studirte später noch zu Helmstädt und Leyden, an welchem letzteren Orte er den 10. December 1665, 24 Jahre alt, als Stud. juris et matheseos inscribirt wurde. Er wurde 1672 beim Rigaschen Rath Secretair, 1675 Obersecretair, 1677 Rathsherr und Landvogt und starb den 15. April 1685. Rig. Rathsl. S. 188.

709. — — **Johannes Dreiling Riga Livonus.** Sohn des Aeltesten gr. Gilde in Riga Franz Dreiling, geb. 1642, studirte später auch zu Helmstädt, wo er 1663 eine Dissertation schrieb und drucken liess, wurde 1672 Vogteigerichts-Secretair, 1679 Rathsherr, 1697 Bürgermeister und starb 1710. Rig. Rathsl. S. 189.

710. — — **Franciscus Dreiling Riga Livonus.** Wohl ein Bruder des Vorstehenden.

711. — April. **Otto Depenbrock Riga Livonus.** Vielleicht ein Sohn des Rig. Rathsherrn Michael von Depenbrock, welcher von 1650 bis 1667 Mitglied des Rig. Raths war. Rig. Rathsl. S. 176. Ueber die Familie Depenbrock siehe Hupel n. nord. Misc. IX. S. 283.

712. — — **Joachimus a Flügeln Riga Livonus.**

713. — — **Nicolaus a Flügeln Riga Livonus.** Diese beiden sind wohl Söhne des Rigaschen Bürgermeisters Johann von Flügeln (gest. 1662).

714. — Juni. **Theodorus Einhorn Vindavia Curonus.**

715. — August. **Lubertus Kramer Riga Livonus.** Er besuchte das Gymnasium in Riga, ging bei einbrechender Pest 1656 nach Rostock, blieb auf seiner Rückreise längere Zeit in Königsberg, ging dann nach den Niederlanden, kam endlich nach Giessen, wurde dort Magister und starb daselbst 1662. Schriftst.-Lex. II. S. 543, wo er jedoch nach nord. Misc. IV, 92, Lüdert genannt wird.

716. — — **Hermannus Ulricus Riga Livonus.** Von Rostock ging er nach Leyden, wo er am 23. October 1661, 24 Jahre alt, als Jurist inscribirt wurde.

717. — — **Ludovicus Schmidt Riga Livonus.**

718. 1657. August. **Johannes Beatt Revalia Livonus.** Im Jahre 1664 ordinirt, 1671 Pastor zu St. Johannis in Jerwen, gestorben 1674. Pauckor, Geistl. S. 184, 214.

719. — Septbr. **Bartholus Pothorst Riga Livonus.** Zufolge eines vom Pastor zu Hapsal und Consistorial-Assessor Joachim Sellius geschriebenen Beerdigungs-Programms war Barthold Potthorst Assessor des livländischen Oberconsistoriums und des Pernauschen Landgerichts; gest. 1678. Schriftst.-Lex. IV. S. 183.

720. — Decbr. **Sebastianus Würdich Dorpatensis.** Sohn des Sebastian Wirdig, Professors der Arzneikunde zu Dorpat und später, nach 1654, zu Rostock. Dieser Sohn gleichen Namens prakticirte zu Hamburg, wurde 1675 Doctor der Arzneikunde und starb bald darauf. Gadebusch, Livl. Biblioth. III. S. 313. Mittheil. VII. S. 169.

721. — — **Casparus Würdich Dorpatensis.** Ein Bruder des Vorstehenden, wurde Jurist. Gadebusch, Livl. Biblioth. III. S. 313.

722. — — **M. Gregorius Ulrich Riga Livonus.** Sohn des Pastors Herbert Ulrich, geb. 1631, wurde 1660 Pastor zu Uexküll und Kirchholm, 1662 Diacon an der St. Johanniskirche und 1681 Pastor an derselben Kirche zu Riga. Gestorben 1691. Bergmann I. S. 44.

723. 1658. Febr. **Johannes Vestring Reval. Livonus.**

724. — Juni. **Johannes von Busch Riga Livonus.**

725. — Juli. **Antonius Christiani Riga Livonus.** Sohn des Rigaschen Rathsherrn Nicolaus Christiani, geb. 1644. Er wurde Secretair der livl. Ritterschaft, 1678 livländischer Mitdeputirter zu Stockholm und starb 1697. Am 20. März 1676 wurde er unter dem Namen von Sternfeldt in Schweden nobilitirt. Rig. Stadtbl. 1884. S. 155.

726. — — **Henricus Mejerus Semigallus.** Wahrscheinlich der Pastor Heinrich Mejer, welcher zu Edwahlen Pastor und am 4. Februar 1698 bereits Emeritus war und sich zu Mitau aufhielt, vom Rath zu Goldingen aber bewogen wurde, die lettische Predigerstelle daselbst gegen eine besondere Vergütung bis zur Beseitigung der vorhandenen Wahlstreitigkeiten zu verwalten.

Er blieb hier bis zu Ende des Jahres 1699. Hennig, S. 279. Kallmeyer, Pred.-Lex.

727. 1658. Febr. **Georgius Willebrand Reval. Livonus.**

728. — Decbr. **Andreas Forselius Revalia Livonus.** Geb. zu Reval am 31. December 1637. Er wurde 1661 Pastor zu Oberpahlen, 1671 auch Propst des Dörptschen Districts und wohl als solcher zweiter Präses des Unterconsistoriums. Gestorben den 12. Januar 1678. Napiersky, Kirchen und Pred. Heft 2, Thl. 1. S. 70.

729. — Decbr. **Hinricus Mollenbeck Livonus.**

730. 1661. April. **Johannes Georgius Görken Wind. Curland.**

731. — August. **Johannes Vorselius Rev. Livonus.** Vielleicht ein Bruder des oben sub Nr. 728 Genannten. Ein Johann Forselius ist 1681, auch noch 1699, Pastor zu Kl. St. Johannis. Napiersky, Kirchen und Pred. Heft 2, Thl. 1. S. 70.

732. — Octbr. **M. Jacobus Lindeman Rigensis.** Er hatte zuvor in Jena studirt und dort sich wohl den Magistergrad erworben. Im Jahre 1664 war er Pastor zu Ronneburg. Napiersky, Kirchen und Pred. Heft 3, Thl. 2. S. 57. Schriftst.-Lex. III. S. 75.

733. — Novbr. **Michael Varendorff Riga Livonus.** Auch Fahrendorf geschrieben; er wird Magister genannt. Im Jahre 1670 war er Regiments-Prediger in Riga und bewarb sich 1671, 2. März, um eine vacante Stelle bei der Stadt, jedoch ohne Erfolg. Napiersky, Kirchen und Pred. Heft 2, Thl. 1. 65.

734. 1662. April. **Valentinus Regius Mitovia Curland.** Sohn des Pastors Daniel Regius in Schaimen, wurde 1670 lettischer Prediger zu Bauske und starb den 8. März 1697. Schriftst.-Lex. III. S. 494. Kallmeyer, Pred.-Lex.

735. — Mai. **Reinholdus Brokman Revalia Livonus.** Wohl ein Sohn des Reinerus Brokman, Predigers an der Domkirche zu Reval (gest. 1647). Paucker, Geistl. S. 183.

736. — — **Johann Balthasar Rehausen Riga Livonus.** Sein Vater, M. Christian Rehausen, war zuerst 1639 Rector der Rigaschen Domschule, sodann 1655 Professor der Gottesgelahrt-

heit und der hebräischen und griechischen Sprache am Gymnasium zu Riga. Schriftst.-Lex. III. S. 495.

737. 1663. Juni. **M. Thomas Stampelius Riga Livonus.** Er hatte zuvor zu Wittenberg studirt und war dort zum Magister promovirt worden.

738. — — **Melchior Bilterlingius Curlandus.** Wahrscheinlich ein Sohn des Propstes Melchior Bilterling zu Doblen, wurde 1672 Pastor zu Hasenpoth und kommt noch 1687 vor, wo das von ihm gekaufte Gut Neu-Laschen ihm gerichtlich eingewiesen wurde. Tetsch II, 55. Kallmeyer, Pred.-Lex.

739. 1664. Jan. **Stephanus Derenthal Riga Livonus.** Er beschäftigt sich in Riga mit Aufträgen von Häusern für Andere in den Jahren 1635 und 1637 und war Advocat in Riga. Lib. rur. 393, 402. Rig. Rathsl. S. 208.

740. — Juli. **David Gray Bersonensis Livonus.** Sohn des Pastors Jacob Gray zu Berson, geb. den 9. Febr. 1644. Er wurde 1667 Adjunct seines Vaters, verwaltete zugleich seit 1677 die Pfarre zu Festen und wurde 1686 hier Pastor. Napiersky, Kirchen und Pred. Heft 2, Thl. 1. S. 83.

741. 1665. Mai. **Casparus Henricus Cunitius Revaliensis.** Wohl ein Sohn des David Cunitius, welcher Professor der Dichtkunst am Revalschen Gymnasium von 1643—1671 war. Berting, S. 10. Hansen, Geschichtsbl. S. 185. Schriftst.-Lex. I. S. 389.

742. 1667. Septbr. **Johann Georg Mohrenschild Nob. Livonus.**

743. — Novbr. **Georgius Johannes Schmidt Livonus.** Er war 1677 Pastor zu Lemburg und starb 1684. Napiersky, Kirchen und Pred. Heft 4, Thl. 3. S. 33.

744. 1668. Juli. **Hinricus Güsekenius Livonus.** Sohn des Propstes Heinrich Goeseken zu Goldenbeck in Ehstland. Er wurde 1672 zum Adjunct ordinirt, beschäftigte sich mit der Uebersetzung der Bibel in's Ehstnische und starb 1705. Paucker, Geistl. 259. Schriftst.-Lex. II. S. 77.

745. 1669. Juli. **Casparus Siegelman Dorpatensis Livonus.**

746. — August. **Georgius Fridericus Burmeister Livonus.** Sohn des Pastors Georg Burmeister zu Loddiger. Geb. 1647. Er

wurde Pastor zu Loddiger, vocirt 1679, ordinirt 1680, gestorben 1710. Napiersky, Kirchen und Pred. Heft 2, Thl. 1. S. 34.

747. 1669. Octbr. **Gustavus Janichius Riga Livonus.**

748. 1671. April. **Johan Wilken Reval. Livonus.** Im Jahre 1676 als Pastor zu Jegelecht in Ehstland angestellt, wurde er 1694 Pastor in Kegel und 1706 Propst in West-Harrien. Gest. 1710. Paucker, Geistl. S. 103 und 122.

749. 1672. Mai. **David Lotichius Rigensis.** Ein Sohn des David Lotichius, welcher Pastor zu Wenden, sodann zu Riga Garnisons-Prediger, darauf Feldpropst und endlich Pastor zu Schlock war. In Rostock schrieb er 1673 eine diss. politica de judice. Nach einer handschriftlichen Bemerkung von J. C. Schwartz in dessen auf der Rigaschen Stadtbibliothek befindlichem Exemplar von Gadebusch' Livl. Bibl. hat er noch bei Lebzeiten seines Vaters sich ganz auf die lüderliche Seite gelegt. Napiersky, Kirchen und Pred. Heft 3, Thl. 2. S. 59. Gadebusch, Livl. Bibl. II. S. 203. Schriftst.-Lex. III. S. 110, 111.

750. — Juli. **Engelbertus Mathias Dorpatensis Livonus.** Er war 1677 und 1678 Pastor zu St. Magdalenen, zog später nach Narva. Napiersky, Kirchen und Pred. Heft 3, Thl. 2. S. 67.

751. — — **Johannes Nicolaus Hartungus,** Rotmersleb. Magdeburg, ecclesiae Raugensis in Livonia Pastor et districtus Dorpatensis praepositus, S. S. Theol. Licentiatus. Geboren zu Rotmersleben am 17. Februar 1636, trat er nach beendigten Studien als Wachtmeister in den Kriegsdienst unter dem Könige Carl Gustav von Schweden, wurde 1661 Pastor zu Range in Livland und 1670 Assessor des Dörptschen Unter-Consistoriums. Im Jahre 1672 finden wir ihn in Rostock, wo er eine Dissertation schrieb, um Licentiat der Theologie zu werden; 1688 ist er Assessor des Ober-Consistoriums, 1696 Propst und Pastor zu Wolmar. Er führte den Vorsitz bei den Synodaldisputationen der livl. Geistlichkeit, zuletzt in Pernau. Auf seiner Rückkehr von da wurde er beim Einfall der Russen in Livland, als er über die Aa setzte, am 15. August 1702 von den ihn verfolgenden Kosaken niedergeschossen. Napiersky, Kirchen und Pred. Heft. 3, Thl. 2. S. 5. Schriftst.-Lex. II. S. 188.

752. 1672. August. **Liborius Depkinus Riga Livonus.** Sohn des Pastors Hieronymus Depkin zu Sissegal, geb. 1652. Er besuchte nach Rostock auch die Universitäten Helmstädt und Leipzig, liess während dieser Zeit schon mehrere Abhandlungen im Druck erscheinen, kehrte 1680 nach Riga zurück, wurde hier zum Rector der Domschule und Pastor-Adjunct ernannt, 1681 aber Prediger in Lemsal und 1690 Pastor an der Johanniskirche in Riga. Gest. am 2. Decbr. 1708. Schriftst.-Lex. I. S. 415. Berkholz, Depkin. S. 8—21.

753. — — **David Cunitius Revaliensis.** Wohl ein Sohn des Professors am Revalschen Gymnasium. Siehe oben Nr. 741.

754. — Decbr. **Conradus ab Aken Revalia Livonus.**

755. 1673. Jan. **Michael Reusnerus Burtneeka Livonus.** Sohn des Pastors zu Burtneck gleichen Namens, geb. den 29. Juli 1650, studirte auch zu Wittenberg, wurde 1677 Pastor zu Papendorf, 1680 zu Ubbenorm. Gest. 1715. Napiersky, Kirchen und Pred. Heft 4, Thl. 3. S. 12.

756. 1673. Juni. **Jodocus Kohl Osiliensis.**

757. — Decbr. **Johannes Schwander Curonus.** Ein Johannes Schwanner (vielleicht derselbe mit einem hier oder dort verlesenen oder verschriebenen Namen) wird den 27. Juni 1675 in Leyden als Curlandus, 22 Jahre alt, Stud. jur., immatriculirt.

758. — — **Otto Johan Groth Curonus.**

759. 1674. Juli. **Henricus Richter Goldinga Curonus.**

760. — — **Laurentius Johannes Ulrici Curo Semgallus.**

761. — August. **Johannes Helmsing Curland. Golding.** Wohl ein Grosssohn des Pastors zu Zabeln, Johann Holmsing, welcher 1610 sein Amt antrat und 1641 starb, und Sohn des Pastors zu Goldingen, M. Mathias Helmsing (gest. 1659). Es erschien von ihm: Disp. de Poenitentia pr. And. Dan. Habichthorst. Rostock 1675. Hennig, S. 265 u. ff. Hupel nord. Misc. XXVII. S. 320. Schriftst.-Lex. II. S. 225.

762. — — **Hermannus Zimmerman Riga Livonus.** Geboren 1654. Er wurde in Riga 1681 Diacon an der Johanniskirche, 1683 an der Domkirche, 1685 Archidiacon an der Petrikirche, 1691 Wochenprediger und Beisitzer des Consistoriums

und 1700 Pastor an der Domkirche zu Riga. Gest. 1702. Bergmann I. S. 45.

763. 1674. Octbr. 25. **Johannes Welsch Riga Livonus.** Er liess 1676 zu Rostock in Druck ausgehen: Dodecas quaestionum philosophicarum. Schriftst.-Lex. IV. S. 487.

764. 1675. Januar 19. **Guilelmus Clayhils Riga Livonus.** Im Anfange des achtzehnten Jahrhunderts finden wir Glieder dieser Familie im Revaler Rath, von denen Hermann und Joh. C. aus Riga dorthin gezogen war. Rev. Rathsl. S. 86.

765. — — **Joannes Reuter,** Doctor Bullatus et Ecclesiae Evangelicae in Moscovia Pastor, **Riga Livonus.** Er studirte zuerst im Jahre 1656 zu Dorpat, war dann Pastor zu Ronneburg 1664, trat darauf noch vor 1665 in Mitau zur katholischen Kirche über, weil er Zweifel über einige Artikel der Augsburgischen Confession gehabt hatte; ging nach Rom und, von dort zurückgekehrt, nach Moskau, wo er sich der lutherischen Kirche wieder zuwandte und evangelischer Prediger wurde. Er kam dann bei dem Ober-Consistorium in Livland mit dem Gesuche ein, ihn wieder als lutherischen Prediger aufzunehmen, wurde zunächst den 7. April 1673 abschläglich beschieden, ging darauf nach Wittenberg, erklärte dort seine Reue über den Abfall, erhielt von den Wittenberger Professoren ein Zeugniss über seine Rechtgläubigkeit, erlangte darauf hin in Stockholm die Verzeihung des Königs im October 1675 und wurde in Folge königlichen Rescripts vor dem Altar in der Jacobikirche in Riga nach bezeugter Reue und erklärtem Bekenntniss der Augsburgischen Confession wieder des Priesteramtes fähig erachtet, auch darauf, 1676, Garnisons-Prediger in Kokenhusen. Napiersky, Kirchen und Pred. Heft. 4, Thl. 3. S. 13.

766. — Juli 20. **Albertus Hinricus Weidel Rigensis.**

767. — August 2. **Andreas Willebrandt Livonus Rev.** Sohn des Revalschen Predigers Matthaeus Willebrandt, geb. 1652. Er wurde 1680 von Rath und Bürgerschaft der Stadt Dorpat zum Prediger der deutschen Gemeinde daselbst gewählt, gerieth aber mit dem Rath in einen Streit, weil er in Predigten gegen die Kappen der Frauen und die französischen Tänze geeifert

hatte, wandte sich nach Eroberung der Stadt Dorpat im Jahre 1704 nach Riga, wurde hier 1710 Wochenprediger, 1720 Pastor am Dom, 1736 Oberpastor und starb 1737. Gadebusch, Livl. Bibl. III. S. 307 u. ff. Bergmann I. S. 48. Schriftst.-Lex. IV. S. 518.

768. 1675. August 2. **Helmich Reinhold Ludwig Rev. Livonus.** Sohn des Pastors Johannes Justus Ludwig, studirte auch zu Wittenberg, war 1682 wieder in seiner Heimath, wurde 1691 Adjunct seines Vaters, nach dessen Tode, 1696, Pastor ordinarius zu Jörden in Ehstland und 1706 Propst. Gestorben 1738. Paucker, Geistl. S. 141.

769. — Septbr. **David Christoph Beckherrn Reval. Livonus.**

770. 1678. Novbr. 18. **Reinerus Johannes Riesenkampf Rev. Livonus.** Im Jahre 1683 Pastor zu Goldenbeck in Ehstland. Gestorben 1689. Paucker, Geistl. S. 265. Schriftst.-Lex. III, 547.

771. — Decbr. 18. **Theodorus Friderici Riga Livonus.** Geb. zu Riga den 2. Septbr. 1650. Er hatte zuerst auf der Universität Kiel studirt, wurde 1682 Pastor zu Uexküll und 1683 Diaconus an der St. Johanniskirche in Riga. Gest. den 10. März 1690. Napiersky, Kirchen und Pred. Heft 2, Thl. 1. S. 72.

772. 1679. März. **Johannes Lyderitz Libavia Curlandus.** Der Sohn des Pastors zu Libau gleichen Namens von 1655—1682. Er war 1700 Pastor in Neu-Autz und wahrscheinlich noch 1714. Tetsch II, 119. Kallmeyer, Kurl. Pred.-Lex.

773. — August. **Eberhardus Echhold Livonus.**

774. — — **Erasmus Pegow Livonus.** Auch Pegau genannt, wurde 1684 Pastor zu St. Annae oder Burt in Ehstland, 1689 in Helmet, flüchtete 1702 nach Reval, weil sein Kirchspiel von den Russen gänzlich verwüstet worden war, war 1703 und 1709 wieder in Helmet, wurde 1711 Pastor an der Domkirche in Reval, 1713 Oberpastor und 1715 Assessor des Consistoriums. Gest. 1724. Paucker, Geistl. S. 245. Napiersky, Kirchen und Pred. Heft 3, Thl. 2. S. 110.

775. — Septbr. **Daniel Titzmann Rigensis.** Magister, Pastor zu Dünamünde 1688. Gest. 1696. Napiersky, Kirchen und Pred. Heft 4, Thl. 3. S. 71.

776. 1679. Septbr. **Johannes Elferfeldt Curlandus.**

777. — — **Hinrich Wilhelmus Engelbrecht Semgallus.**

778. 1680. Novbr. **Johann von Langen Rigensis.**

779. 1681. Jan. **Johann Hetling Revalia Livon.** Die Hetling sind ein Revaler Rathsgeschlecht von der Mitte des siebzehnten Jahrhunderts bis zum Ende des achtzehnten Jahrhunderts; ihm wird auch dieser entstammt sein. Rev. Rathsl. S. 102.

780. — Septbr. **Petrus Krüger Revalia Livonus.**

781. — — **Christianus Calixtus Revalia Livonus.** Im Jahre 1687 Candidat der Theologie, 1694 Pastor zu St. Mariae Magdalenae in Jerwen; gest. 1696. Paucker, Geistl. S. 227.

782. — Novbr. **Bernhard Oldekop Riga Livonus.** Ein Bernhard Oldekop bittet unter dem 15. Juli 1707 das livl. Hofgericht, da es seine Unschuld erkannt und ihn des Arrestes entlassen habe, eine Aussicht zu einer Regimentspredigerstelle aber ihm fehlgeschlagen sei, ihm die Erlaubniss vom Gen.-Sup. zu verschaffen, dass er in der Jacobikirche deutsch, lettisch oder ehstnisch predigen dürfe. Napiersky, Kirchen und Pred. Heft 4, Thl. 3. S. 103.

783. 1682. Juli 24. **Arvidus Sternkrantz Liv. Suecus.**

784. — Septbr. 12. **Rotgerus Grot Curonus.** Aelterer Sohn des späteren Bürgermeisters Rötger Grot in Libau, geb. den 27. April 1664, studirte 1686 auch in Greifswalde, wo er die philosophische Magisterwürde erlangte. Er wurde 1689 Pastor in Eckau in Kurland, 1699 lettischer Frühprediger zu Mitau. Gest. zu Mitau 1702. Schriftst.-Lex. II. S. 119. Kallmeyer, Kurl. Pred.-Lex.

785. — Octbr. 10. **Thomas Kniper Revaliensis.** Sohn des Aeltermanns Paul Kniper in Reval, wurde 1688 Prediger zu Jewe in Ehstland und starb 1710. Paucker, Geistl. S. 150.

786. — — **Hinricus Wrede Revaliensis.** Er wurde 1689 Pastor zu St. Johannis in Harrien in Ehstland und starb 1710. Paucker, Geistl. S. 130.

787. — — **Arnoldus ab Husen Revaliensis.** Er hatte auf der Universität den Magistergrad erlangt, wurde 1652 Adjunct, 1694 Pastor zu Maholm, 1696 zu Koikera, 1710 zu St.

Nicolai in Reval, 1721 zu St. Olai in Reval und zugleich Superintendent, und starb 1734. Paucker, Geistl. S. 167, 227, 341, 359.

788. 1684. Mai. **David Ukerman Riga Livonus**

789. — August. **Daniel Albrecht Riga Livonus.** Er schrieb sich auch Alberti und wurde 1690 Pastor zu Dahlen in Livland. Schriftst.-Lex. I. S. 30.

790. — Septbr. **Joannes Musmann Curlandus.** Er disputirte zu Rostock 1684 de communione sub una, wurde später Pastor in Alt-Autz, fungirte noch 1712, kann aber nur bis 1714 dort im Amt verblieben sein. Schriftst.-Lex. III. S. 296. Kallmeyer, Kurl. Pred.-Lex.

791. — — **Casparus Harmens Rigensis.** Ein Dominus Caspar Harmes, der den Titel „Wohlgelahrter" erhielt, kommt im Jahre 1678 als Notair des Rigaschen Waisengerichts vor, vielleicht der Vater des Obigen. Lib. rur. 465.

792. — Novbr. **Jacobus Johannes Reehausen Livonus.** Sohn des Pastors Christian Rehausen zu Laudon und Lubahn, geb. 1666 den 24. Octbr. zu Laudon; er wurde an seines 1694 gestorbenen Vaters Stelle 1696 nach Laudon und Lubahn berufen. Am 30. Decbr. 1704 wurde er von den Russen nach Zerstörung des Pastorats-Gebäudes gefangen weggeführt und erst nach Erduldung vielen Elends und nach Erlegung von 150 Rthlrn. endlich, nackt und blos, mit Frau und Kindern wieder losgegeben; er übernahm schliesslich wieder die Pflege seiner Gemeinde, lebte noch 1707, aber zu Ostern 1712 räumte seine Wittwe dem Nachfolger das Pastorat ein. Napiersky, Heft 4, Thl. 2. S. 7.

793. 1685. August 9. **Johan von Bergen Libav. Curonus.** Sohn des Rathsherrn Hans von Bergen zu Libau, geb. 1663; er wurde 1688 College bei der Libauschen Stadtschule, 1692 Pastor der Kruhtischen Kirche und der Krentzburgschen Gemeinde, 1698 Prediger an der lettischen und 1706 an der deutschen Gemeinde zu Libau; gestorben den 10. Mai 1710. Tetsch, Kirchengesch. II. S. 120.

794. — Octbr. 1. **Wolmar Pankow Narwa Livonus.** Er wurde 1693 Pastor zu Goldenberg in Ehstland, 1711 Propst, 1715 Assessor

des Consistoriums, 1726 seines Amtes als Propst entsetzt und vom Predigtamt auf ein halbes Jahr suspendirt, weil er den Obristlieutenant Gustav Reinhold Lode mit seiner Mutter Stiefschwester Eva Jul. Wrangell ohne Wissen des Consistoriums getraut hatte. Er starb nach 1727. Paucker, Geistl. S. 221.

795. 1685. Novbr. **Andreas Schwartz Riga Livonus.** Geboren 1665; er wurde 1691 Pastor zu Olai, 1697 Pastor zu St. Georg in Riga und 1700 Diacon an der Domkirche daselbst. Gestorben 1701. Bergmann I. S. 47.

796. 1686. April. **Archias Hinricus Nicolai Hapsalia Livonus.** Er war Pastor zu Hallist-Karkus um 1697, auch noch im Novbr. 1699, aber im Februar 1708 schon todt. Napiersky, Kirchen und Prediger. Heft 3, Thl. 2. S. 99.

797. — Juli. **Hinricus Feuerbach Libavia Curonus.**

798. — August. **Johannes Henricus Neubau Livonus.** Er war Regiments- und Garnisons-Prediger zu Kokenhusen, sodann um 1695 für den Professor der Theologie zu Dorpat, Laurentius Mollin, Vicarius zu Nüggen, und ward in demselben Jahre secundo loco für Torma präsentirt. Napiersky, Kirchen und Pred. Heft. 3, Thl. 2. S. 97.

799. 1687. Juli. **Christianus Hahn Schwaneburgo Livonus.** Sohn des Pastors zu Schwaneburg, Adrian von Hahn (gest. 1693). Er wurde ebenfalls Pastor zu Schwaneburg, wurde 1707 in die russische Gefangenschaft abgeführt, blieb 15 Jahre in derselben, fand bei seiner Rückkehr seine Pfarre besetzt und wurde 1722 Pastor zu Arrasch. Gestorben den 6. December 1731. Schriftst.-Lex. II. S. 166.

800. 1688. Mai. **Johannes Ludowicus Barclay de Tolly Rigensis.** Wahrscheinlich ein Sohn des Advocaten Licent. jur. Johan Barclay de Tolly zu Riga. Rig. Rathsl. 682.

801. 1689. Octbr. **Andreas Alberti Revalia Livonus.** Vermuthlich ein Sohn des Revaler Rathssecretairs gleichen Namens. Er war zuerst öffentlicher Notar und von 1710—1715 Rathsherr in Reval. Bunge, Rev. Rathsl. S. 80.

802. 1690. August. **Thomas ab Husen Revalia Livonus.**

803. 1691. Febr. **Hinricus Fuhrman Riga Livonus.** Sohn des Rigaschen Stadtphysikus Johan Fuhrman; er wurde 1697

8*

Pastor zu Bickern, 1698 Pastor zu Pinkenhof und 1702 Pastor an der Jesuskirche zu Riga. Geb. am 31. Januar 1668, gest. am 29. Novbr. 1709. Schriftsteller-Lex. I. S. 623.

804. 1692. Januar 18. **Fridericus Hartman Erwala Curlandus.** Sohn des Pastors zu Erwahlen in Kurland. M. Julius Hartman; er wurde 1700 Pastor zu Sonnaxt, 1705 deutscher Pastor und Propst zu Doblen in Kurland. Gest. 1709. Schriftst.-Lex. II. S. 197.

805. 1693. Juni. **Johann Handwig Livonus.**

806. — Juli. **Stephan Barclay de Tolly Rigensis.** Sohn des Advocaten Licent. juris Johan Barclay de Tolly, geb. 1671, getauft den 28. August 1671, zufolge Taufregister der St. Petrikirche zu Riga. Er vertheidigte im Jahre 1698 zu Rostock öffentlich die vom Professor Johan Klein aufgesetzten Notas ad Lauterbachium. Hup. n. Misc. 28. S. 174.

807. 1695. Juli. **Johann Georg von Aderkass Nobilis Livonus.** Siehe oben Nr. 61.

808. — Septbr. **Johann Nicolaus von Vestring Riga Livonus.** Vielleicht ein Sohn des im Jahre 1672, 43 Jahre alt, gestorbenen Rig. Syndicus Hinrik Vestring. Rig. Rathsl. 607.

809. 1696. April 11. **Andreas Selmer Revalia Livonus.**

810. — April 23. **Johannes Abrahamus Winckler Reval Livonus.** Sohn des Pastors Abraham Winkler zu Rappel, geb. 1676. Er wurde 1706 Pastor zu St. Johannis in Jerwen in Ehstland, 1710 von den Russen gefangen und nach Moskau gebracht, wo er als Lehrer in einem vornehmen Hause ein Jahr verbrachte. Nachdem er bettelnd zurückgewandert war und auf dem Wege protestantische Kinder getauft hatte, wurde er noch im Jahre 1711 Pastor zu St. Maria Magdalena in Jerwen; 1742 wurde er Propst und starb 1743. Paucker, Geistl. S. 47, 216, 228.

811. — —. **Samuel Mathaeus Winkler Reval. Livonus.** Ein jüngerer Bruder des Vorhergehenden; er wurde 1706 Prediger zu Merjama in der Wiek in Ehstland und starb 1710. Paucker, Geistl. S. 251.

812. — Mai 13. **Bernhard Heinrich von Rosenbach Eston. Liefland.** Am 27. October 1700 wird er als Eques Livoniensis, 23 Jahre alt, Stud. juris, in Leyden immatriculirt und wiederum am 9. August 1701 mit dem Alter von 24 Jahren.

813. 1696. Aug. 18. **Jonas Johannes Phragmenius Riga Livonus.** Sohn des Rig. Kaufmanns Johan Jonassohn Phragmenius, besuchte mit Unterstützung des Rig. Raths die Universitäten Wittenberg und Rostock, gab am letzteren Orte 1699 eine Dissertation „Riga Literata" heraus, durch welche er sein Andenken erhalten hat, und wurde 1703 Regimentspriester bei dem liefländisch-lettischen Ritterfähnlein. Gadebusch, Livl. Geschichtsschreiber. S. 179. Gadebusch, Livl. Bibliothek. S. 364. Hup. nord. Misc. 27. S. 424. Schriftst.-Lex. III. S. 417.

814. 1696. Octbr. **Hermann Johann Dunt Revalia Livonus.**

815. 1697. Juli 6. **Johann Gerken Riga Livonus.** Er studirte Theologie und gab zu Rostock 1699 eine Dissertation in Druck. Schriftst.-Lex. II. S. 20.

816. — August 27. **Georg von Damm Rigensis.** Ein Sohn des Rigaschen Rathsherrn Jürgen von Dam (geb. 1639, gest. 1695), geboren in Riga 1676, wurde 1707 Pastor zu Wohlfahrt im Rigischen Kreise, heirathete den 22. Juni 1709 Anna Catharina Depkin und starb den 24. Juni 1710 an der Pest. Nord. Misc. IV, 43. Schriftst.-Lex. I. S. 407. Napiersky, Kirchen und Prediger. Heft 2, Thl. 1. S. 47.

817. — Septbr. 3. **Wilhelmus Rote Riga Livonus.**

818. — Octbr. 9. **Johann Anton Schütz Dorpato Livon.**

819. — — **Bernhard Rodde Revalia Livonus.**

820. — Decbr. **Gottlieb Parsow Luttringa Curonus.** Ein Sohn des Pastors Johann Parsovius zu Luttringen in Kurland von 1675—1680, war Conrector an der grossen lateinischen Stadtschule zu Mitau und besorgte nach des Rectors Bornman 1714 erfolgtem Tode die Geschäfte des Rectors. Wöchentl. Unterhaltungen 1805, 1. S. 135.

821. 1698. Mai. **Hermannus Johannes tom Low Livonus.**

822. — Juni. **Johann Deutenius Revaliensis Th. Stud.** Sohn des Pastors Joh. Georg Deutenius zu Turgel; er hatte auf der Universität die Magisterwürde erlangt und wurde den 17. September 1701 als Adjunct seines Vaters angestellt. 1705 wurde er von den Russen in die Gefangenschaft abgeführt, in welcher er noch 1710 verweilte. Sie hatten ihm die Ohren abgeschnitten und die Hirnschale eingeschlagen, so dass er diese

durch eine Platte bedecken musste. 1722 wurde er Pastor zu St. Petri oder Emmern in Ehstland und starb 1735. Paucker, Geistl. S. 236, 248.

823. 1699. April 29. **Mathias Michael Raschkius Arensburg. Osiliens. Livonus.**

824. — August 10. **Ernest Johann Popping Livoniensis.** Wohl ein Sohn des 1684 im Alter von 46 Jahren gestorbenen Revalschen Syndicus Dr. Joh. Frdr. Pöpping. Rev. Rathsl. S. 121.

825. — Septbr. 9. **Johannes Caspari Rigensis.** Sohn des Oberpastors der Petrikirche zu Riga und Superintendenten M. David Caspari. Geb. zu Riga den 27. Septbr. 1680; er kehrte 1706 nach Riga zurück, wurde 1707 Hofgerichtsarchivar und starb den 9. Juni 1708. Schriftst.-Lex. I. S. 341.

826. — — **Hermannus Müller Rigensis.** Er erlangte in Rostock die Magisterwürde, wurde nach seiner Rückkehr von der Universität zunächst Conrector der Rigaschen Domschule, 1709 Prediger zu Olai und Katlakaln im Rigaschen Patrimonialgebiet und starb den 1. Septbr. 1710. Schriftst.-Lex. III. S. 281.

827. — — **Melchior Widau Rigensis.** Sohn des Rig. Rathsherrn Nicolaus Wiedau, geb. den 15. Mai 1679. Er wurde nach seiner Rückkehr von der Universität zunächst Gouvernements-Secretair bei der schwedischen Regierung in Kurland, hernach Assessor auf Oesel, 1710 Secretair beim livländischen Hofgericht und 1711 in den Rig. Rath gewählt, 1713 Syndicus, 1722 Bürgermeister und starb den 10. November 1740. Rig. Rathsl. S. 199.

828. — Octbr. 30. **Jacobus Beetz Rigensis.** Nach einer Randbemerkung der Rostocker Matrikel hatte er in Wittenberg die Magisterwürde erlangt, machte, von Wittenberg zurückkehrend, darauf eine Fahrt nach der Insel Rügen und ertrank auf derselben im Jahre 1705. Schriftst.-Lex. I. S. 90.

829. 1700. Mai 1. **Daniel Reimers Bauscheb. Curonus Th. Stud.** Geb. 1681, Sohn des Rathsherrn zu Bauske, Nicolaus Reimers. Er wurde 1709 Pastor zu Rönnen und Usmaiten und 1710 Pastor zu Alt- und Neu-Rhadon in Kurland und 1744 Propst zu Bauske. Gest. 1754 im Alter von 73 Jahren. Tetsch I, S. 251. Kallmeyer, Pred.-Lex.

830. 1700. Juni 10. **Carolus Philippus Knieper Jervia Livonus ex Esthonia. Th. Stud.** Er wurde 1711 Pastor zu St. Jacobi oder Keel in Ehstland, 1717 hier suspendirt und 1718 abgesetzt, darauf 1721 Pastor zu Waiwara, 1751 Senior ministerii und starb den 1. Febr. 1752. Paucker, Geistl. S. 36, 158, 193.

831. — Septbr. 6. **Johannes Goeteke Wardupa prope Goldinga Curonus Th. Stud.** Er schrieb zu Rostock 1702 eine Dissertation „Historica de Constantino Magno, honeste et ex legitimo matrimonio nato, contra Cl. Arnoldum". Nach dem Schriftst.-Lex. II, S. 77 soll er die sogenannten galanten Wissenschaften zu Rostock studirt haben.

832. 1701. Juni 3. **Johann Eberhard Udam Livonus Th. Stud.** Sohn des Pastors Peter Anton Udam zu Leal in Ehstland; er erlangte 1702 die Magisterwürde, wurde 1707 Adjunct seines Vaters, nach dessen Tode 1710 Pastor zu St. Michaelis oder Soontacken, dann Propst und Assessor Consistorii und starb im Febr. 1719. Paucker, Geistl. S. 260, 273. Schriftst.-Lex. IV. S. 404.

833. — Juli 8. **Bernhardus Hinricus Osthoff Rig. Th. Stud.** Von ihm ist nur bekannt, dass er zu Rostock 1702 eine Dissertation über einige antipietistische Thesen schrieb. Schriftst.-Lex. III. S. 354.

834. — — **Georgius Linden Rigensis Th. Stud.** Auch von diesem ist nichts weiter bekannt, als dass er zu Rostock 1702 eine Dissertation über das gleiche Thema, wie der Vorhergehende, und 1704 noch eine andere Abhandlung: „Examen libelli recens editi sub titulo: Licht und Recht," schrieb. Schriftst.-Lex. III. S. 75.

835. — — **Theodorus Bojert Riga Livonus Th. Stud.**

836. — — **Carl Joachim Sellius Livonus Th. Stud.** Wahrscheinlich ein Sohn des Pastors zu Hapsal, Propst Joachim Sellius († 1691). Paucker, Geistl. S. 288.

837. — August 19. **Andreas Christianus von Maneken Nob. Liv.** Wohl ein Nachkomme des Rig. Rathsherrn Gert Maneke (1585—1610) und vielleicht ein Sohn des Landgerichts-Assessors Christian Maneke, Besitzers des Gutes Nabben, welcher am 25. August 1696 geadelt wurde und 1710 starb. Rig. Stadtbl. 1884. S. 164.

838. 1701. August 19. **Johann Friedrich Hoppenstedt Riga Livonus L. L. Stud.**

839. — Septbr. 30. **Johann Peter Witte von Nordeck Riga Livonus L. L. Stud.** Ein Sohn des Rigaschen Bürgermeisters Herman Witte von Nordeck, welcher letztere mit dem Beinamen von Nordeck 1698 nobilitirt wurde und 1710 starb. Rig. Rathsl. 637.

840. — — **Georg Raes Riga Livonus J. Stud.** Sohn des Rig. Rathsherrn Johann Raes; er wurde 1711 Secretair des Rigaschen Raths, 1719 Rathsherr, 1735 Bürgermeister und starb den 16. December 1745. Rig. Rathsl. S. 202.

841. — Octbr. 7. **Johann Christoph Goldhan Dorpat. Livonus Th. Stud.** Wohl der Sohn des Rectors der Schule zu Dorpat und nachherigen Pastors zu Talkhof, Joh. Nicolaus Goldhan (gest. 1701). Napiersky, Kirchen und Pred. Heft 3, Thl. 2. S. 82.

842. 1702. Juli 24. **Jacobus Ludovici Riga Livonus J. Stud.** Wahrscheinlich ein Sohn des 1691 gestorbenen Pastors zu Riga, M. Eberhard Ludovici.

843. — August 21. **Melchior Hinricus Goldberg Curonus Th. Stud.**

844. — Octbr. 14. **Bartholomaeus Wyberz Riga Liv. Th. Stud.** Er liess in Rostock 1705 Gelegenheitsgedichte und in Riga 1709 „Invicta virtus Caroli XII. tumultuario carmine decantata“ in Druck ausgehen. Schriftst.-Lex. IV. S. 578. Einem Herrn Bartholomaeus Wiebers wird im Jahre 1683 eine Superficies aufgetragen. Lib. rur. 472.

845. 1703. Februar 13. **Johannes Wilhelmus Weinman Curland. Mitaviens.** Geboren zu Mitau am 7. Septbr. 1682; er wurde 1710 Pastor zu Grobin, 1733 Propst des Grobinschen Bezirks und starb den 23. Mai 1744. Schriftst.-Lex. IV. S. 483. Kallmeyer, Pred.-Lex.

846. — Juli 1. **Reinhold Christian von Berthold Bilisfera Livonus.** Wohl ein Sohn des Pastors zu Pillistfer in Livland Joh. Daniel von Berthold, welcher an der Uebersetzung des Neuen Testaments in die Reval-Ehstnische Sprache theilnahm und 1710 an der Pest in Reval starb. Napiersky, Kirchen und Prediger. Heft 2, Thl. 1. S. 22.

847. 1705. Juli 20. **Johannes Hartmannus Narva Livonus.**

848. — August 11. **Jacobus Haken Riga Livonus.**

849. — August 13. **Hinricus Adolphi Mitova Curlandus.** Geb. zu Mitau 1683; er wurde lettischer Diacon zu Mitau und starb am 25. Juni 1740. Schriftst.-Lex. I. S. 13.

850. — August 17. **Bartholomaeus Depkin Riga Livonus.** Sohn des Pastors Liborius Depkin des Aeltern, geb. 1682 zu Lemsal. Er wurde 1708 in Rostock Magister, nach seiner Rückkehr Pastor-Adjunct, 1711 Diacon am Dom, 1712 Diacon an der Petrikirche, 1720 Wochenprediger und 1738 Oberpastor zu St. Petri zu Riga. Er starb 1746. Schriftst.-Lex. I. S. 414. Berkholz, Depkin. S. 28 u. ff.

851. — — **Schotto Cahlen Riga Livonus.** Wohl ein Nachkomme der beiden Rigaschen Prediger Schotto Cahlen und dessen Sohnes David Cahlen, welche beide, 1657, an der Pest starben.

852. — Octbr. 19. **Georgius Caspari Rigensis.** Sohn des Oberpastors und Superintendenten David Caspari; er wurde 1706 Magister, hielt sich nachher noch fast zwanzig Jahre in Rostock, ohne ein öffentliches Amt zu bekleiden, auf, kam 1723 nach Riga zurück, wurde 1724 Diacon am Dom, 1725 Archidiacon zu St. Peter, 1736 Wochenprediger und 1738 Oberwochenprediger. Geb. zu Riga am 17. April 1683, gest. am 12. April 1743. Krey, Andenken. Anhang, S. 7. Schriftst.-Lex. I. S. 339.

853. 1706. Febr. 5. **Christian Reinhold Udam Reval Livonus.**

854. — April 23. **Henricus Hellerus Revalia Livonus.**

855. — Juni 28. **Liborius Stockfisch Riga Livonus Th. Stud.** Wahrscheinlich der Sohn des Rigaschen Kaufmanns Jochim Stockfisch, welcher den 23. Febr. 1691 zum Aeltesten gr. Gilde gewählt wurde und im Mai 1708 starb. Geboren 1684; er wurde 1712 Pastor an der Holmhofschen und Pinkenhofschen Gemeinde, 1742 aber abgesetzt, und lebte nachmals viele Jahre als Hauslehrer in Kurland, wo er auch starb. Bergmann II. S. 18.

856. — Novbr. 15. **Hermannus Band Reval Livonus.**

857. 1707. August 31. **Otto Rehe Zab. Curonus.**

858. — Septbr. 30. **Christoph Wilhelmus Karstens Mitav. Curonus.**

859. 1707. Octbr. 14. **Gotthard Fridericus Neander Bausch. Curonus.**

860. 1708. Octbr. 16. **Petrus Schmidt Riga Livonus.**

861. 1709. Juli 25. **Samuel Albrecht Ruprecht Mit. Curonus.** Sohn des Pastors Johan Ruprecht in Grünhof, geb. 1692 in Sezzen, wurde 1718 Nachfolger seines Vaters als Pastor zu Grünhof, erhielt 1754 seinen Sohn Johan Christoph Ruprecht zu seinem Adjuncten und starb den 2. Februar 1773 als Senior des kurländischen Ministeriums im 81. Jahre seines Alters. Kallmeyer, Pred.-Lex. (Neimbts) Nachricht. S. 12.

862. — Juli 25. **Johann Christian Rhanaeus Mit. Curonus.** Die Rhanaeus sind eine im 17. und 18. Jahrhundert durch sechs Prediger vertretene kurländische Pastoren-Familie. Vielleicht ist der vorstehend Immatriculirte ein Sohn des Pastors zu Grenzhof, von 1695—1740, M. Samuel Rhanaeus, welchen dieser 1717 zusammen mit einer Tochter durch den Tod verlor. Kallmeyer, Pred.-Lex.

863. — August 19. **Petrus Christian Elferfeldt Curonus.**

864. — — **Christoph Fabricius Baldona Curonus.** Geb. 1691, wurde Pastor in Dahlen 1714. Napiersky, Kirchen und Pred. Heft 2, Thl. 1. S. 65.

865. — — **Georg Wilhelm Krüger Curonus.** Sohn des Predigers zu Ober- und Niederbartau, M. Georg Krüger, geb. zu Libau 1688. Er war nach Beendigung seiner Universitätsstudien zuerst Hauslehrer, 1714, bei dem Pastor Gleich zu Schrunden in Kurland, hatte von seinem Vater, dem Verfertiger des ersten kurländischen Kalenders, die Neigung zur Astronomie geerbt, bat, um sich in dieser Wissenschaft weiter auszubilden, von dem Herzog Ferdinand in Danzig ein Darlehn zu einer Reise, erhielt solches zwar nicht, jedoch verschaffte der Herzog ihm den Umgang mit dem Lehrer der Astronomie in Danzig, und berief ihn 1716 zu der neugegründeten Pfarre zu Kursitten und Schwarden in Kurland. Krüger setzte nun die von seinem Vater begonnene Herausgabe des kurländischen Kalenders dreissig Jahre lang fort. Er starb im Mai 1758. Neue wöchentl. Unterhalt. Bd. II, S. 451. Schriftst.-Lex. II. S. 561.

866. 1709. August 19. **Christian Friedrich Krüger Curonus.**

867. — Septbr. 26. **Johann Wilhelm Brockhusen Vindovia Curonus.**

868. — — **Ernest Adolph Brockhusen Curonus.**

869. — — **Röttger Brabender Curonus.**

870. — — **Jo. Schroederus Riga Livonus.** Geboren zu Riga 1685. Er wurde 1715 Pastor zu Neuermühlen, 1734 Pastor zu Katlakaln und Olai, 1742 bei der Jesuskirche und zu St. Georg in der Vorstadt von Riga. Gest. 1743. Napiersky, Kirchen und Pred. Heft 4, Thl. 3. S. 38.

871. — Octbr. 17. **Valentinus Mensen Curonus.**

872. 1710. Febr. 4. **Johann Wölfer Riga Livonus.**

873. — Septbr. 15. **Johannes Drewessen Mitav. Curonus.** Er wurde Pastor zu Neuenburg wahrscheinlich 1716, war 1723 noch daselbst, aber 1725 erscheint schon ein Anderer an seiner Stelle. Kallmeyer, Kurl. Pred.-Lex.

874. 1712. Mai 30. **Joachim Warneke Revalia Livonus.** Wohl ein Sohn des Revalschen Rathsherrn gleichen Namens, der von 1710—1729 im Revalschen Rath sass, und wahrscheinlich ein Grosssohn des Dorpatschen Bürgermeisters Joachim Warneke, welcher vorher Lehrer des Dörptschen Gymnasiums war, 1632 Professor der Universität und 1638 zugleich Bürgermeister wurde. Gadeb., Livl. J. III, 1. S. 104. Mitth. V. S. 172. Rev. Rathsl. S. 138.

875. — Septbr. 30. **Bernhard Cappel Curonus.** Wahrscheinlich ein Sohn des Predigers David Capel zu Dalbingen in Kurland, welcher bis 1712 oder 1717 lebte. Kallmeyer, Pred.-Lex. Schriftst.-Lex. I. S. 331.

876. 1719. Septbr. 9. **Casimir Wilhelmus John.** Sohn des kurländischen Kirchennotairs Joh. Abrah. John, wurde 1725 Prediger zu Saucken in Kurland, brachte 1735 das Pfandgut Mahlemuische an sich und starb 1752, nachdem er kurz vorher seinen Sohn Joh. Christoph John zum Adjuncten erhalten hatte. Schriftst.-Lex. II. S. 401. Kallmeyer, Pred.-Lex.

877. 1721. August 12. **Nicolaus Fridericus Hartnack Mitav. Curonus Th. Stud.** Am Ende des siebzehnten und Anfang des achtzehnten Jahrhunderts gab es in dem Mitauschen Gymnasium

oder Stadtschule einen Lehrer Hartnack, wahrscheinlich der Vater des Vorstehenden. Tetsch II. S. 332.

878. 1724. Juni 3. **Johann Christophorus Reimer Curonus Th. Stud.** Geboren den 24. Januar 1704, wurde 1733 vom Herzog Ferdinand zum Prediger nach Schrunden berufen und 1734 daselbst introducirt. Er starb den 18. März 1758 zugleich mit seiner Frau am Lazarethfieber, das durch Truppenanhäufungen während des siebenjährigen Krieges in seinem Hause ausgebrochen war. Kallmeyer, Kurl. Pred.-Lex.

879. — Juni 10. **Michael Mey Libavia Curonus.**

880. — Juli 7. **Christophorus Carolus Willemsen Curonus Th. Stud.** Sohn des Pastors Carl Christoph Willemsen, geb. den 10. September 1704. Er wurde im Jahre 1734 ordinirt und Pastor zu Baldohn und Thomsdorff in Kurland, darauf auch Propst im Doblenschen Kreise. (Neimbts) Nachricht. S. 10, 20. Schriftst.-Lex. IV. S. 520. Kallmeyer, Pred.-Lex.

881. 1726. Octbr. 21. **Joachim Johann de Tieren Rev. Esthiensis.** Er wurde am 9. Juli 1740 als Professor der Mathematik und der Rechte an das Gouvernements-Gymnasium zu Reval berufen. Gest. 1760. Archiv I. S. 97, 99. Hansen, Geschichtsbl. S. 196.

882. 1727. Septbr. 14. **Johannes Fridericus Schüttler Curonus Th. Stud.** Geboren den 13. December 1708, wurde 1733 deutscher Prediger zu Goldingen, 1740 auch Propst seiner Diöcese, legte dieses Amt aber 1751 nieder. Einen 1761 erhaltenen Ruf nach Windau lehnte er ab. Gestorben 1766. Hennig, S. 222 u. 270. Kallmeyer, Kurl. Pred.-Lex.

883. — — **Wilhelmus Gotthardus Willemsen Curonus Th. Stud.** Wohl ein jüngerer Bruder des oben unter Nr. 875 Aufgeführten, von dem nichts weiter bekannt ist.

884. 1728. Juni 7. **Georg Heinrich Lohskiel Curon. Th. Stud.** Geboren 1709 oder 1710, wurde 1733 Pastor zu Steeden, 1735 zu Angermünde, 1755 zu Erwahlen und 1763 zu Tuckum, wo er 1775 Kandauscher Propst wurde. Gestorben im August 1780. Kallmeyer, Pred.-Lex.

885. — — **Wilhelm Hartman Curon. Th. Stud.** Sohn des deutschen Predigers und Propstes M. Julius Friedrich

Hartmann zu Doblen, wurde 1738 Pastor zu Birsgallen und 1741 in Rhaimen, wo er 1752 zugleich mit seiner Gattin starb und an einem Tage beerdigt wurde. Kallmeyer, Pred.-Lex.

886. 1730. Juli 6. **Gothardus Fridericus Grube Curonus Th. Stud.** Wohl ein Sohn des Pastors Dietrich Grube zu Tuckum, wurde den 10. December 1753 ordinirt und Pastor in Ringen, wo er 1769 starb. Kallmeyer, Pred.-Lex.

887. — August 30. **Johannes Petrus Udam Livonus Th. Stud.** Wahrscheinlich ein Sohn des oben unter Nr. 832 aufgeführten Johan Eberhard Udam, der den Namen Johan nach seinem Vater, und Peter nach seinem Grossvater erhalten hatte. Unter den Predigern Liv-, Ehst- und Kurlands findet er sich nicht vor.

888. — — **Georgius a Rentelen Esthonus Utr. Jur. Stud.** Wahrscheinlich ein Grosssohn des Georg von Rentelen, welcher 1651 Aeltermann der grossen Kaufmannsgilde in Reval war. Von dem Immatriculirten hat keine weitere Nachricht aufgefunden werden können. Inland, 1838. Sp. 231.

889. — Septbr. 14. **Henricus Valentinus Wewell Curo. Th. Stud.** Ein Heinrich Valentin Wewell wurde 1741 Prediger zu Lihkuppen (Zelmeneeken) und Pampeln und 1751 zu Gröhsen und ist 1756 gestorben. Ob dieser aber derselbe dieses Namens war, welcher als Sohn eines Libauschen Rathsherrn 1692 zu Jena eine „dissertatio de tempore, an et quid sit?“ in Druck herausgab, wie das Schriftst.-Lex. IV, S. 493, und Kallmeyer, Kurl. Pred.-Lex., mit dem Zusatze, dass er im vorgerückten Alter zum Prediger ordinirt worden, annimmt, möchte doch wohl zu bezweifeln sein, da er solchen Falls bei seiner Ordination über 70 Jahre alt gewesen sein müsste. Es ist vielmehr wahrscheinlich, dass der 1741 zum Prediger in Libkuppen berufene Heinrich Valentin Wewell ein anderer jüngerer des gleichen Namens und zwar der vorstehende, 1730 Immatriculirte gewesen ist.

890. 1731. Octbr. 18. **Johann Sigismund Bilterling Curonus.** Sohn des Propstes Jacob Melchior Bilterling in Sahten, geb. den 1. Januar 1711, musste schon 1732 wegen Kränklichkeit seines Vaters von der Universität zurückkehren, wurde zunächst Hauslehrer, 1735 zum Adjunct seines Vaters von Herzog Ferdinand berufen, erhielt 1737 auch die Strüttelsche Pfarre, folgte 1743

seinem Vater im Amte, wurde 1756 Propst zu Candau und starb den 2. Januar 1775. (Neimbts), Nachr. S. 9, 18. Tetsch I, 269.

891. 1731. Decbr. 7. **Johann Gudwich Curonus.**

892. 1732. Septbr. **Carolus Benjamin Hinckeldey Rigensis.**

893. 1733. Juli. **Johan Fridericus Scholz Curonus Th. Stud.** Ein Magister Joh. Friedr. Schultzen, welcher der Vorstehende sein kann, wurde 1734 berufen durch Georg Friedr. Behr, Hauptmann zu Goldingen, zum Pastor in Ugalen, trat später, wahrscheinlich 1747, vom Amte zurück und hielt sich 1750 in Memel auf. Indessen kommt auch eine Wittwe eines Pastors Scholz vor, eine Tochter des Pastors Andreas Brunnengräber zu Würzau, von 1660—1695, welche den Pastor Georg Wilhelm Krüger (siehe oben Nr. 865) geheirathet hat. Kallmeyer, Pred.-Lex.

894. — Sept. 5. **Johann Gottlieb Albrecht Revalia Esthonus.** Lehrer am Gymnasium zu Reval 1743, Pastor-Adjunct zu Pillistfer 1744, Pastor zu Talkhof den 31. August 1750. Gest. 1754. Napiersky, Kirchen und Pred. Heft 2, Thl. 1. S. 3. Bunge, Archiv I. S. 97.

895. — — **Johann Adolphus Hollenhagen Mitav. Curon. Th. Stud.**

896. 1734. Mai 20. **Gothofredus Joh. Sixtel Riga Livonus Th. Stud.** Wurde 1738 Pastor zu Lemsal, gest. 1753. Napiersky, Kirchen und Pred. Heft 4, Thl. 3. S. 50.

897. — Juli 10. **Otto Friedrich Curonus Th. Stud.**

898. — Octbr. 25. **Johann Christoph Stavenhagen Curonus.** Sohn des Pastors Dietrich Stavenhagen zu Durben, wurde 1742 Pastor der lettischen Gemeinde zu Durben in Kurland und Propst zu Grobin 1769, 24 Mai. Gestorben 1779 (Neimbts), Nachrichten S. 9, 12. Kallmeyer, Pred.-Lex.

899. 1735. Juli 28. **Carl Georg Braun Riga Livonus.** Geb. zu Trikaten 1713, studirte 1733 zu Halle und kehrte von Rostock 1736 zurück, wurde 1739 Pastor zu Papendorf, 1742 zu Dünamünde und starb 1782. Napiersky, Kirchen und Pred. Heft 2, Thl. 1. S. 29.

900. — Juli 29. **Hinricus Brasch Gold. Curonus.** Ein Heinrich Brasch ist 1761 in Goldingen Mitglied des Magistrats, Waisenrichter und Stadthauptmann oder Quartierherr. (Neimbts) Nachrichten S. 25.

901. 1735. Aug. 15. **Gedofredo Andr. Böttcher Bartho Curonus.**

902. — Aug. 26. **Johann Casimir Hermuth Curonus.** Sohn des Pastors Jacob Hermuth zu Lottringen, geb. den 16. September 1716, wurde 1745 seinem Vater adjungirt, folgte ihm im Amte und starb den 22. Februar 1758. Kallmeyer, Kurl. Pred.-Lex. Klapmeyer, Prediger-Wittwen- und Waisen-Stift., S. 10 u. 18.

903. — Aug. 29. **Johann Groth Goldinga Curonus.** Er war seit 1752 Pastor zu Sezzen und starb daselbst im Jahre 1764. Hennig, S. 282.

904. — Octbr. 1. **Gustav Christian Handwig Revaliensis.** Sohn des Pastors Georg Handtwig zu St. Katharinen oder Tristfer in Ehstland. Er wurde 1738 zu Rostock Dr. und Professor der Medicin, später auch Herzogl. Mecklenburgscher Hofrath und kam 1765 als zweiter Stadtphysikus nach Riga. Geb. 1713, gest. den 31. Januar 1767. Schriftst-Lex. II. S. 177.

905. — Octbr. 4. **Christoph Ernst Kummerau Curonus.** Geboren den 28. Juli 1715 zu Goldingen, wo sein Vater Kaufmann war. Nach seiner Rückkehr von der Universität wurde er zuerst Hauslehrer und im Jahre 1746 Prediger zu Ober- und Nieder-Bartau. Gestorben 1784. Er erwarb sich das Verdienst, mit Erfolg in seiner Gemeinde Lesen und Singen eingeführt zu haben. Tetsch III. S. 306 ff.

906. 1736. März 28. **Christianus Woldemarus Lohman Dorpta Livonus.** Geboren auf dem Pastorat Pillistfer 1712. Sohn des dortigen Pastors Joh. Christop Lohman, bezog 1730 die Universität Halle, studirte dort bis 1734, praticirte darauf zwei Jahre in Lübeck und wurde 1736 in Rostock Dr. med. Er wurde 1761 als Arzt bei der Pestquarantaine in Wassilkow, unweit Otschakow, angestellt und 1770 ältester Doctor beim St. Petersburger Landhospital. Schriftst.-Lex. III. S. 106. Richter, Medicin III. S. 488.

907. — April 25. **Carolus Hinricus Zimmermann Riga Liv. J. U. Stud.**

908. — Juli 6. **Johann Eberhardus Pank Apprickensis Curonus Th. Stud.** Sohn des Pastors Johann Pank in Appricken, wurde 1757 Pastor zu Birsgallen und starb 1768. Kallmeyer, Pred.-Lex.

909. 1736. August 13. **Johan Reinholdus Goldt Bartau Curonus Th. Stud.** Er wurde 1754 Pastor in Edsen und folgte 1756 einem Rufe nach Kabillen. Eine Wahl als lettischer Prediger zu Goldingen lehnte er ab. Verheirathet mit Anna Margaretha Weigel, der Tochter des Past. prim. Praepos. Joh. Phil. Weigel zu Malchin in Mecklenburg-Schwerin, copulirt 1755 zu Riga. Geb. den 10. Novbr. 1716, gest. zu Mitau 1767. Kallmeyer, Pred.-Lex.

910. — Septbr. 20. **Johann Fridericus Urban Cursiten Curonus Th. Stud.** Geb. zu Alt-Schwarden in Kurland den 30. März 1717; er wurde 1741 Prediger in Lesten, feierte daselbst 1791 sein fünfzigjähriges Amts-Jubiläum, gab 1799 die Pfarre auf und zog nach Senden zu seinem Schwiegersohn, dem Pastor Hartman; gest. den 3. Mai 1803. Schriftst.-Lex. IV. S. 420.

911. 1737. Septbr. 12. **Joh. Heinrich Seyffert Mitovia Curonus Th. Stud.** Sohn des lettischen Frühpredigers in Mitau, Joh. Mich. Seyffert, wurde 1743 Amtsgehilfe seines Vaters, aber starb schon vor demselben im Jahre 1756. Kallmeyer, Pred.-Lex.

912. — Septbr. 21. **Joh. Christian Burchard Brunnengräber Goldinga Curonus Th. Stud.**

913. 1738. April 2. **Johann Eberhardt Neimbts Curonus.** Sein Vater war Herzogl. kurländischer Kammerverwalter, Abkömmling der schlesischen adeligen Familie Nimptsch. Er war geboren zu Mitau den 11. Januar 1720, studirte Theologie, zuerst zu Rostock bis 1740, dann zu Jena bis 1744, wurde nach seiner Rückkehr von der Universität Hauslehrer, predigte auch oft und wurde 1757 von der kurländischen Landesregierung zum Archivsecretair ernannt. In dieser seiner Stellung gab er 1770 heraus: „Nachricht von denen Hochfürstlichen Officianten, dem Ministerio ecclesiastico oder der ganzen Geistlichkeit und denen Magisträten nebst den Jahren ihrer Bestallung.“ Ausserdem noch, Mitau 1793: Wappenbuch des kurländischen Adels. Schriftst.-Lex. III. S. 308.

914. — Juni 26. **Philippus Magnus Mitavia Curonus Th. Stud.** Er wurde am 11. October 1744 zum Pastor für Sassmacken ordinirt. Kallmeyer, Kurl. Pred.-Lex.

915. 1738. Septbr. 15. **Christoph Joh. von Nolde Neuhusius Curonus Jur. Stud.** Ueber die Familie Nolde siehe Hupel n. n. Misc. XIV. 310.

916. — — **Carolus Fredericus von Nolde Neuhusius Curonus Jur. Stud.**

917. — — **Carl Friedrich Ludwig Livonus Jur. Stud.**

918. 1739. Juli 23. **Christianus Gerhard Riga Livonus Th. Stud.** Bei Eckardt, Livland im achtzehnten Jahrhundert, S. 548, ist der Name Ganhard gelesen; aber für keinen von diesen beiden Namen findet sich später eine nachweisbare Person.

919. — August 22. **Christoph Forsman Livonus Th. Stud.**

920. — Octbr. 7. **Peter Hinricus Schultz Arensburgo Osiliensis L. L. Stud.**

921. 1740. Mai 28. **Christianus Lehmann Printzlau-Revaliensis Th. Stud.**

922. — Decbr. 12. **Joh. Hinricus Gerth Reval Livonus.**

923. 1742. April 30. **Joachimus Johannes Fleischman Riga Livonus.**

924. 1743. Mai 10. **Gerhard Wilhelm Conradi Goldinga Curonus.** Er wurde den 4. März 1723 zu Goldingen geboren, wo sein Vater Stadtsecretair war. Im Jahre 1753 ordinirt, wurde er Pastor zu Preekuln, 1755 zu Angermünde, 1760 zu Würzau, endlich 1769 Pastor in Sallgallen. Hochgeachtet und ausgezeichnet feierte er hier 1803 sein fünfzigjähriges Amtsjubiläum und starb im Jahre 1807. Neimbts, Nachricht. S. 18. Kallmeyer, Pred.-Lex.

925. — Septbr. 23. **Wilhelm Fridericus Radetzki Sellburga Curonus.**

926. 1744. August 10. **Georg Sabler Reval Livonus.** Wahrscheinlich ein Sohn des Johann Sabler, Pastors zu Kaljall in Ehstland, gest. 1740. Paucker, Geistl. S. 178, 185.

927. — Novbr. 5. **Mathias Holst Riga Livonus.** Sohn des Aeltesten gr. Gilde, Lor. Chr. Holst. Geb. zu Riga 1721, studirte zuerst in Leipzig, dann zu Rostock, wurde 1747 Pastor zu Kattlakaln und Olai, 1755 Pastor an der Jesuskirche und 1758 Diacon an der Johanniskirche in Riga. Er starb 1762. Bergmann I. S. 55.

928. 1745. Juni 29. **Samuel Grüner Riga Livonus.** Er wurde 1765 Pastoradjunct zu Kalzenau, 1777 Ordinarius und 1787 wegen Geisteskrankheit pro emerito erklärt. Gestorben 1799. Napiersky, Kirchen und Pred. Heft 2, Thl. 1. S. 86.

929. — Juli 17. **Carolus Fleischman Walcka Livonus.**

930. 1746. Marz 28. **Carol. Gustav lib. bar. de Berg Livonus.** Carl Gustav von Berg war um 1762 livländischer Hofgerichts-Assessor.

931. — Juni 27. **Christian Klembken Riga Livonus.** Er erwarb sich die Magisterwürde und wurde 1748 Pastor zu Tirsen in Livland. Napiersky, Kirchen und Pred. Heft 3, Thl. 2. S. 35.

932. 1747. Septbr. 2. **Emanuel Lib. Baro de Schoultz Livonus.**

933. 1750. Juli 18. **Gustavus Grönberg Ehsto-Livonus.**

934. — Octbr. 1. **Jacobus Henricus Zimmerman.**

935. — — **Georgius Christophorus Zimmerman, fratres, Mitoa Curoni.**

936. 1751. Octbr. 20. **Joh. Friedr. Casimirus Rosenberger Curonus.** Sohn des Pastors zu Neuenburg in Kurland, Otto Wilhelm Rosenberger, geb. 1731; er wurde in Rostock 1754 Magister und 1758 Frühprediger an der lettischen Annenkirche in Mitau. Gest. den 18. October 1776. Schriftst.-Lex. III. S. 558.

937. 1752. Juli 7. **Johann Dietr. Hoeppner Curonus.** Sohn des Dr. med. Theodor Hoepfner zu Libau, geb. den 14. Juli 1794 zu Durben, wurde zum Pastor von Rutzau und Heiligen Aa 1764 vom Herzog von Kurland berufen. Gest. den 18. Juli 1782. Neimbts, Nachricht. S. 18. Tetsch III. S. 323 ff.

938. — August 8. **Johannes Hinricus Blumenthal Mitav. Curonus.** Er studirte zu Rostock bis 1755 Theologie, kehrte dann in sein Vaterland zurück, schlug aus mangelnder Neigung zum geistlichen Stande zwei ihm angebotene Pfarren aus, begab sich nach Leyden, widmete sich dort der Naturkunde und Arzneiwissenschaft, machte 1772 eine Reise nach Paris, London und Oxford, wurde 1773 in Leyden zum Doctor der Medicin promovirt, kam dann nach Kurland zurück, ging aber wieder auf Reisen als Begleiter eines jungen Edelmanns nach Strassburg, practicirte nach seiner Rückkehr 1774 in Mitau und darauf mit

grossem Glück und Ruhm in Hasenpoth bis an seinen Tod. Die ihm 1775 angetragene Stelle eines Stadtaccoucheurs in Leyden, sowie 1790 die Stelle eines Leibarztes beim Herzog Peter von Kurland schlug er aus. Geb. zu Mitau den 2. September 1734. Gest. am 24. März 1804. Schriftst.-Lex. I. S. 195.

939. 1755. August 8. **Johan Henricus Willemsen Narvâ Livonus.**

940. 1756. Juli 12. **Christoph Uldaricus Hoepffner Lib. Curonus.**

941. — — **Jul. Andreas Theod. Hoepffner Libau Curonus.** Wahrscheinlich jüngere Brüder des unter Nr. 937 Genannten.

942. 1757. Januar 6. **Paulus Schow Narwa Livonus.**

943. — Septbr. 14. **Gustavus Katz Mitov. Curonus.**

944. — Octbr. 15. **Adolphus Holst Riga Livonus.**

945. — — **Carolus Wernerus Curtius Narwa Livonus.** Wurde auch zu Leyden 1758 und 1761 immatriculirt und daselbst zum Doctor med. promovirt. Geb. zu Narwa 1736, gest. zu Lübeck den 3. Januar 1796. Schriftst.-Lex. I. S. 390.

946. 1758. Febr. 4. **Ernest Ludowic. Albrecht Livonus.** Wahrscheinlich ein Sohn des Joh. Gottlieb Albrecht, welcher von 1738—1744 Lehrer am Revalschen Gymnasium und sodann bis 1754 Pastor zu Talkhof in Livland war. Berting, S. 22. Napiersky, Kirchen und Pred. Heft 2, Thl. 1. S. 3.

947. — April 21. **Christoph Ern. de Grothusen Equ. Curoniensis.**

948. — Septbr. 11. **Georg Christoph Buchholtz Rigensis.**

949. 1759. — **Georgius Sabler Revalia Livonus.** Med. cultor renovavit matriculam sub Rectoratu Hermanni Becker (October 1758 bis April 1759). Siehe oben sub Nr. 926.

950. — Septbr. 15. **Paul Michael Heydtmann Mit. Curonus.** Er studirte in Rostock Theologie und wurde nach seiner Rückkehr Hauslehrer in adeligen Familien. Nachdem er 1769 geheirathet hatte, baute er sich bei Walk ein Haus und gründete daselbst eine sehr besuchte Unterrichtsanstalt. Auch war er einige Zeit Rector der Walkschen Stadtschule. Geboren zu Mitau am 2. März 1729. Gest. im März 1804. Schriftst.-Lex. II. S. 217.

951. 1771. — **Johan Christoph Baumbach Mit. Curonus.** Sohn eines Schneiders, besuchte die grosse Stadtschule seiner Vater-

9*

stadt Mitau, studirte seit 1758 zu Helmstädt und Rostock, kam 1762 nach Kurland zurück, wurde 1763 lettischer Diacon, 1769 aber deutscher Prediger zu Durben in Kurland und 1771 zugleich Propst zu Grobin. Geboren zu Mitau den 31. Mai 1742. Gest. den 19. August 1801. Schriftst.-Lex. I. S. 80. (Launitz C. F.) Johan Christoph Baumbach. Ein biographisches Denkmal. Mitau 1801.

952. 1760. Septbr. 8. Letzte Immatriculation. Darnach: Fata academiae tristia quae huncce rectoratum (Doederlein Theol.) subsecuta sunt strictim enarrantur in praefamine matriculae acad. Rostoch. alteri anno 1761 paratae praemisso.

Nachtrag.

Aus dem

Album Ordinis Philosophorum der Universität Rostock (1419—1702).

Mitgetheilt von Herrn Dr. Adolf Hofmeister in Rostock.

Die Magisterwürde erwarben:

1. 1552. Februar 16. **Hermannus Nehemius Livonus.** Siehe oben Nr. 336.

2. 1571. Mai. 8. **Johannes de Valle Rigensis Pastor Rigae.** S. o. Nr. 379.

3. 1586. — **Georgius Tegelmeisterus Revaliensis.** S. o. Nr. 414.

4. 1597. März 31. **Mathias Middendorpius Rigensis,** Ecclesiastes Parchimensis ad D. Georg. S. o. Nr. 461.

5. 1601. April 21. **Henricus Hassingius Rigensis Livonus.**

6. 1612. Octbr. 16. **Ericus von der Becke Revaliensis.** 1614 in die Facultät recipirt als Ericus de Beck. S. o. Nr. 523.

7. 1613. Mai 6. **Wernerus a Tiefenbrock Riga Livonus.** S. o. Nr. 530.

8. 1614. — **Helmboltus zur Mhülen Revaliensis Livonus.** S. o. Nr. 522.

9. 1619. April 22. **Reinholdus Middendorpius Riga Livonus Baccal. Theol.** Siehe oben Nr. 564.

10. 1623. Mai 29. **Johannes Strubergius Rigensis.** In demselben Jahre in die Facultät recipirt. S. o. Nr. 591.

11. 1629. Mai 11. **Hermannus Ibingius Livonus.** S. o. Nr. 590.

12. — — **Matthias Relandius Livonus.** S. o. Nr. 588.

13. 1630. April 6. **Nicolaus Hanefeld Rigâ Livonus.** S. o. Nr. 592.

14. — — **Johannes Hartmann Rigâ Livonus.** S. o. Nr. 597.

15. 1642. Mai 5. **Michael Scholbach Reval. Livon.** Geboren in Reval, besuchte das dortige Gymnasium, war zuerst Pastor der deutschen Gemeinde zu Narva und Ass. Cons. von 1644, wurde hierauf Pastor zu Nyenschanz, sodann, 1656, Pastor zu Maholm und den 28. Februar 1659 zugleich zum Propst bestallt. Gestorben den 1. October 1673. Paucker, Geistl. S. 167.

16. — — **Joannes Boninghusen Rïga Livonus.** S. o. Nr. 636.

17. 1643. In die Facultät recipirt: **M. Bruno Haneveld Rigensis Gryphiswaldiae promotus.** S. o. Nr. 639.

18. 1651. Mai 13. **Hermannus Hermelingius Rigensis.** S. o. Nr. 663.

19. 1652. — **Caspar Martini Rigâ Livonus.** S. o. Nr. 670.

20. — In Facultatem receptus est: **M. Georgius von Dam Rigâ Livonus,** Jenae promotus. S. o. Nr. 675.

21. 1653. Mai 5. **Elias Welschius Rigensis.** S. o. Nr. 673.

22. 1654. April 2. **Urbanus Stralborn Revaliâ Livonus.** S. o. Nr. 687.

23. 1656. — In Facultatem recepti sunt: **M. Eberhard Moller Revaliâ Livonus.**

24. — **M. Georgius Dunte Revalia Livonus,** Wittebergae promotus. S. o. Nr. 702.

25. 1657. Anno 1657 Decanus semestri aestivo Augustus Varenius S. S. Theol. D. Hebraicorum et Catecheseos Christianae professor in facultatem recepit . . . . . . **M. Carolum Schroeder** Islebiensem et magni Lutheri civem Regiomonti anno MDCXLVI. Decano M. Sigismundo Weibero promotum Philos. Magistrum, posthac scholae Rigensis conrectorem, et abdicato conrectoratu,

Dorpati in Livoniâ ordinatum ecclesiasten Bärsonensem, ubi per aliquot annos in Teutonicâ et Slavicâ (Vnteutsch) linguâ concionatus, et a Moscorum in Livoniâ grassantium et Dorpato expugnatâ, jam per illa loca dominorum, barbaric jussus migrare, reversus ad Academiam, et receptus solemniter Philosophiae Magister, loco juramenti datâ mihi dextrâ fidei de servandis statutis collegii Philosophici. Er wurde 1661 Rector zu Flensburg. Gest. am 26. Juli 1678. Schriftst.-Lex. III. S. 125. Napiersky, Kirchen und Pred. Heft 4, Thl. 3. S. 38.

26. 1663. In Facultatem receptus est **M. Thomas Stampelius Revaliâ Livonus,** Wittenbergae promotus. Siehe oben Nr. 737.

27. 1664. Juni 30. **Johannes Forselius Livonus.** Er ist 1681, auch noch 1699, Pastor zu St. Johannis in Livland. Napiersky, Kirchen und Pred. Heft 1, Thl. 2. S. 70.

28. 1684. Juni 17. **Balthasar Johannes Rubuschius Arensburgo-Oesellensis.**

29. 1692. Octbr. 13. **Henricus Fuhrmann** nativitate atque eruditione Rigensis. S. o. Nr. 803.

30. 1700. — **Jonas Johannes Phragmenius Riga Liv.** in facultatem receptus 3. Septbr. 1700. S. o. Nr. 813.

31. 1702. **Johannes Eberhard Udam Reval. Livonus.** S. o. Nr. 832.

Aus dem

Statutenbuch der Theologischen Facultät der Universität Rostock (1561—1790).

Mitgetheilt von Herrn Dr. Adolf Hofmeister in Rostock.

32. Anno 1633 die 25 Octobris Decano Johanne Quistorpio procancellario . . . . doctoratus gradus **M. Andreae Virginio** Theologiae in Academia Dorpatensi professori, collatus est. Qui tamen ante apud nos examina subierat, publice disputaverat, juramentum praestiterat.

33. Anno 1671. Decano D. Augusto Varenio . . . . In ipsis fere Decanatus hujus primordiis pro impetrando in S. S. Theolog. gradu Licentiati per litteras nomen professus est vir

reverendus et clarissimus Dn. **Johannes Nicolaus Hartung,** Pastor Raugensis in Livoniâ, praepositus regius in districtu Dörpatensi et Consistorii Präses, cujus desideriis, quae jussus est peculiaribus literis toti Ampliss. Facultati explicare, communi suffragio totius ordinis Theologici est delatum idque illi per literas significatum: quia vero longum iter inde ab extremis Livoniae ad Russiam Moschorum finibus, terrâ marique emensus, sequenti anno MDCLXXII: M. Junio exeunte demum Rostochium intravit, proximo mense, me tunc Academiae Rectore, ad examen rigorosum admissus est in loco Concilii, ad disputationem solemnem in Auditorio majori horis ante- et postmeridianis me Vice-Decano et Praeside, ac praestito juramento Licentiandorum in Livoniam reversus. DEUS Virum in variis barbarorum etiam et Russorum templis magnalia nominis pandentem fausta benedictione coronet! *(NB. Der letzte Satz abgerieben, da ganz am Ende der Seite befindlich und kaum leserlich.)* Siehe oben Nr. 751.

Heidelberg.

1386—1553.

1. 1403. Juni 23. Reverendus in Christo pater dominus **Johannes de Wallenrade,** dei gracia archiepiscopus Rigensis, qui de gracia sua dignatus est honorare universitatem per presenciam suam in pluribus artibus sollempnibus et scolasticis. Die Intitulation in die Matrikel geschah von dem am 23. Juni 1403 erwählten Rector Nicolaus Burgman, decretorum doctor et custos ecclesiae Wormacensis. Der Aufenthalt des Erzbischofs Johannes de Wallenrode zu Heidelberg fällt also in die zweite Hälfte des Jahres 1403. Seiner Intitulation gehen seit dem 23. Juni vierunddreissig andere voraus und folgen ihm bis zum Schluss des Rectorats, den 20. December, noch zweiundzwanzig nach, weshalb angenommen werden kann, dass sein Aufenthalt in Heidelberg in die zweite Hälfte des Octobermonats gefallen ist. Er befand sich auf einer Reise zum Papst Innocenz VII., von welcher er erst am Ende des Jahres 1405 in sein Bisthum zurückkehrte.

2. — — **Mag. Johannes de Stadis,** prescripti domini archiepiscopi magister. Ein Sohn des Rig. Rathsherrn Wulfard de Stadis. Am 16. Januar 1411 überträgt Mag. Johannes Staden das Haus seines verstorbenen Vaters dem Verlobten seiner Schwestertochter Hermann Rumann als Heirathsgut. Rig. Rathsl. S. 82. EB. I. 480.

3. 1406. — **Gerhardus Trappe dioc. Rigensis.** Wahrscheinlich Treppe zu lesen und der Familie des Rig. Rathsmanns Arnold von der Treppen angehörig. Rig. Rathsl. S. 86. EB. I. 19, 100, 197, 216, 252, 580. Vergl. Prag Nr. 33 und Köln Nr. 4.

4. 1409. August 11. **Johannes Rickuickhusen cler. Rygensis dioc.** Offenbar ein corrumpirter Name. Von dem Herausgeber der Heidelberger Matrikel wird bemerkt: „Wohl identisch mit dem „Joh. Vekkenhusen de Ryga“, welcher am 12. Juli 1410 Bacc. in art. wird. Letzterer sonst nicht immatriculirt.“ Wahrscheinlich ist Vockinghusen zu lesen und der Intitulirte ein

Sohn des Rig. Bürgermeisters Caesarius Vookinghusen (Rig. Rathsl. S. 82), unter dessen Söhnen auch ein Johannes im EB. I, S. 549 genannt wird, und wohl derselbe, welcher den 29. Juni 1408 zu Köln immatriculirt worden war. Siehe Köln 7.

5. 1410 nach Juni. **Helmycus Sost cler. Rigensis.** Wahrscheinlich ein Glied der Familie Zost, auch Soest genannt, von welcher Johann von 1354—1358 und Rutger von 1356—1369 als Rigasche Rathmänner vorkommen, und vielleicht derselbe, welcher den 1. Juli 1415 in Köln als Helwicus Zoest immatriculirt wird.

6. — nach Septbr. **Gerlacus Stoltenot** (wohl Stoltevot zu lesen) **canonicus Revaliensis.** Er ist im Jahre 1413 auch in Erfurt immatriculirt. Siehe Erfurt Nr. 13 und Prag Nr. 23.

7. 1439. — **Ewaldus de Caminata Rigensis dioc.** ad honorem doctoris Ludowici remisi.

8. 1444. August 11. **Johannes de Clusa de Wenden cler. Wendensis dioc.**

9. 1531. Septbr. 25. **Volmarus de Ungern prepositus ecclesie Osiliensis Livoniensis dioc. Rigensis.** Er wurde Bacc. art. den 2. December 1533. In C. Russwurm, Nachrichten über das Geschlecht der Ungern-Sternberg, Thl. II, S. 3 wird ein Wolmar Ungern als Dompropst auf Orellen und Echmes mit der Jahreszahl 1554 angeführt, und S. 36 heisst es weiter: Wolmar Sohn Jürgens auf Orellen 1554. Dompropst zu Hapsal 1527, in Prag und Speier 1534, verlor seine Dompropstei Heymi oder Echmes 1534 und wurde lutherisch, heirathete Magdalena Rostiger von Orellen, Tochter des Barthold Rostijerwe, Wwe. 1587. Diese Notizen sind wohl auf den immatriculirten Volmarus de Ungern zu beziehen, da dieser als Propst der Oeselschen Kirche, zu welcher auch Hapsal gehörte, bezeichnet wird.

10. 1531. Octbr. **Johannes Yxkwel a Vickenln Nobilis Osiliensis dioc. in Livonie partibus.** Dieser kommt unter den in Hupel n. Misc. XV, S. 377 aufgeführten Gliedern der Uexküllschen Familie nicht vor. Das Gut Fickel in Ehstland ist noch heute im Majoratsbesitz dieser Familie.

11. 1532. Septbr. 23. **Georgius a Palis Livoniensis Nobilis diocesis archiepiscopatus Rigensis.**

12. 1532. Decbr. 16. **Petrus Hösten Livoniensis Osiliensis dioc.**

13. 1535. Febr. 14. **Bruno Trolszhagen ex Binorm Livoniensis dioc. Derptensis.**

14. — April 29. **Joannes Zoge Livoniensis dioc. Derpetensis.**

15. — — **Martinus Sommer ex Argentina dioc. ejusdem (Derpetensis).**

16. 1537. Juni 30. **Georgius Stoppelberger Livoniensis Nobilis dioc. Rigensis.** Der als Georgius Stoppelberg Rigensis 1532 zu Wittenberg Immatriculirte ist wohl derselbe.

17. 1544. April. **Christianus Sege Livoniensis ex Derpt dioc. ejusd. Derptensis.**

18. — — **Reginaldus Soege ex Derpth.** Hij duo fratres germani et nobiles ultima Aprilis fidem praestiterunt propter impubertatem.

19. 1549. Mai 10. **Georgius Mecks Livoniensis dioc. Tarpicensis.** Im September 1544 wurde ein Georgius Mex Livo in Wittenberg immatriculirt, wahrscheinlich derselbe. Siehe Wittenberg Nr. 29.

Wittenberg.

Matrikel von 1502—1560 und Fortsetzung bis 1565.

1. 1513. Mai 19. **Johannes Becker Revaliens. civitatis.** Johann Becker ist 1523 katholischer Priester zu Kusal oder St. Laurentii in Harrien in Ehstland und später erster lutherischer Prediger daselbst. Paucker, Geistl. S. 113.

2. 1521. Octbr. 23. **Caspar Brettholt Revalien. civitatis.** Die Bretholt gehören im fünfzehnten und sechszehnten Jahrhundert zu den Revaler Rathsgeschlechtern. Caspar (Jasper) Bretholt ist Rathsherr von 1542—1567 und wurde 1558 in Angelegenheiten der Stadt an den König von Dänemark gesandt. Rev. Rathsl. S. 83 u. 84.

3. 1522. März 30. **Nicolaus Swodde Revalien. civit.**

4. 1523. April 13. **Georgius Padel Rigens. civit.** Im gedruckten Wittenberger Album steht unrichtig Radel, was zweifellos Padel zu heissen hat. Sohn des Rigaschen Kaufmanns Hennink Padel, wurde 1536 Rigascher Rathsherr, 1547 Bürgermeister und 1551 wortführender Bürgermeister. Er war ein sehr thätiges und angesehenes Mitglied des Raths, verwaltete viele Aemter, darunter auch die Superintendentur, war mehrmals Abgeordneter auf den Landtagen, auch im Juli 1549 auf dem Hansatage zu Lübeck, und stand 1561 der Gesandtschaft vor, welche in Wilna über die Unterwerfung Rigas an Polen unterhandelte. Er hat ein handschriftliches Tagebuch hinterlassen, welches die Jahre 1539—1557 umfasst und allerlei Begebenheiten der Stadt enthält, von dem aber nur ein Auszug sich erhalten hat. Geboren am Mittwoch vor Pfingsten am St. Jürgentage 1505. Gest. den 5. October 1571. Rig. Rathsl. S. 133.

5. — Juli. **Hermannus Marssau de Riga vratislaviens. dioc.** In der Mitte des Jahres 1524 war er (auch Marsou und Marso genannt und geschrieben) von dem Rathe zu Dorpat als evangelischer Prediger daselbst angestellt, musste aber auf Andringen des Bischofs und in Ermangelung eines Schutzes der Dörptschen Stiftsritterschaft wieder entlassen werden. Von dem Rathe von

Reval dahin berufen, wurde er hier der Reformator der Kirche und verfasste in Gemeinschaft mit den beiden andern ersten evangelischen Predigern Revals, Johan Lange und Zacharias Hasse, einen Entwurf christlicher Ordnung in den Kirchspielskirchen und Kirchspielen. Im Jahre 1529 war er noch in Reval, wurde später aber nach Dorpat zurückberufen und an der Marienkirche angestellt. Am 26. October 1554 trat er von diesem Amte zurück und starb 1555. Mittheil. XIII. S. 68. Bienemann, Aus Livlands Luthertagen. S. 23 und 33.

6. 1524. Juli. **Jacobus Knöpken Livoniensis.** Bekanntlich war ein Bruder des Rigaschen Reformators Andreas Knöpken, namens Jacobus, Domherr in Riga, und zwar schon zu der Zeit (1521), als jener von Treptow in Pommern sich nach Riga wandte. Es ist sehr möglich, dass bei der reformatorischen Thätigkeit seines Bruders der Domherr Jacobus sich der Richtung desselben zugeneigt und sich deshalb nach Wittenberg zum Studium der neuen Glaubenslehre hinbegeben habe. Ein anderer Jacobus Knöpken lässt sich in der Kirchen- und Profangeschichte Livlands um diese Zeit nicht auffinden. Was aus ihm später geworden, darüber findet sich keine Nachricht.

7. — **Georgius Konig Rigens. ex Livonia.** Wahrscheinlich wohl ein Sohn des Rigaschen Bürgermeisters Jürgen Konynk, welcher von 1509—1539 Glied des Rigaschen Raths war, und vielleicht der Jürgen Konynk, welcher 1548 ebenfalls Glied des Rigaschen Raths wurde und den 3. April 1550 starb. Rig. Rathsl. S. 120 und 136.

8. — — **Martinus Reskenberg Rivoliens. ex Livonia.**

9. — — **Conradus Geysmar Livoniensis de Riga.** Im Jahre 1517 den 29. September findet sich ein Conradus Ghoiszmer de Riga in der Rostocker Matrikel aufgenommen, welcher wohl derselbe ist. Die Familie Geismar ist in Riga von 1443—1550 ansässig und im Rigaschen Rath durch zwei Glieder, Johan und Frowin, vertreten. Rig. Rathsl. S. 107 und 119.

10. 1525. Juni 12. **Franciscus Weiss de Terbato.**

11. 1528. Januar 20. **Anthonius Winckelman de Raynfall Livoniens.** Ob nicht in der Ortsbezeichnung etwas verlesen und

verdruckt ist? Vielleicht ist statt Raynfall Reval zu lesen. Um diese Zeit kommt in Reval ein Anthonius Winckelman vor. Denn in dem Theilungsvertrag der Gebrüder Ermis hinsichtlich ihres väterlichen Nachlasses vom 11. Juni 1549 heisst es: „Zu Reval liegen unverkauft bei Tönnies Winkelmann's Wittwe 18 Lasten Roggen und 12 Lasten Malz." Briefl. S. 778.

12. 1529. August 26. **Johannes Cardinalis Livoniens.** Die Familie Cardenall kommt in der ersten Hälfte des sechszehnten Jahrhunderts in Ehstland vor. Ein Cord Cardenall verkauft um jene Zeit das Gut Koiell, über welches sein Vater Peter einen Lehnbrief von Wolter von Plettenberg im Jahre 1519 erhalten hatte. Briefl. S. 467, 699, 760.

13. 1532. — **Jacobus Nödkin Livoniensis.** Die Nötken, Notke, Nottiken stehen in Beziehung zum Rigaschen Domcapitel. Ein Jasper Nötken wird im Jahre 1509 als Propst der Kirche zu Riga und ein Hans Nöttiken als Abgeordneter des Stiftes Riga genannt. Ein Nötken war bischöflicher Amtmann auf Sagnitz und erhielt ein am Embach belegenes Stück dieses Gutes vom Bischof verliehen, welches nach ihm den Namen Nötkenshof führt. Auch ein im Serbenschen Kirchspiel gelegenes Gut Nötkenshof gehörte im sechszehnten Jahrhundert der Familie Nötken. Ebenso auch ein im Marienburgschen Kirchspiel belegenes Gut Nötkenshof. Im Jahre 1559 befindet sich ein Jacob Nötken, geflüchtet vor den Russen, in Lemsal. Briefl. S. 514, 738, 1015. Hagemeister, I. S. 199, 254. II. S. 73. Bienemann, Briefe. II. S. 280.

14. — — **Georgius Stoppelberg Rigensis.**

15. — — **Thomas Meyer Rigensis.** Er wird von Caspar Padel ausdrücklich Pastor zu St. Jacob in Riga genannt und ist nach G. Neuner am 11. Juli 1566 gestorben. Bergmann I. S. 32. Napiersky, Kirchen und Pred. Heft 3, Thl. I. S. 78.

16. 1537. — **Johannes Glock Livoniensis.** Patroklus Klocke ist von 1524—1550 Rigascher Rathsherr und höchst wahrscheinlich des Immatriculirten Vater, dessen Name auch Glocke geschrieben vorkommt. Rig. Rathsl. S. 123.

17. — — **Heynricus Linther Livoniensis.**

18. 1537. August. **Heynricus Ulenbruch Rigensis.** Sohn des Rigaschen Bürgermeisters Hinrich von Ulenbrock. Er wurde 1558 in den Rigaschen Rath gewählt und schon im folgenden Jahre Bürgermeister. Er hat sich an den Verhandlungen auf dem Landtage zu Wenden 1559 und an den Verhandlungen zu Wilna wegen Unterwerfung der Stadt Riga unter die Krone Polens betheiligt. Gestorben den 1. Mai 1576. Rig. Rathsl. S. 141.

19. 1540. Septbr. 29. **Petrus vom Hoff Rigensis.** Wahrscheinlich aus der Familie von Hoffe, von welcher im sechszehnten Jahrhundert drei Glieder Rigasche Rathsherren waren: Jacob, von 1514—1530, Jasper, der Sohn des Jacob, von 1545 bis 1547, und Caspar, von 1592—1610. Rig. Rathsl. S. 121, 135, 158.

20. — Novbr. 14. **Georgius Sibergk ex Livonia.** Ein Georg Sieberg oder Siberk, zuvor Komthur in Dünaburg, sodann Hauskomthur in Riga, wurde im Jahre 1559 als Abgesandter des Ordens an den Reichstag nach Augsburg gesandt, um die Hilfe des deutschen Reichs für Livland nachzusuchen. Arndt, Thl. II. S. 247, Anm. Gadebusch, Livl. Jahrb. I., Abschn. 2. S. 472. Richter, Gesch. Bd. II. S. 344. Bienemann, Briefe und Urkunden III. S. 190.

21. 1541. **Christophorus Corbe Livoniensis.** Wahrscheinlich ein Glied der im Anfang des sechszehnten Jahrhunderts aus Westphalen nach Livland eingewanderten Familie von Korff, die auch in jenem Jahrhundert Corve und Korbe genannt wird; so erwähnt Salomo Henning in seiner Chronik „etlicher Junker von der Korben, Scr. rer. Liv. II, 266, die im Register dieser Ausgabe für Korff's erklärt werden. Ein Christophor Korff, Besitzer von Trekken und verheirathet mit Elisabeth v. Firks, wird erwähnt als Sohn des Nicolaus v. Korff, welcher Besitzer von Preekuln, Aswicken und Jaugenecken war und vom Ordensmeister Kreutzburg zum Lehn erhielt, das noch heute im Besitz der Korff ist. Buchholtz, Materialien. Ein Christoph Korff, ob derselbe, ist nicht zu entscheiden, besass zur Zeit des schwedischen Einfalls in Livland unter dem Herzog Carl die Güter Rogosinsky und Korwenhof, welches letztere Gut 1526 von Jurgen Korwe gekauft worden war und von ihm den

Namen erhalten hatte, den es noch jetzt führt. Hagemeister, I. S. 263. II. S. 58 über die Familie. Hupel n. n. Misc. IX. S. 140 u. ff.

22. 1541. Octbr. 19. **Hermannus Nihemius Livoniens.** Im Jahre 1551 ist er in Rostock immatriculirt. Siehe unter Rostock Nr. 336.

23. 1542. Januar 10. **Hermannus Stampius Livoniensis.** Ein Heinrich Stampe kommt in dem Jahre 1530 in Riga vor. Lib. rur. S. 130.

24. — April 23. **Joannes Vnettermann Livoniensis.** Wahrscheinlich verlesen oder verdruckt für Wetterman. Johan Wetterman, geb. zu Dorpat, hatte auf Kosten der Stadt Dor pat studirt, kehrte 1553 als Mag. zurück und wurde Prediger an der Marienkirche. Er begleitete seine 1556 nach Russland geführte Gemeinde und bekam in Moskau, wo er auch gestorben sein soll, eine alte grossfürstliche Bibliothek zu untersuchen. Napiersky, Kirchen und Pred. II. S. 98. Clossius in den Dorp. Jahrbüchern III. S. 289.

25. — Septbr. **Johannes Hintermann Rigensis.** Wahrscheinlich Johannes Hintelmann, der 1541 in Rostock immatriculirt worden war.

26. 1543. August. **Eberhardus Ulenbruck Rigensis.** Vielleicht ein jüngerer Bruder des sub Nr. 18 Genannten.

27. 1544. April. **Joannes Schopmannus Livoniensis ex Riga.** Mehrere Schopman (Schupman), Diederich, Hans, Melcher und Reinhold, waren nach dem EB. in Riga besitzlich. Ein Hans Schopman kommt von 1521—1540, desgl. Hans Sch., ohne Zweifel ein Sohn des Vorigen, 1574 vor. Letzterer könnte mit dem in Wittenberg Immatriculirten identisch sein. 1588 studirt ein David Scopman aus Riga in Rostock. Anna Schopman war an den Rigaschen Schulrector Hector Polemann verheirathet und erhielt vom König Sigismund III. den Besitz des Gutes Planup 1591 bestätigt. EB. II. 1507. 8. 1652. — 406. 688. 765. 1559. 62. 1629—31. 528. 665. Hagemeister I. S. 68. Siehe Rost. Matr. Nr. 463.

28. — — **Henricus Schopmannus Livoniensis ex Riga.** Wohl des Vorigen Bruder.

29. 1544. Septbr. **Georgius Mex Liv.** Er gehört wohl zu der Adelsfamilie Meck, auch Mekes, Mex genannt, welcher Menved König von Dänemark, im Jahre 1318 ihre Lehngüter im Ehstnischen bestätigte. Ein Jürgen Mekes wird im Testament des Johann Mekes vom 11. Juni 1555 als einer der Testaments-Executoren ernannt. Briefl. 34, 1431. Ueber die Familie Meck siehe Hup. n. Misc. XV. S. 427. XX. S. 223.

30. — Decbr. 22. **Silvester Thegetmeyerius Rigensis.** Wahrscheinlich ein Sohn des bekannten Rigaschen Reformators und späteren Oberpastors an der St. Petrikirche, Sylvester Tegetmeyer. Mittheil. XIII. S. 80.

31. 1545. April 24. **Victor Ottingus Revaliensis.** Im Jahre 1547 ist er in der Rostocker Matrikel verzeichnet und wie in dieser ist auch in der Wittenberger Matrikel am Rande bemerkt, dass er juris utriusque Doctor geworden sei.

32. — Juni 26. **Laurentius Molitor Terbetensis Livoniensis.**

33. — Septbr. **Petrus de Dissenhausen Nobilis Livoniensis.** Wahrscheinlich ein Tiesenhausen, siehe Rost. Matrikel Nr. 16.

34. — Novbr. **Hermannus Marsau Livoniensis.** Wahrscheinlich ein Sohn des im Jahre 1523 (siehe oben sub Nr. 5) Immatriculirten, nachherigen lutherischen Predigers zu Reval und Dorpat.

35. 1546. April. **Mathias Tredop Livoniensis.** Im Juli 1553 hielt er sich noch in Wittenberg auf, da an diesem Tage der Bürgermeister Jürgen Padel von dort einen Brief von ihm erhielt. Er wurde Prediger in Riga, heirathete am 26. October 1567 die Wittwe des Pastors zu Jacobi Thomas Meier, seines Vorgängers im Amte, und starb 1571. Bergmann I. S. 34.

36. — August 17. **Martinus Harsfeldt Refoliensis.**

37. 1547. Pridie Paschatis (April 9). **Johannes Grabbethus Livoniensis.**

38. 1549. April 5. **Mattheus Knopus Rigensis.** Gewöhnlich Matthias genannt, ein Sohn des um die Reformation des Kirchenwesens in Riga hochverdienten ersten Rigaschen lutherischen Predigers Andreas Knöpken. Nach dem Tode seines Vaters, 1539, wurde er von dem Rigischen Bürgermeister Jürgen Padel in's Haus genommen. Er soll mit dessen Sohn Georg zusammen

die Universität Wittenberg bezogen haben, dieser findet sich jedoch nicht in der Matrikel verzeichnet. Matthias Knopken liess auf das Absterben des jungen Padel im Jahre 1552 zu Wittenberg ein Gedicht drucken, und kehrte im November 1553 nach Riga zurück, wo er Prediger bei der Stadtgemeinde und zuletzt Pastor an der St. Petrikirche wurde. Er hat sich besonders durch die Herausgabe des Rigaschen Gesangbuchs in plattdeutscher Sprache verdient gemacht. Gest. am 14. Decbr. 1581. Schriftst.-Lex. II. S. 460.

39. 1549. April 5. **Joachimus Mollerus Rigensis.** Er wurde zugleich mit dem vorgenannten Mathias Knöpken 1553 Prediger in Riga und starb 1566. Bergmann I. S. 32.

40. — Mai 29. **Reinaldus Curselius Livoniensis.** Die Kursel sind ein in Liv- und Ehstland im sechszehnten und siebzehnten Jahrhundert landbesitzliches adeliges Geschlecht.

41. — Juni 27. **Jacobus Schinkel Livoniensis.** Jacob Schinkel, aus Narwa gebürtig, wurde Pastor an der heil. Geist-Gemeinde zu Reval und starb 1566. Paucker, Geistl. S. 380.

42. — Juli 9. **Petrus Helwig Livoniensis.** Er ist den 30. April 1543 zu Rostock immatriculirt als Revaliensis. Siehe Rostock Nr. 318.

43. — Novbr. 30. **Hermannus Luer Rivaliensis.** Herman Luhr war seit 1571 Rathsherr und seit 1584—1596 Bürgermeister in Reval, mehrfach Sendebote in Angelegenheiten der Stadt, auch bei den Unterhandlungen zwischen Schweden und Dänemark zu Padis 1574 und 1575. Rev. Rathsl. S. 113.

44. — — **Johannes Ruilgerus Rivaliensis.**

45. — Decbr. 20. **Conradus Dellinghausen** } **Livonienses**
46. — — **Eberartus Dellinghausen** } **Reval.**

Diese beiden Brüder waren im Jahre 1543, den 11. Juli, zu Rostock immatriculirt worden. Conrad D. war 1567 Syndicus der Stadt Reval. Siehe oben unter Rostock Nr. 319, 320.

47. 1550. Octbr. 9. **Jacobus Nötken Livoniensis.** Siehe oben sub Nr. 13.

48. 1551. Mai 3. **Reinaldus Szoye Livoniensis Nobilis.**

10

49. 1551. Juli 16. **Georgius Sterbelius Rigensis.** Er wurde den 30. November 1552 in Riga zum Predigtamt eingeweiht. Bergmann I. S. 91.

50. 1552. März 2. **Ludolfus Sarctorius Duerptensis ex Livonia.**

51. 1553. Febr. 8. **Ioannes von Behm Derptatensis.**

52. — Mai 17. **Antonius Stoffregenius Rigensis.** Ein Dirik Stoffregen kommt von 1527—1549 als Rigascher Hausbesitzer und Philipp Stofregen als Veräusserer eines Gartens vor. EB. II. S. 538, 751, 811, 941, 1053, 980.

53. — Juni 27. **Reiginoldus Rhumberg Rigensis.** Caspar Romberg ist Rigascher Rathsherr von 1558—1564. Ein Reinhold Romberg kommt im Jahre 1603 als bereits verstorben vor im Lib. rur. 280.

54. — Octbr. 14. **Heysso Mayer Revallensis.** Heysso (Heise) Meyer begleitet im Jahre 1561, wahrscheinlich als Secretair, die Revalsche Gesandtschaft an den König Erich von Schweden, welche über die Unterwerfung unter Schweden verhandelt. Bienemann Br. u. Urk. II. S. 889, 410, 413, 414.

55. 1555. Juni 14. **Theodericus Schopping Nob. Liv.** Im Jahre 1551 wird er zu Marburg, im März 1546 zu Rostock immatricalirt. Siehe Rostock Nr. 349.

56. — Juli 17. **Johannes Marsse Derpotensis.** Wahrscheinlich ein jüngerer Sohn des Dorpatschen Predigers Hermann Marsou, welcher im Juli 1523 zu Wittenberg immatriculirt worden war (siehe oben Nr. 5), und ein Bruder des oben unter Nr. 34 genannten Herman Marsau.

57. — Aug. 3. **Nicolaus** } **von Köln, Revalienses**
58. — — **Erhardus** } **fratres.**

59. — Aug. 21. **Nicolaus Ramm Rigensis.** Sohn des Rigaschen Bürgermeisters Thomas Ramm, ererbte von seinem Vater das demselben von König Gustav Adolph geschenkte Gut Padis und wurde Mannrichter in Harrien in Ehstland. Hupel n. Misc. XV. Beil. 12.

60. — Aug. 28. **Anshelmus Bock Livoniensis.** Wahrscheinlich derselbe, welcher am 5. Mai 1554 zu Rostock unter dem

Namen Anselmus Buch ex Livonia immatriculirt wurde. Er stammte aus Dorpat und hat in Druck ausgehen lassen 1562 zu Königsberg: „Querela de miserrima Livoniensium clade etc.“ und 1588 zu Riga: „Carmen gratulatorium de Sigismundi III. Reg. Pol. felici in Reg. Pol. ingressu et subsequente inauguratione et coronatione etc.“ Die erstere Schrift unter dem Namen Anselmus Tragus, die letztere als Anshelmus Boccius. Schriftst.-Lex. I. S. 196, und Beise, Nachtrag I. S. 65.

61. 1555. Octbr. 15. **Johannes Swarthoff Livoniensis Nobilis.** Auch dieser war, wie der Vorhergehende, im Jahre 1554, den 11. Mai, ebenfalls zu Rostock immatriculirt worden. Siehe unter Rostock Nr. 342.

62. — Octbr. 17. **Bernhardus Winkelmann Livoniensis.**

63. 1556. Februar 4. **Christophorus Waller Revaliensis ex Livonia.** Er wurde Prediger zu St. Olai in Reval 1569 und starb 1571. Paucker, Geistl. S. 347.

64. — August 11. **Hermannus ab Ulenbrock Rigensis.** Ueber die Ulenbrock siehe Rostocker Matrikel sub Nr. 433.

65. — — **Alexander Rhegius Rigensis.** Dieser ist wohl kein Anderer, als der nachherige Rigasche Rathsherr (1571) und Bürgermeister (1577) Dr. Alexander König mit latinisirtem Namen, welcher am 25. April 1579 starb. Rig. Rathsl. S. 145.

66. — — **Johannes Schwantz Rigensis.** Vielleicht für Schwartz verlesen oder verdruckt. Indessen kommt im Jahre 1558 ein Dompropst zu Riga Georgius Schwanntz vor. Bienemann, Briefe und Urkund. I. S. 293.

67. — — **Laurentius Rigemann Rigensis.** Ueber die zahlreiche und hervorragende Familie Rigeman in Riga siehe in der Rostocker Matrikel unter Nr. 321 und 373.

68. — Octbr. 15. **Jacobus de Hoye Tarbacensis.** Im Jahre 1561, Octbr. 13., wird er in Rostock als Derpatensis Livonus immatriculirt. Siehe Rostock Nr. 359.

69. — Septbr. 21. **Georgius Dischenhusius Livoniensis.** Ohne Zweifel ein Tiesenhausen. Ein Georg von Tiesenhausen gab in Druck: „Carmen elegiacum de ruinae et mutationis Livoniae causis.“ Rigae 1594. Schriftst.-Lex. IV. S. 371, wo er

10*

als Besitzer und Erbherr von Sanssen und Sellin bezeichnet wird. Nach Hagemeister 1, S. 201 und 218 waren diese Güter 1591 aber im Besitz von Engelbrecht von Tiesenhausen. Ein Georg Tiesenhausen, vielleicht derselbe, ist im Jahre 1596 kurländischer Kanzler und kauft das Gut Alt-Salis in Livland für 22,000 Thaler. Hagemeister I. S. 175.

70. 1556. Septbr. 20. **Johannes Baumgartner Livoniensis.** Im Jahre 1553, April 5, wird er in Rostock als Joannes Bomgartnerus Rigensis immatriculirt. Siehe Rostock Nr. 340.

71. 1558. Juni 4. **Joachimus Berens Rigensis.**

72. — Juli 14. **Heito de Werne Revaliensis.** Im Revalschen Rath sass von 1546—1554 als Rathsherr und Bürgermeister Thomas von Wernen, zu dessen Familie der Vorstehende gehört haben mag.

73. — August 8. **Henricus Wangersheim Livoniensis.** Vielleicht ist er identisch mit dem 1556 im Juni in Rostock (siehe Rostocker Matrikel 351) als Hinricus Wangersen von Dorpte Livoniensis Immatriculirten. Der spätere Revaler Bürgermeister (1626 bis 1657) Georg Wangersen wurde geadelt mit dem Namen von Wangersheim. Rev. Rathsl. S. 138.

74. 1559. Juli 5. **Mathias Harpe Livoniensis.** Er wurde Schlossprediger in Riga und machte den 28. April 1566 seine Hochzeit mit Anna Spenkhusen, wohl der Tochter des Bürgermeisters Johan Spenkhusen. Nach Caspar Padels Notaten. Napiersky, Kirche und Pred. Heft 3, Thl. 2. S. 5.

75. — August 19. **Georgius Ninerus Rigensis.** Er wurde 1566 zum Prediger der Rigaschen Stadtgemeinde berufen und 1582 Oberpastor zu Riga. In dem durch die Einführung des neuen Kalenders entstandenen Bürgeraufruhr fiel auch auf ihn der Hass der Bürgerpartei, weil er in Uebereinstimmung mit dem Rathe sich für die Annahme des neuen Kalenders ausgesprochen und der Verlegung der Feier der Weihnachtstage zugestimmt hatte; er gerieth ferner in den Verdacht, dass auch er in die Abtretung der St. Jacobi-Kirche zum katholischen Gottesdienste seine Einwilligung gegeben habe. Bei dem am 2. Januar 1582

erfolgten Ausbruch der Gewaltthaten wurde auch er von dem Pöbel, nachdem derselbe seine Wohnung geplündert und ihn aus derselben herausgezogen hatte, auf dem Markte gemisshandelt und nur durch das Einschreiten des Bürgermeisters Nyenstedt aus der Lebensgefahr gerettet. Als darauf im Jahre 1586 der Obervogt Johan Tastius und der Syndicus Dr. jur. Gotthard Welling hingerichtet waren, floh er mit andern gleich ihm Bedrohten aus der Stadt und wandte sich nach Polen mit Beschwerden an den König Stephan. Als dieser dem Kardinal Radzivil die Wiederherstellung der Ordnung übertragen hatte, kehrte er nach Riga zurück und erwartete auf dem Schlosse den Ausgang der Sache, starb jedoch vor Beendigung derselben im Jahre 1587 und wurde in der Domkirche begraben.

76. 1559. August 19. **Christianus Miccius Rigensis.** Christian Micke ging von Wittenberg nach Rostock, wo er im September 1562 immatriculirt wurde. Er wurde später Pastor zu Eckau in Kurland. Siehe Rostock Nr. 362.

77. — — **Henricus Saleburgius Rigensis.** Es finden sich in Riga als Hausbesitzer von 1529—1557 ein Sattelmacher Arnd Salcburg, 1573 Arend und Morten, wahrscheinlich dessen Söhne, von 1536—1555 ein, wie es scheint, Kaufmann Rötger Saleburch, und von 1567—70 Philipp Saleburch, wie es scheint, des Letzteren Sohn. Ein Heinrich Saleburg kommt in den Stadtbüchern nicht vor. EB. II. S. 459, 838, 1197, 1544, 740, 908, 1003, 1174, 1436, 1495.

78. — — **Casparus Buglerus Wendensis ex Livonia.**

79. — — **Jodocus de Cralen Livoniensis.**

Die Folgenden
nach Herrn Professor Dr. Eduard Erdmann's Mittheilung
aus der Original-Matrikel:

80. 1561. Januar 2. **Nicolaus Quernus Rigensis.**

81. — August 17. **Ernestus Donhof Livoniensis Nobilis.** Die Dönhoff sind nach Hupel n. n. Misc. IX, S. 288 mit dem Ritter Herman Dönhoff, welcher 1381 starb, in Livland eingewandert und sind schon im fünfzehnten Jahrhundert in Liv-, Ehst- und

Kurland besitzlich geworden. Von dem vorgenannten Ernestus Dönhof findet sich keine weitere Nachricht.

82. 1561. August 18. **Sylvester Alexander Rigensis.**

83. — — **Johannes Bruno Rigensis.** Am 27. August 1571 wurde Johannes Bruns de Kerckendener tho St. Jacob in der Jacobskirche beerdigt. Wahrscheinlich ist es der Obige. Padel.

84. — August 24. **Hermannus Flchius** (l. Fickius) **Rigensis.** Siche Rostocker Matr. Nr. 357.

85. 1562. März 27. **Mathias Glazerus Revaliensis.** Siche Rostocker Matr. Nr. 361.

86. 1563. Juli 1. **Hermannus Reutz Wendensis Livonus.**

87. 1564. August 1. **David Godke Rigensis.**

88. — Octbr. 21. **Caspar Dreiling Rigensis.** Er wurde 1583 Rigascher Rathsherr, 1602 Obervogt und starb den 29. Mai 1610. Rig. Rathsl. S. 517.

89. — — **Johannes Vuechmann Livoniensis.** Der Name ist wohl Wechmann zu lesen; unter diesem Namen findet er sich auch in der Rostocker Matr. Nr. 371.

90. 1565. Septbr. 20. **Palmar Rigeman Rigensis.** Siche oben Nr. 67 und Rostocker Matr. Nr. 321 und 373.

91. — Octbr. 17. **Gerardus Broeck Rigensis.** Es war ohne Zweifel kein Anderer, als der, welcher im Juli 1563 zu Rostock unter dem Namen Gerhardus Paludanus (siche Rostocker Matrikel Nr. 367) immatriculirt wurde, von der Universität als Magister zurückkehrte und als Gerhard tom Broecke oder Paludanus 1582 in Riga Prediger bei der lettischen Gemeinde wurde und nach sechszehnjähriger Amtsführung, 45 Jahre alt, am 15. Februar 1590 starb und in der Domkirche zu Riga begraben wurde, wo, wie die Aufschrift seines Leichensteines besagte, bereits seine Eltern, drei Brüder und eine Schwester lagen. Padel, Bergmann I. S. 34 und 35. Im Jahre 1581 kommt er als Besitzer eines Gartens vor im Lib. rur. S. 188.

Marburg.

Von 1527 bis 1571.

1. 1551. Octbr. 24. **Theodoricus Schoppingus Livonus Nobilis.** Er hat später auch zu Wittenberg und zu Rostock sich immatriculiren lassen. Siehe Rostock Nr. 349.

2. 1554, vor Ostern. **Christianus a Szoyenn Nobilis Livoniensis, juris et bonarum literarum studiosus.** Ueber ihn ist nichts zu ermitteln gewesen.

Leyden,

1575 gegründet.

Abkürzungen.

A. = Artium liberalium studiosus. — C. al. = Collegii ordinum alumnus. — J. = Jurisprudentiae studiosus. — L. = Litterarum studiosus. — P. = Philosophiae studiosus. — M. = Medicinae studiosus. — Pol. = Politices Studiosus. — T. = Theologiae studiosus. — Mat. = Matheseos studiosus. — Die beigefügte Zahl zeigt das Alter des Inscribirten an.

1. 1596. Febr. 14. **Ernestus Noldius Livonus.** 16. J. Ueber die Familie Nolde siehe Hupel n. n. Misc. XIII. S. 310.

2. 1599. Februar 10. **Ernestus Dunhovius Livonus.** 18. J. Magnus Ernst von Dönhoff, Woywod zu Pernau, Starost zu Dorpat, Sohn des Gerhard von Dönhoff, welcher 1592 bei dem Friedensabschluss zwischen Schweden und Russland mitwirkte, geb. den 10. December 1581, machte nach seiner Rückkehr von der Universität einen Feldzug der Ungarn gegen die Türken mit, trat dann in polnische Dienste, focht gegen die Russen und die Türken, wurde polnischer Obrist, erhielt 1622 für seine Dienste die Starostei Dorpat, war 1625 und 1635 polnischer Commissar bei den Friedensverhandlungen mit Schweden, darauf Gesandter bei den Churfürsten von Sachsen und Brandenburg, wurde 1637 mit seinen Brüdern vom Kaiser Ferdinand II. in den Grafenstand erhoben und ist den 18. Juni 1642 gestorben. Mittheil. VII. S. 281 u. ff.

3. 1601. Februar 21. **Gothardus Kufel de Kufelsteyn dictus Frank Livonus.** 21. J. Ein Elias Kufelstein wurde den 6. Juli 1636 in die kurländische Matrikel aufgenommen. Hupel n. n. Misc. XIII. S. 57.

4. — — **Michael Nithof Livonus.** 20. J.

5. — — **Guilielmus a Rosen Livonus.** 20. J. Die Rosen sind eines der ältesten Adelsgeschlechter Livlands, sie sind seit dem dreizehnten Jahrhundert zahlreich vertreten, auch landbesitzlich gewesen und viele von ihnen haben höhere Stellungen im Militair- und Civilfache gehabt, doch der obengenannte Wilhelm

von Rosen hat keine auffindbare Spur seines Wirkens hinterlassen. Ueber das Geschlecht der Rosen siehe Hupel n. Misc. XV. S. 158, 455. XVIII. S. 328. Briefl. Bd. II. S. 68—70. Rosen, Familiengesch. der von Rosen.

6. 1601. Febr. 21. Gotthart Welling Livoniensis. 20. J. Sohn des Rigaschen Syndicus Dr. Gotthart Welling, geboren den 11. September 1579, wurde 1610 Rigascher Rathsherr, 1646 Obervogt, zugleich Assessor des Schlossgerichts, 1646 Vicepräsident des livländischen Hofgerichts zu Dorpat, trat 1647 aus dem Rathe aus, wurde Präses des livländischen Oberconsistoriums und starb den 8. Octbr. 1656. Rigasche Rathsl. S. 165.

7. 1602. Mai 10. Rutgerus Diepenbrouck Rigensis. 19. P.

8. 1603. Jan. 14. Gothardus Rebinder Livonus. 22. P. Die Rehbinder sind eine adelige Familie, welche seit dem sechszehnten Jahrhundert in Livland und später auch in Kurland und Ehstland ansässig gewesen ist. Von dem obgenannten Gotthard Rehbinder findet sich jedoch keine Nachricht über seine spätere Wirksamkeit. Ueber die Familie Rehbinder Hupel n. Misc. XV. S. 154. XVIII. S. 323, n. n. Misc. XIII. S. 333.

9. — Octbr. 1. Ludovicus Hintelman Rigensis. 23. J. Geboren in Riga 1578, bezog er zunächst 1596 die Universität Königsberg, dann Frankfurt an der Oder und zuletzt Leyden, wo er 1607 zum Doctor beider Rechte promovirt wurde. Nach seiner Rückkehr in seine Vaterstadt wurde er in den Rath der Stadt gewählt; bekleidete das Amt eines Gerichtsvogts, wurde zu mehreren Deputationen verwandt und war gleichzeitig auch Assessor des königlichen Schlossgerichts. Gestorben den 17. Januar 1643. Rig. Rathslinie S. 163.

10. 1604. Febr. 10. Wernerus Becker Rigensis. 22. J. Im Jahre 1600 war er zu Rostock immatriculirt worden. Siehe Rostocker Matrikel Nr. 510.

11. 1605. März 5. Gotthardus Nolde Livonus. 27. J.

12. — April 20. Wernerus Becker Rigensis. 23. J. Wahrscheinlich hatte er die Universität nach seiner ersten Immatriculation bald wieder verlassen und ist daher hier von Neuem immatriculirt worden. Siehe oben Nr. 10.

13. 1605. April 20. **Caspar Dreeling Rigensis.** 23. J. Siehe Rostocker Matr. Nr. 509.

14. — Juni 28. **Joannis Frederix Livonus.** 22. J. Siehe Rostocker Matr. Nr. 515.

15. 1606. August 5. **Johannes Hilchenius Rigensis.** 18. M. Wahrscheinlich, zumal er Medicin studirte, ein Sohn des Apothekers Johannes Hilchen. Siehe Rostocker Matr. Nr. 407. Rig. Rathsl. S. 155.

16. 1607. Mai 14. **Joannes Fredericus Livo.** 23. J. Siehe Rostocker Matr. Nr. 515.

17. — — **Henricus Fredericus Livo.** 23. L.

18. 1610. Mai 3. **Georgius Frank Livo.** 21. P.

19. — Octbr. 27. **Andreas Stampeel Livo-Revaliensis.** 22. J. Er wurde 1623 Rathsherr in Reval, 1643 Bürgermeister und starb 1653. Rev. Rathsl. S. 132.

20. 1612. Febr. 18. **Gerardus Treu Livonus.** 18.

21. — Septbr. 5. **Joachimus Welling Rigensis.** 25. L. Ein Joachim Welling kommt im Jahre 1638 als Besitzer eines Gartens in Riga vor. Lib. rur. S. 376.

22. 1614. Novbr. 26. **Augustinus Lichtwer Riga Livonus.** 22. J.

23. 1617. März 16. **Thomas Friderici Livonus.** 22. J. Er gab 1617 zu Leyden eine juristische Disputation in Druck und soll nach dem Schriftst.-Lex. I, S. 613 der Sohn eines Rigaschen Rathsherrn gleichen Namens gewesen sein. Ein solcher findet sich aber nicht in der Rig. Rathslinie.

24. 1619. März 13. **Theodorus Regimannus Riga-Lifontius.** 20. J. Ist wohl ohne Zweifel ein Rigeman, zumal in dieser Familie der Taufname Dietrich wiederholt vorkommt. Ueber diese Familie siehe Rostocker Matr. Nr. 321, 373.

25. — Novbr. 29. **Theodorus von Estorff Livonus.** 21. J.

26. 1622. Mai 4. **Bernhardus ter Beeck Rivoliensis Livonus.** 22. J. Er war 1636 Secretair des Revaler Raths. Gadebusch, Livl. Jahrb. III. 1. S. 85.

27. 1623. Septbr. 21. **Georgius Henrieus a Bulo Livonus.** 20. Pol.

28. 1624. Juli 16. **Ludovicus Dunte Revaliensis Livonus.** 27. T. Siehe Rostocker Matr. Nr. 562.

29. 1625. Octbr. 13. **Basilius Grandovius Rigensis.** 20. J. Ein Basilius Grandow, ohne Zweifel der Vater des Vorstehenden, war am 3. April 1609 vom Rigaschen Rath als Syndicus engagirt worden. Buchholtz, Materialien G. 627.

30. — Novbr. 3. **Ernestus Rapp Courlandus.** 20. J. Das Geschlecht der Rappe ist schon zur Ordenszeit in Kurland eingewandert und 1620 in die erste Klasse der kurländischen Adelsmatrikel verzeichnet worden. Otto Rappe aus dem Frauenburgschen wird 1605 in der Matric. militaris auf ein Pferd zu adeligem Rossdienst angeschlagen und tritt auch 1620 bei der Ritterbank vor. Von Ernestus Rappe ist keine weitere Nachricht zu finden. Hupel n. n. M. XIII. S. 330.

31. 1626. August 20. **Otto Ernestus Mandel Kurlandus.** 21. J.

32. — Novbr. 5. **Melchior Fos Riga Livonus.** 23. J. Siehe Rostocker Matrikel Nr. 594.

33. 1627. Juni 22. **Johannes Hevel Rigensis.** 24. M. Siehe Rostocker Matr. Nr. 602.

34. — Octbr. 9. **Rutgerus van Bergen Rigensis.** 26. J. Geb. zu Riga am 10. Januar 1603, studirte auch zu Königsberg und liess sich 1633 in Königsberg nieder; 1636 wurde er königl. polnischer Secretair und 1661 churbrandenburgischer Rath, kurz vor seinem Ableben, welches am 16. März 1661 erfolgte. Er war ein Freund der Dichtkunst, die er auch selbst ausübte. Gadebusch, Livl. Bibl. I. S. 48—50. Arnoldt, Königsb. Univ. II. S. 483.

35. — Novbr. 3. **David Wyck Rige Livonus.** 22. J. Siehe Rostocker Matr. Nr. 600.

36. — Novbr. 4. **Everardus Bremen Livoniensis.** 20. P. Siehe Rostocker Matr. Nr. 598.

37. 1628. Juni 10. **Ernestus Rapp Curlandus.** 23. J. Siehe oben Nr. 30.

38. — August 22. **Melchior Fos Rigensis.** 24. J. Siehe oben Nr. 32.

39. — Octbr. 4. **Rutgerus Hemsing Riga-Livonus.** 25. M. Geboren den 8. Januar 1604, hielt sich nach Absolvirung seiner Universitätsstudien in Italien auf, practicirte in Florenz ein Jahr lang gegen ein ansehnliches Gehalt am neugegründeten Marien-

hospital, genoss hier den Umgang des berühmten Galiläi und wurde den 27. August 1632 zu Padua Dr. med. Nachdem er darauf Frankreich und England bereist hatte, kehrte er nach Riga zurück, hielt sich hier einige Zeit auf, ging dann nach Wilna und liess sich schliesslich in Königsberg nieder, wo er 1635 Königl. polnischer Medicus ordinarius, dabei 1639 altstädtischer Stadtphysicus wurde und daselbst den 2. Febr. 1645 gestorben ist. Er hat eine Relation von dem preussischen Messerschlucker drucken lassen. Arnoldt, Universität Königsberg. Thl. II. S. 510. Schriftst.-Lex. II. S. 230.

40. 1628. Novbr. 30. **Bruno Coninck Livonus.** 20. Mat.

41. 1629. Mai 24. **Paris Spandko Livonus.** 20. J. Siehe Rostocker Matr. Nr. 607.

42. 1630. März 7. **Paulus Helms Livonus.** 26. J. Sohn des Rigaschen Rathsherrn Paul Helmes, geb. den 25. Mai 1603, wurde 1640 Beisitzer des livländischen Hofgerichts, darauf Assistenzrath des Generalgouvernements in Livland, 1643 unter dem Namen von Helmersen geadelt und von der Königin von Schweden zu Verhandlungen mit dem Herzog von Kurland wegen der von Polen erhobenen Einsprache wider die von Schweden bei den westphälischen Friedensunterhandlungen gestellten Anforderungen auf Pommern verwandt. Auch war er einer der Deputirten der livl. Ritterschaft, welche der Königin Christine den Engelbrecht Mengdenschen Landrechtsentwurf vorstellten. Gestorben den 17. August 1657. Hupel nord. Misc. XV. S. 544, n. n. M. V. S. 210. Gadebusch, Livl. Jahrb. III., Abschn. I. S. 203. Rig. Rathsl. S. 165.

43. 1630. März 9. **Johannes Flügel Riga Livonus.** 27. J. Siehe Rostocker Matr. Nr. 596.

44. — März 13. **Johannes Nolt Livonus.** 20. Pol. Wohl ein Nolde. Johann Nolde, geb. den 28. Novbr. 1610, studirte auch zu Paris und London, war Erbherr auf Hasenpoth, wurde poln. Kammerherr und Capitain der Leibgarde, und im Kriege gegen Russland durch eine Kanonenkugel getödtet. Rhanaeus. S. 98.

45. — Octbr. 28. **Guilielmus Ulrici Livonus.** 26. J. Siehe Rostocker Matr. Nr. 606.

46. 1630. Octbr. 28. **Casparus Dolmannus Livonus.** 21. J. Wahrscheinlich ein Sohn des Rigaschen Rathsherrn und späteren Bürgermeisters Berent Dolman, welcher 1602 Dockmann, 1603 Aeltester, 1608 Rathsherr, 1623 Bürgermeister wurde und 1641 starb. Rig. Rathsl. S. 164.

47. 1631. März 31. **Bartholdus de Bylow Lyvonus.** 20. Mat.

48. — Juni 30. **Gerardus ab Ulenbrook Righensis.** 21. J. Sohn des Obersecretairs Johan von Ulenbrock, wurde 1637 Gerichtssecretair, 1643 Obersecretair des Rig. Raths, 1650 Rathsherr und starb 1657. Rig. Rathsl. S. 175.

49. — August 14. **Fredericus a Thorhaecken Curlandus Livonus.** 30. J.

50. — — **Philippus Scepping Curo Livonus.** 22. J. Der Name wird richtiger und heute durchweg Schöpping geschrieben. Philipp Schoepping trat noch zu Lebenszeit seines Vaters Dietrich Johan im Jahre 1640 das Stammgut Bornsmünde an, und nahm als Deputirter des Bauskeschen Kreises Theil an den Landtagen des Adels unter dem Herzog Jacob, hauptsächlich aber gab er sich der Verwaltung seines Gutes und der Pflege der Landwirthschaft hin. Er befindet sich auch unter denjenigen Gliedern der kurländischen Ritterschaft, welche 1645 mit der schliesslichen Revision des Derschauschen Landrechts-Entwurfs beauftragt wurden. Bornsmünde, S. 18—20. Mirbach, Briefe I. S. 124 und ff. Bunge, Rechtsgesch. S. 256.

51. — — **Henricus Doenhoff ejusdem patriae.** 20. J. Ein Heinrich Dönhoff ist 1660 Tuckumscher Oberhauptmann. Hupel n. n. Misc. XIII. S. 75.

52. — — **Casparus Spier ejusdem patriae.** 21. J.

53. — August 23. **Ernestus Alexander Bothlaer Courlandus.** Es soll wohl hier, wie in den Nrn. 104 u. 165, Buttlar heissen. Buttlar, auch Buttler genannt, sind eine kurländische Adelsfamilie, die bei ihrer Immatriculation ihren Ursprung aus Hessen angegeben hat und im Anfang des siebzehnten Jahrhunderts sehr zahlreich und begütert war. In Livland kommt schon 1516 ein Buttler vor. Brieflade I. S. 837. Hupel n. n. Misc. XIII.

S. 137. Ueber die in dieser Matrikel Genannten hat sich nichts vorgefunden.

54. 1631. August 23. **Nicolaus Korff Livoniensis.** 20. L. Ueber die Familie Korff siehe Wittenberger Matrikel 21. Wer dieser Korff ist, muss dahingestellt bleiben. Ein Nicolaus Korff ist nach Hupel n. n. Misc. IX. S. 147 Woywode zu Wenden 1639, Starost von Kokenhusen und Woholnik, Erbherr auf Kreutzburg, Steinbrunn und Ascheraden. Gadebusch, Jahrb. III. 1, S. 405 führt beim Jahre 1655 an, dass der Woywod Nicolaus Korff vom Freiherrn Horn eine Schutzwache für seine in Polnisch-Livland gelegenen Güter verlangt, aber nicht erhalten habe. Buchholtz, Materialien K. 1078 führt auch einen Nicolaus v. Korff an, welcher Erbherr von Kreutzburg und Lievenhof, Telss, Roloff und Bledau in Preussen, polnischer, schwedischer und kurbrandenburgscher Kammerherr, Gouverneur von Königsberg, Wokolni Chiliarchus gewesen sei, als dessen Geburtsjahr aber 1615 angegeben wird, woher denn, wenn diese Zahl richtig ist, dieser nicht der obgenannte Student gewesen sein kann.

55. 1632. Juli 15. **Otto a Sacken Courlandus.** 21. J. Ein Otto von Sacken war im Jahre 1687 königl. Statthalter in Riga. Müller, Russ. Gesch. Bd. IX. S. 302. Wiedau, Collect. Thl. I. S. 95.

56. — August 10. **Joannes Cotenius Arensburgo-Livonus.** 25. J.

57. 1634. Juli 15. **Bernardus a Spreckelson Livonus.** 20. M.

58. — Septbr. 2. **Hermannus Polhast Riga Livonus.** 27. J. Siehe Rostocker Matr. Nr. 627.

59. 1635. Juni 30. **Henricus Cnopius Livonus.** 24. J.

60. 1636. März 4. **Johannes Hoeneleger Livonus.** 23. J. Es ist wohl kein Anderer, als der nachherige Revalsche Gerichtssecretair, welcher als solcher 1658 starb, dessen Vater, Johann Hünerjäger, der ebenfalls studirt hatte, wie dessen Grossvater, Jürgen Hünerjäger, Glieder des Revalschen Raths waren. Rev. Rathsl. S. 106. Am 30. December 1633 war der Obige zu Dorpat als Johannes Hunerjer Revalia-Livoniae immatriculirt worden.

61. 1636. Juli 1. **Johannes Witte Riga Livonus.** 22. P. Sohn des Aeltesten gr. Gilde zu Riga Joh. Witte, wurde nach Be-

endigung seiner Studien Agent der Stadt Riga am schwedischen Hofe, 1648 Secretair und Archivar und 1656 Rathsherr. Er starb 1657 den 22. August an der derzeit in Riga herrschenden Epidemie. Er hat sich noch heute in Erinnerung gehalten durch seine archivalischen Arbeiten und Sammlungen. Rig. Rathsl. S. 179.

62. 1636. Juli 2. **Michael Sartorius Livonus.** 28. T. Wohl ein Sohn des gleichnamigen Lehrers und nachherigen Pastors und Propstes zu Haljall in Ehstland (gest. 1640). Paucker, Geistl. S. 175.

63. — Septbr. 11. **Otto Uxkull Nobilis Livonus.** 21. Pol.

64. 1637. April 1. **Simon Luher Livonus.** 24. J. Siehe Rostocker Matr. Nr. 621.

65. — Juli 13. **Guilielmus Taube Nobilis Livonus.** 22. J. et Pol. Die Tuve, später Taube genannt, kommen in livländischen Urkunden als landbesitzliches Geschlecht schon im dreizehnten Jahrhundert vor und mehrere von ihnen haben sich in der livländischen Geschichte bemerkbar gemacht. Ein Wilhelm Taube wird als Vater des Georg Johan Taube, des Rittmeisters im Leibregiment der Königin Hedwig Eleonore, genannt, welcher 1680 zum Freiherrn erhoben wurde. Hupel n. Misc. XV. S. 181 u. ff.

66. — — **Conradus Uxkull Nobilis Livonus.** 20. J. et Pol.

67. — — **Rainoldus Lieve Nobilis Livonus.** 19. P. Die Live, seit dem Ende des siebzehnten Jahrhunderts Lieven geschrieben, eine Familie, deren Zweige heute Barone, Grafen und Fürsten sind, leiten ihren Ursprung von Kubbe oder Caupo, dem Fürsten der Liven, ab, der sein weites Gebiet an der Aa hatte und bei der ersten Einwanderung der Deutschen in Livland sich taufen liess, ihr Bundesgenosse wurde und im Jahre 1216 im Kampfe gegen die Ehsten fiel. Die Lieven waren im dreizehnten Jahrhundert Vasallen des Rig. Erzbisthums (Brieflade 12), vertheilten sich nach Ehstland und von da nach Kurland und später nach Schweden. Die Genealogie der Lieven und die derselben beigefügte Stammtafel des kurländischen Zweiges derselben vom Brigadier Heinr. Joh. Lieven in Hupel n. n. Misc. XIII. S. 240—284 geben keinen Aufschluss über den

oben genannten Leydener Studenten. Ein Reinhold Lieven, geb. den 19. Novbr. 1621, gestorben den 17. September 1665, im Jahre 1653 in den schwedischen Freiherrnstand erhoben, ist schwedischer Generalmajor, Gouverneur von Oesel und Landrath in Ehstland. Ein anderer Reinhold L. ist Erbherr auf Autzenburg und gestorben vor 1643. Ein dritter Reinhold L. ist Goldingscher Mannrichter, Erbherr auf Pomusch und Tittkau, und gestorben den 18. Octbr. 1694.

68. 1637. Juli 24. **Georgius Praetorius Livonus.** 24. T. Des Georg Praetorius, gen. Schulz, Rectors der Trivialschule in Reval von 1614—26, Sohn wurde um 1639 Professor der griechischen Sprache am Gymnasium zu Reval. Gestorben 1664. Archiv VI. S. 325, 331. Berting, Lehrer-Album des Revalschen Gymnasiums. 1631—1862. S. 10. Hansen, S. 185. Inland, 1838. S. 230. 1839, S. 661.

69. — August 19. **Joannes Vestringius Livonus.** 21. T. Siehe Rostocker Matr. Nr. 642.

70. — Septbr. 5. **Joannes Bremerus Riga-Livonus.** 22. T. Siehe Rostocker Matr. Nr. 634.

71. — Septbr. 9. **Marcus Longerius Livonus.** 26. T. Wahrscheinlich derselbe, der sich im Januar 1636 zu Rostock als Marcus Longius Revaliensis hatte immatriculiren lassen.

72. — Novbr. 27. **Joannes Dreiling Curlandus.** 24. Pol. Durch Caspar Dreiling (siehe Rostocker Matrikel Nr. 509) wurde der kurländische Zweig der Rigaschen Patricier-Familie begründet. Vorstehender ist wohl ein Nachkomme desselben.

73. — Decbr. 8. **Joannes Fonnius Revalia Livonus.** 20. J. Wohl ein Sohn des Revaler Rathsherrn Johan Fonn, welcher von 1630—1653 im Revaler Rathe sass. Rev. Rathsl. S. 95. Am 11. Febr. 1634 war Obiger zu Dorpat immatriculirt worden.

74. — Decbr. 12. **Joannes Mayer Livo-Rigensis.** 25. J. Er wurde in seiner Vaterstadt Riga 1640 Untergerichtssecretair, 1650 Obersecretair, 1652 Rathsherr und starb den 5. Februar 1657 an der derzeit in Riga herrschenden Epidemie im Alter von 47 Jahren. Er ist bekannt durch die Abfassung des Entwurfs eines revidirten Rig. Stadtrechts. Rig. Rathsl. S. 177.

75. 1638. März 9. **Petrus Weper Livonus.** 21. J.

76. — Juli 12. **Fabianus Verrsen Livonus.** 22. J. Die Fersen gehören zu einem alten livländischen Adelsgeschlecht. Fabian Fersen wurde den 2. April 1665 Gouverneur in Riga und war es noch 1675. Er starb als schwedischer Feldmarschall und Generalgouverneur 1677. Wiedau, Collect. I. S. 48. Gadebusch, Livl. Jahrb. III., 2. S. 61, 63, 101, 104, 113, 129, 181, 184. Hupel n. Misc. XVIII. S. 512, wo das Geburtsjahr 1626 wohl falsch statt 1616 angegeben ist.

77. — August 26. **Henricus Hagenius Riga Livonus.** 24. J. Heinrich Hagen erwirbt im Jahre 1631 in Riga jenseits der Düna einen Hof, diesen verkauft im Jahre 1659 sein Sohn Henrich von Hagen, welcher Assessor des königl. Landgerichts auf Oesel und Präsident des Arensburgschen Stadtgerichts ist. Lib. rur. S. 356, 450.

78. — Septbr. 16. **Jacob Bromen Livonus.** 21. J.

79. — — **Johannes Miller Livonus.** 20. J.

80. — — **Conradus de Wangersheim Livonus.** 20. J. Er wurde 1652 Vice-Präsident des livländischen Hofgerichts in Dorpat. Wiedau, Collect. I. S. 71. Gadebusch, Livl. Jahrb. III., 1. S. 9. Ueber das Geschlecht der Wangersheim siehe Hupel n. Misc. XVIII. S. 417.

81. — — **Otto Asmus Livonus.** 20. Pol.

82. — Septbr. 17. **Johannes Delwich Livonus.** 22. J. Ein Livländer von Adel Joh. Delwich befindet sich am 24. Mai 1648 zu Upsala. Inland, 1851. S. 874.

83. — — **Johannes Weigener Livonus.** 20. —

84. 1639. August 5. **Georgius Lode Livonus.** 21. J.

85. — — **Henricus Tonderus Livonus.** 20. J. Heinricus Tunder, wohl der Vorstehende, war am 31. December 1636 als Revaliensis Livonus zu Dorpat immatriculirt worden und befindet sich am 4. Januar 1641 bereits in Reval. Er wurde Assessor und Secretair des Burggerichts zu Reval, Rathssecretair und Vicesyndicus im Januar 1658, Syndicus im August 1658, Bürgermeister 1661, gleichzeitig Lehrer der Rechte am Gymnasium zu Reval. Er wurde geadelt als von Tunderfeld. Gestorben

1675. Rev. Rathsl. S. 185. Hansen, Geschichtsbl. S. 188. Inland, 1852. S. 874.

86. 1639. August 17. **Johannes Knyperus Revaliensis Livonus.** 23. T. Sohn des Aeltesten gr. Gilde Hans Kniper zu Reval, wurde nach Beendigung seiner Studien 1640 zuerst Hauslehrer, dann Professor am Gymnasium zu Reval, 1642 Pastor zu St. Petri in Reval und 1667 Propst. Gestorben den 18. März 1673. Paucker, Geistl. S. 233.

87. — August 29. **Rheynholt Faessen Livonus.** 22. P.

88. — — **Hans Faessen Livonus.** 22. P. Faessen ist kein Name von livländischem Klange, wahrscheinlich ist statt des ersten s ein r, und somit Faersen, d. h. Forsen, zu lesen. Hans F. hatte auf der Universität einen Diener mit sich, was auf eine wohlhabendere und höhere Lebensstellung hinweist. Die Namen Reinhold und Hans sind in dem Fersenschen Geschlecht traditionell. Hans Fersen, ein Sohn des schwedischen Obristlieutenants Reinold F., wurde General-Lieutenant, 1674 zum Freiherrn erhoben und 1681 Gouverneur von Livland. Gestorben 1683. Wiedau, Collect. I. S. 48. Hagemeister, II. S. 6, 28, 167. Hupel n. M. XV. Beilage XIV. u. XVIII. S. 513.

89. — Septbr. 6. **Johannes Eeckhoff Livonus.** 20. J.

90. — Septbr. 7. **Caspar Poorten Revelensis Lyfflandus.** 16. Mat.

91. — November 3. **Johannes Fredericus ab Oosten dictus Sacken Curo-Livonus.** 22. — Wahrscheinlich der Erbherr gleichen Namens auf Perbohnen in Kurland, welcher seit 1640 (wenn dies Datum richtig ist) piltenscher Kirchenvisitator war, 1654 piltenscher Mannrichter wurde, 1655 eine Schrift über die Vereinigung des piltenschen Districts mit dem Herzogthum Kurland verfasste und 1667 gestorben ist. Schriftst.-Lex. IV. S. 7.

92. — Novbr. 17. **Nicolaus Brouver Rigensis Livonus.** 21. J. Dieser ist wohl kein Anderer als Nicolaus Brauer, der in die Kanzlei des Rigaschen Raths trat, Secretair, Obersecretair und 1663 in den Rigaschen Rath gezogen wurde, wo er das Amt eines Obervogts und zuletzt das eines Oberamtsherrn bekleidete. Gestorben 1694. Rig. Rathsl. S. 185.

93. 1640. März 9. **Robertus Daube Nobilis Livonus.** 20. J. Zweifelsohne ist hier, wie in der folgenden Nr., Taube zu lesen. Vergl. oben Nr. 65.

94. — April 19. **Guilielmus Daube Nobilis.** 21. —.

95. — April 28. **Johannes Meyer Livonus.** 27. J. Wahrscheinlich der oben unter Nr. 74 genannte Johannes Mayer.

96. 1641. Febr. 25. **Joannes Everhardus Delwig Nobilis Livonus.** 22. J. Die Familie Delwich in Livland ist begründet durch den 1496 aus Westphalen eingewanderten Ewert Delwich, Neffen des Comthurs zu Fellin, Wenmer Delwich (1493—1506), welcher 1517 von seinem Schwager Ewert Todwen das Gut Tohall erwarb. Brieflade I. S. 847. In der in Hupel n. Misc. XVIII., S. 47 u. ff. gegebenen Stammtafel der Familie, welche für die ältere Zeit mit den Urkunden in der Brieflade im Allgemeinen übereinstimmt, wird als Sohn des Johan von Dellwig, Landraths in Ehstland und Erbherrn auf Toal, Hebbet und Paggar, aufgeführt: Ewert Johann Dellwig, schwedischer Obristlieutenant, welcher wohl der vorgenannte Student ist, da weiter kein Delwig mit diesen beiden Vornamen vorkommt.

97. — Decbr. 7. **Hermannus Sampsonius Nobilis Livonus.** 22. J. Sohn des livländischen General-Superintendenten Hermann Samson, welcher am 19. September 1640 unter Zuertheilung des Namens von Himmelstiern nobilitirt wurde. Er studirte später auch zu Strassburg, wo im Jahre 1643 von ihm eine Dissertation gedruckt wurde. Nach seiner Rückkehr von den Universitäten, wurde er Assessor des Hofgerichts zu Dorpat, 1647 Rigascher Rathsherr, 1659 Bürgermeister, sodann königlicher Burggraf, Oberwaisenherr, Präses des Consistoriums u. s. w. Geb. den 20. Febr. 1619, gest. den 22. December 1678. Rig. Rathsl. S. 175.

98. 1642. April 10. **Joachimus Rennenkamp Livonus.** 22. J. Siehe Rostocker Matr. Nr. 622.

99. — April 16. **Rudolphus Strauch Livonus.** 25. J. Geb. zu Windau in Kurland, studirte 1640 zu Dorpat, wo er „Moscoviae historia oratione solenni enarrata“, 1640, herausgab; er

11*

wurde nachher Equitum Magister und starb den 10. Januar 1681. Witte, Diarium biographicum ad annum 1681. Schriftst.-Lex. IV. S. 313.

100. 1642. April 16. **Ditlef van Dysenhuysen Livonus.** 22. J. Wohl ein Tiesenhausen. Siehe Rostocker Matr. 16.

101. — Januar 23. **Joannes Guinterus Gerlach Livonus.** 24. J. Geb. zu Riga, studirte in Dorpat vom 13. November 1632 bis 1638 und gab daselbst „Oratio de Testamentis," 1638, heraus. Schriftst.-Lex. II. S. 23.

102. — Septbr. 3. **Henricus Donder Livonus.** 20. J. Wahrscheinlich der oben sub Nr. 85 Genannte.

103. — Decbr. 23. **Nicolaus Witte Riga Livonus.** 24. M. Siehe Rostocker Matr. Nr. 640.

104. 1643. April 7. **Johannes Botler Courlandus.** 22. J. Siehe oben Nr. 53.

105. — Novbr. 30. **Albertus Lantingh Livonus.** 21. T. Aus Reval gebürtig, wahrscheinlich ein Sohn des Revaler Rathsherrn Heinrich Lanting (von 1623—1642), hatte zuerst in Dorpat studirt, wo er am 2. Juli 1637 immatriculirt worden war. Rev. Rathsl. S. 111. Siehe auch Inl. 1852, S. 876.

106. 1644. April 16. **Christianus Holtz Courlandus.** 24. J.

107. — Juni 10. **Ewaldus a Sack Coerlandus.** 25. P.

108. — Novbr. 14. **Nicolaus Berniken Nobilis Livonus.** 25. J. Es muss statt Berniken heissen Barniken, welcher Fehler wohl in der schlechten Handschrift des Albums seinen Grund hat. Nicolaus Barniken ist wohl ohne Zweifel der Sohn des gleichnamigen Rigaschen Rathsherrn, welcher von 1619 bis zu seinem Ableben im Jahre 1647 im Rathsstuhl sass. Rig. Rathsl. S. 167.

109. — Novbr. 25. **Joannes Helms Livonus.** 22. J. Wahrscheinlich ein Sohn des Rigaschen Aeltermanns grosser Gilde und nachherigen Rigaschen Rathsherrn Mauritz Helmes von 1652—1657. Rig. Rathsl. S. 178.

110. 1645. Mai 22. **Nicolaus Strouckmann Riga Livonus.** 24. J. Wahrscheinlich der Sohn des Cordt Struckman, welcher

von 1621—1651 als Besitzer und Erwerber verschiedener Höfe und Gärten vorkommt. Lib. rur. S. 323, 325, 326, 332, 336, 337, 424, 430.

111. 1645. Juli 6. **Justus Johannes a Tauben D. Generosus Livoniensis.** 24. — Siehe über die Familie Taube oben Nr. 65.

112. — — **Johannes Wrangel Nobilis.** 22. —. Siehe Erfurter Matrikel Nr. 18.

113. — Juli 6. **Fridericus Henricus Korff Nobilis.** 22. — Obristlieutenant und königl. Kammerherr, Erbherr auf Preekuln und Assieten, von 1677—1683 Oberhauptmann zu Goldingen. Hennig, S. 146. Buchholtz, Materialien K. 1088. Nach diesen ist er den 6. August 1626 geboren, was aber mit den angegebenen 22 Jahren nicht stimmt, gest. den 15. Juli 1683 und in der neuerbauten Preekulnschen Kirche 1684 beigesetzt. Ueber die Familie Korff siehe Wittenberger Matrikel Nr. 21.

114. — August 14. **Henricus Woyer Livonus.** 20. J.

115. — August 30. **Franciscus Hillchen Nobilis Livonus.** 20. P. Siehe Rostocker Matr. Nr. 559.

116. — Novbr. 21. **Jacobus Hilchen Nobilis Livonus.** 21. J. Jacob und Franz Hilchen, Nachkommen des Rigaschen Syndicus David Hilchen, sind 1664 schwedische Obristlieutenants. Jacob Hilchen, Obrist, besass im Jahre 1683 das Gut Ringenberg mit Westerotten in Livland. Franz Hilchen schrieb sich auf Westerotten und Kipsal, welches letztere Gut noch in dem ersten Viertel des achtzehnten Jahrhunderts auf seine Nachkommenschaft sich vererbte. Im letzten Viertel desselben Jahrhunderts war dieselbe im Mannesstamm in Livland erloschen. Jacob scheint ohne Erben verstorben zu sein. Hupel, nord. Misc. XV. S. 447—49. Hagemeister, Materialien I. S. 55 u. 109.

117. 1646. Mai. **Nicolaus de Witte Riga Livonus.** 27. M. Siehe oben Nr. 103.

118. — — **Hermannus Bouwer Riga Livonus.** 26. T. Wohl der Magister Hermann Bauer, welcher zuerst in Wittenberg studirt hatte, 1647 Diacon an der Johanniskirche in Riga wurde und 1657 an der Pest starb. Bergmann I. S. 41.

119. 1646. Mai. **Gustavus a Meynden (l. Mengden) Livonia orlundus.** 20. —. Gustav von Mengden, Sohn des Freiherrn Otto von Mengden, geb. den 17. April 1625 oder 1627, war Besitzer mehrerer Güter in Livland, schwedischer Generalmajor, ältester livländischer Landrath seit 1666 und Oberster der livländischen Adelsfahne. Gest. den 16. December 1688. Ein für die politische Entwickelung Livlands bedeutsamer Mann. Er war auch Dichter. Sein wider die Reductions-Commission gerichtetes plattdeutsches Gedicht ist abgedruckt in Gadebusch, Livl. Bibl. II., S. 239. Siehe Gadebusch a. a. O. und Schriftst.-Lex. III. S. 200. Hupel, nord. Misc. XV. S. 327 u. ff. Baltische Monatsschrift VII. S. 215—244.

120. 1647. Februar. **Eobaldus a Sack Nobilis Churlandus.** Wohl derselbe, welcher schon 1644 (oben Nr. 107) immatriculirt worden war. Er hatte einen Franzosen aus Paris als Diener bei sich, den er zugleich in die Matrikel aufnehmen liess. Dies pflegte zu geschehen, um der besonderen Privilegien der Universität, des besonderen Gerichtsstandes und der Befreiung von den städtischen Steuern, theilhaftig zu werden.

121. — Mai 27. **Balthasar Kohl Livonus.** 22. J.

122. — — **Jacobus Kohl Livonus.** 22. J.

123. — Juni 2. **Fridericus Kohl Livonus.** 23. M.

124. — Septbr. 5. **Alexander van Essen Livonus.** 22. Mat. Die Essen sind ein in Liv- und Ehstland seit dem Anfang des siebzehnten Jahrhunderts vorkommendes Adelsgeschlecht. Ein Alexander von Essen, Generalmajor und Landrath von Ehstland, war Glied der schwedischen Gesandtschaft nach Moskau im Jahre 1655, und ein Generaladjutant Alexander v. Essen wird 1682 als Besitzer des Gutes Naukschen in Livland genannt. Ob der Leydener Student gleichen Namens mit letzterem zu identificiren ist, bleibt zweifelhaft. Ueber die Familie Essen Hupel, nord. Misc. XV. S. 202 u. ff. Gadebusch, Livl. J. III, 1. S. 423. Hagemeister I. S. 125.

125. — Septbr. 12. **Magister Mathias Helmsing Coerlandus.** 23. — Er war zuerst bis 1651 Pastor zu Normbsen (Nurmhusen) in Kurland, wurde sodann 1652 den 5. Januar Pastor zu Schranden,

1658 vom Herzog von Kurland als Propst und deutscher Prediger nach Goldingen berufen, starb aber schon im folgenden Jahre 1659. Hennig, S. 255 ff. Kallmeyer, Kurlands Pred.-Lex.

126. 1647. Octbr. 30. **Georgius Wilhelmus Keckel Churlandus.** 21. Mat.

127. 1648. April 2. **Otto Presting Livonus Nobilis.** 20. Mat. Da ein Adelsgeschlecht dieses Namens in keiner der Provinzen Liv-, Ehst- und Kurlands existirt, so wird der Name wohl Pröbsting zu lesen sein, welche Familie sich in der ehstländischen Matrikel verzeichnet findet.

128. — Septbr. 1. **Thomas Scholtz Riga Livonus.** 27. T. Siehe Rostocker Matrikel Nr. 649.

129. 1649. Mai 26. **Johannes Schultz Riga Livonus.** 26. J. Siehe Rostocker Matr. Nr. 658.

130. — August 11. **Magister Johannes Richmannus Riga Livonus.** 27. J. Siehe Rostocker Matr. Nr. 646. Die Bezeichnung hier als Jurist ist wohl unrichtig.

131. 1650. Octbr. 22. **Nicolaus Kohl Livonus.** 20. J.

132. — Novbr. 14. **Jacobus van der Osten dictus Sacken, Dns. de Sackenhaus Courlandus.** 22. J.

133. — — **Johannes Manteuffel dictus Czoege Courlandus.** 21. J. Die Soie, Soye, Zoige kommen schon im Anfange des 14. Jahrhunderts in Ehstland als königliche Vasallen vor und nehmen später den Namen Manteuffel an. Der livl. Zweig erlangte die Reichsgräfliche Würde. Der kurländische Zweig, welcher gleich dem livländischen seine Abkunft aus Pommern herleitet, nennt sich Manteuffel, genannt Szöge. Ein Johan Manteuffel, der im siebzehnten Jahrhundert lebte, war Erbherr von Katzdaugen. Ueber den obigen Studenten ist nichts Specielles zu ermitteln. Hupel n. Misc. XV. S. 305—320. N. n. Misc. XIII. S. 380, 381.

134. — — **Elias Munnechen Courlandus.** 20. Mat.

135. 1651. Febr. 17. **Johannes Benkendorf Livonus.** 24. J. Er war der Sohn des Rigaschen Rathsherrn Johan von Benkendorf, besuchte zuerst die Schulen seiner Vaterstadt, ging dann nach Danzig und Königsberg und von da über Schweden, Däne-

mark nach den Niederlanden, hielt sich zwei Jahre in Leyden auf, machte sodann noch Reisen durch England, Frankreich und Italien und überstand nach der Rückkehr in seine Vaterstadt die russische Belagerung und die Pest, war in Stadtangelegenheiten auch am Hofe zu Stockholm sehr thätig und wurde hier den 17. November 1674 nobilitirt. Von ihm stammt das heutige gräflich Benkendorffsche Geschlecht ab. Geb. den 11. März 1626, gest. als wortführender Bürgermeister den 27. Februar 1680. Rig. Rathslinie S. 183.

136. 1651. März 17. **Magnus Fredericus Franc Curlandus.** 21. J.

137. — Juli 20. **Christianus Straelborn Livonus.** 25. J. Es giebt eine adelige Familie dieses Namens sowohl in Ehstland, als in Livland, aber auch eine bürgerliche in Reval, aus der erstere wohl hervorgegangen ist, zumal das Adelsdiplom, durch welches der Adel renovirt wurde, erst 1682 erlassen ist. In Reval kommt ein Caspar Straelborn vor, welcher 1651 Aeltermann der Kaufmannsgilde ist. Inland 1838. S. 231. Hupel n. Misc. XV. S. 505 und XVIII. S. 383.

138. — August 9. **Helm Wrangel Nobilis Livonus.** 20. Pol.

139. — — **Karel Emmanuel Wrangel Nobilis Livonus.** 18. Pol.

140. — Octbr. 25. **Henricus Vestring Livo.** 22. J. Er war aus Reval gebürtig, wurde 1655 Waisengerichtssecretair in seiner Vaterstadt, ging 1658 nach Riga, wurde hier 1658 Vicesyndicus, nahm an der Revision des Rigaschen Stadtrechts Antheil und starb als Syndicus und Assessor des burggräflichen Gerichts den 2. September 1672. Rig. Rathsl. S. 184.

141. 1652. März 6. **Jacobus Carolus Hirschen Livonus.** 23. Mat.

142. — März 30. **Henricus Hoogreef Livonus.** 21. P.

143. — Juni 10. **Iordanus Hillingk Livo-Rigensis.** 23. J. Während seines Besuches des Rigaschen Gymnasiums hatte er in den Jahren 1647, 1648 und 1650 mehrere Gelegenheitsgedichte in Druck ausgehen lassen. Nach Beendigung seiner Studien in Leyden ging er zur katholischen Religion über, trat als Kammerjunker in die Dienste des Kardinals Rospigliosi, wurde, als dieser unter dem Namen Clemens IX. Papst geworden war, Verwalter der Privatangelegenheiten desselben, erhielt eine Abtei, und als

er nach dem Tode des Papstes (9. December 1669) von dieser Abtei Besitz ergreifen wollte, zog er sich auf der Reise von Rom dahin in Folge einer im Trunke begangenen Ausschweifung eine Krankheit zu, an der er bald darauf starb. Ein Jordanus Hilling, Ehrenvester titulirt, kommt in den Jahren 1638, 1648 und 1658 als Erwerber von zwei Gärten und eines Hofes in Riga vor, wohl des Obigen Vater. Schriftst.-Lex. II. S. 306 und Rig. Zeitung 1873, Nr. 150. Lib. rur. 400, 405, 428, 445.

144. 1652. August 31. **Johannes Fourmannus Rigensis.** 23. M. Geb. den 12. October 1628, machte nach Beendigung seiner Studien Reisen durch Deutschland, Holland, England, Frankreich und Italien, wurde zu Padua Dr. med., kehrte 1658 nach Riga zurück, practicirte hier, wurde 1662 zweiter, 1689 erster Stadtphysicus und starb den 23. April 1704. Schriftst.-Lex. I. S. 624.

145. — Octbr. 4. **Magnus von Bergen Livonus.** 26. Mat.

146. — Octbr. 29. **Henricus Wolf a Lidinckhausen Nobilis Curlandus.** 22. Pol. et Hist. Ueber die Familie Lüdinghausen, gen. Wolff, siehe Hupel n. n. Misc. XIII. S. 285, IX. S. 149.

147. — — **Fridericus Tranckwitz a Bouditz Nobilis Curlandus.** 21. Pol. et Hist. Georg Friedrich von Trankwitz war zuerst Hauptmann in Doblen und sodann 1664 Ober-Hauptmann in Goldingen bis 1677. Hennig, S. 145. Die Trankwitz sind ein in Kurland 1620 immatriculirtes, aber in demselben Jahrhundert schon erloschenes Adelsgeschlecht. Hupel n. n. Misc. XIII. S. 395.

148. 1653. Septbr. 29. **Joannes a Bistram Eques Courlandus.** 23. Pol. In Neimbts genealogischer Tabelle der Herren von Bistram, 1785, welche der Zeitangabe grösstentheils entbehrt, wird ein einziger Johan Bistram und dieser als ohne Erben verstorben, jedoch ohne Angabe jeder Zeit, aufgeführt, der nach der ihm gegebenen Reihenfolge kaum der Vorgenannte sein kann.

149. 1654. Juni 17. **M. Michael Mei Riga Livonus.** 26. T. Er hatte zuvor in Wittenberg studirt und war dort Magister geworden. Am 10. Juli 1657 wurde er Diacon an der Domkirche zu Riga, erlag aber schon am 23. August desselben Jahres der Pest. Bergmann I. S. 43.

150. 1654. Septbr. 8. **Fredericus Franken Courlandus.** 23. J.

151. 1655. Januar 6. **Wilhelmus Magnus von der Osten Curlandus.** — Mat.

152. — Mai 25. **Fridericus von Sacken Nobilis Curlandus.** 24. Pol. et L.

153. — Juni 24. **Fridericus ab Osten dictus Sacken Nobilis Curlandus.** 22. —.

154. — Juli 14. **Johannes Axelius ab Hintzke Eques Livonus.** 21. Eloq. et Pol. Siehe Rostocker Matr. Nr. 691.

155. — Octbr. 1. **Petrus Philippi Rigensis Livonus.** 20. Mat.

156. — — **Marcellus Philippi Rigensis.** 16. Mat.

157. 1656. Februar 22. **Fredericus Brakel Nobilis Curlandus.** 21. J. Die Brakel sind ein altes Adelsgeschlecht (siehe Rost. Matr. Nr. 67) und in Liv- und Kurland in die Adelsmatrikel aufgenommen. Die kurländische Familie ist mit dem Ableben des französischen Capitains Friedrich Casimir Brackel 1779 erloschen. Von dem immatriculirten Fredericus Brackel findet sich keine Nachricht. Ueber die Familie Brackel Hupel n. Misc. XV. S. 136, n. n. Misc. IX. S. 102, XIII. S. 116.

158. — Juni 7. **Hermannus Fredericus a Behr Nobilis Curlandus.** 24. Pol. Nach Vogell, Geschlechtsgeschichte des hochadeligen Hauses der Herren Behr im Hannoverschen und Kurländischen, Celle 1815, ist der Stifter des kurländischen Hauses, Werner, geb. den 12. Februar 1565, Churfürstlicher Brandenburgscher Rath und Erbmarschall des Stiftes Verden. Zufolge der beigefügten Stammtafel ist sein Sohn Ulrich, Erbherr auf Edwahlen, Poppen, Ugalen und Schleck, Erbmarschall des Stiftes Verden, Königl. Rittmeister, der Vater von Herman Friedrich auf Edwahlen, Wangen und Sernat, Königl. Dänischer Rittmeister und Landrath zu Pilten. In diesem haben wir daher den vorstehend Immatriculirten zu sehen.

159. — — **Johannes Diedericus a Behr Nobilis Curlandus.** 23. Pol. et Hist. Ein Bruder des unter der vorhergehenden Nummer Erwähnten. Er war Capitainlieutenant und Erbherr auf Schleck und Kabillen.

160. 1656. Juni 7. **Otto Ernestus a Behr Nobilis Curlandus.** 20. A. et Hist. Dieser kommt in der oben Nr. 158 bezogenen Stammtafel als Sohn des Ulrich v. Behr nicht vor.

161. — August 9. **Martinus Gamper Curlandus.** 33. Cand. J. Er erscheint als Jur. u. Pract. und Erbgesessener auf Gerdauen im Jahre 1669 als Bevollmächtigter der Städte Kurlands bei der Krönung des Königs Michael von Polen. Von dem Magistrat von Goldingen erhielt er dabei den Auftrag, die Goldingschen Stadtprivilegien und verschiedene königliche Rescripte confirmiren zu lassen. Hennig, S. 158.

162. — August 28. **Henricus ab Hevelen Livonus.** 22. Pol. Sohn des Dr. med. Stadtphysikus, Professors am Rig. Gymnasium und kurländischen Archiaters Johannes von Höveln (siehe Rost. Matr. Nr. 602, Leyden Nr. 33). Eine Tochter desselben, Gertrud von Höveln, war an den Dr. Nicolaus Witte von Lilienau (siehe Rostock Nr. 640, Leyden Nr. 103 und 117) verheirathet. Heinrich v. Höveln gehörte sonach zu einer angesehenen Familie Rigas. Er scheint auch wohlhabend gewesen zu sein, denn er lebte als Candidatus juris ohne eine amtliche Stellung oder einen bestimmten Erwerb gehabt zu haben. In den achtziger Jahren des siebzehnten Jahrhunderts fanden in Riga religiöse sectirerische Bewegungen und Versammlungen statt, die auf Denunciation des Feldpropstes David Lotichius (siehe Rostock Nr. 749) Gegenstand von weitläufigen Untersuchungen des Stadtconsistoriums wurden. Auf Beschwerde der Inquisiten ging die Sache bis an den König von Schweden, der das Gutachten des Oberconsistoriums von Upsala einzog. Auch Heinrich von Höveln, schon ein alter Mann, obgleich er nicht an jenen Versammlungen in irgend einer Beziehung betheiligt war, wurde ebenfalls seiner kirchlichen Gesinnung wegen von dem Rigaschen Consistorium zur Inquisition gezogen. Man warf ihm vor, dass er in vielen Jahren nicht zum heiligen Abendmahl gewesen, an dem öffentlichen Gottesdienste nicht theilgenommen und allerhand Schwärmereien von sich habe hören lassen. Er wurde mit Kirchenbusse bedroht, musste schriftlich sein Glaubensbekenntniss einreichen, und erhielt darauf am 12. Septbr. 1693 von dem Rig. Consistorium folgendes Urtheil: „Demnach

Heinrich v. Höveln seinem eigenen schriftlichen Geständniss nach von der reinen lutherischen Lehre und Kirche, darin er geboren und erzogen, und von dem darin üblichen und in Gotteswort auch löblichen christlichen Verordnungen gegründeten öffentlichen Gottesdienst, worzu er demnach als ein Reichsunterthan vermöge königlicher Kirchen-Ordnung verbunden, und dieselbe zu bekennen und zu halten pflichtig ist, sich abgesondert und davon abgetreten; daneben von derselben irrige Meinungen und lästerliche Redensarten bis auf diese Stunde geheget und führet, und obzwar ihn einige Herren Prediger vorlängst sowohl in gesunden Tagen, als in seiner letzten Krankheit von solchen Irrwegen durch oftmaliges Zureden abführen wollen, er auch desfalls etliche Male consistorialiter vorgestellt worden, er sich dennoch nicht unterrichten noch bewegen lassen, solche heilsame Vermahnungen, dazu ihm überflüssige Bedenkzeit gelassen, anzunehmen, sondern sich vielmehr so schrift- als mündlich vorm Consistorio von seiner Meinung und überreichter Bekenntniss nicht abzutreten erkläret, unterdessen in solcher seiner Schrift die christlichen Kirchenversammlungen und den öffentlichen Gottesdienst mit Beten, Singen, Predigen, Fasten und Abendmahlreichen, Almosengeben und dergleichen ganz verachtet und vor Heidnisch, Unchristlich und Teuflisch hält und daher zu keiner Kirche und Lehre, die er alle für Secten ausrufet, sich bekennen oder halten könne, dass auch die Bekehrung nicht durch's Wort Gottes, so er vor einen todten Buchstaben hält, sondern unmittelbar durch Eingebung des Geistes Christi geschehen müsse, statuiret, daher unsere Lehrer nur Verkehrer wären, und das ganze Predigtamt als pharisäisch und fleischlich zu verwerfen sei, dass keiner mit gutem Gewissen in obrigkeitlichem Stande als ein Gewerb wider Christum leben könne, wie auch dass er nicht glauben könne, dass ein Prediger, der ein Mensch wäre, den Leib und das Blut Christi im Abendmahl einem Andern reichen, noch dass ein Ungläubiger dasselbe empfangen könne und was dergleichen längst von der Kirche Gottes verdammte Irrthümer sind, denen er halsstarrig nicht nur beipflichtet, sondern auch in Gesellschaften ärgerlich ausbreitet, auch davon nicht ablassen will: Als wird er, Henrich von

Höveln, nach Anleitung der königlichen Kirchenordnung als ein Mameluc und Unchrist, der vorsätzlich von der reinen lutherischen Lehre abtritt, und so viel Jahr hero vom Gebrauch des heiligen Abendmahl und vom öffentlichen Gottesdienst sich enthalten, hiermit erkläret, und soll er diesem nach, dafern er annoch nicht in sich schlagen und von solchen Irrthümern und ärgerlichem Wesen abstehen will, innerhalb acht Tagen aus dieser Stadt Botmässigkeit und des Reichs Grenzen sich zu begeben und sich derselben als ein räudiges Schaf bei Poen der wirklichen Execution, so das weltliche Gericht wird über ihn zu verhängen haben, zu enthalten schuldig sein. V. R. W."

In dem zu seiner Vertheidigung eingereichten Glaubensbekenntniss, das sich auf zahlreiche Bibelstellen stützt und aus denselben die Richtigkeit seiner Ansicht zu begründen sucht, sind gewisse Ausdrücke und Sätze, die ihm in der Motivirung dieses Urtheils vorgeworfen werden, z. B. dass unsere Lehrer nur Verkehrer wären und das ganze Predigtamt als pharisäisch und fleischlich zu verwerfen wäre, keineswegs enthalten.

Diesem Urtheil ist in den Consistorial-Acten noch die Notiz beigefügt: „Nach diesem Urtheil ist der Landwachtmeister etliche Male nach Holmhoff (einem Landgute bei Riga, wo Höveln sich schon mehrere Jahre aufgehalten hatte) gewesen, den Hövel aus den Stadtgrenzen fortzuweisen. Er ward aber heimlich versteckt, bis er endlich sich zum heiligen Abendmahl und zur Kirche wieder bequemet. Ist auch nachgehends zum hl. Abendmahl gegangen und anno 1702 gestorben und als ein membrum ecclesiae in Riga begraben." Aus den Consistorial-Acten. Siehe auch Rig. Stadtbl. 1833, S. 317, und Stadtbl. 1821, S. 68.

163. 1657. Juli 10. **Franciscus de Croonman Nobilis Livonus.** 21. J. Hans Dettman kaufte im Jahre 1642 in Hamburg von dem als schwedischen Geschäftsträger bei den Friedensverhandlungen zur Beendigung des dreissigjährigen Krieges bekannten Salvius das diesem von Gustav Adolph 1628 geschenkte Gut Allatzkiwi mit Kokara und wurde einige Zeit darauf als schwedischer Kriegscommissar unter dem Namen Cronman geadelt. Franciscus de Croonman ist wohl ein Sohn desselben, von

dem nichts weiter bekannt ist. Hupel n. Misc. XV. S. 615 ff. Siehe auch Schriftst.-Lex. I. S. 380.

164. 1657. Novbr. 9. **Henricus a Sacken Curlandus.** 21. J.

165. — — **Johan a Bottelaer Curlandus.** 22. J. Siehe oben Nr. 53.

166. 1658. März 20. **Wilhelmus de Medem Curlandus.** 25. J. Siehe Rostocker Matr. Nr. 344.

167. — Octbr. 9. **Reinaldus a Mittendorf Livonus.** 20. M. Sohn des Stadtphysicus gleichen Namens (siehe Rostocker Matr. Nr. 564), verstarb 1676 als Philos. et med. Candidatus, wie betreffende Trauergedichte in der Rig. Stadtbibliothek ergeben.

168. 1660. März 5. **Georgius von Dont Livonus.** 26. Pol. Er hatte einen französischen Diener aus Brüssel bei sich, den er gleichzeitig immatriculiren liess. Wahrscheinlich ist der Name nicht Dont, sondern Dunte zu lesen, und der Genannte ein Sohn des Rigaschen Bürgermeisters Georg von Dunte oder Dunten; dieser hatte einen Sohn Georg, welcher zu studiren und zu dem Zweck nach Strassburg zu gehen beabsichtigte. Inland 1857, Nr. 2 und 3.

169. — Juli 29. **Guilielmus Henrici Mitovia Curlandus.** 25 J.

170. — Octbr. 20. **Theodorus Courtois Riga Livonus.** 13. L. Ein Franz Courtois kommt im Jahre 1684 als Vormund seligen Arend Zuckerbecker's Sterbehauses im Lib. rur. 482 vor.

171. — Octbr. 25. **Christophorus Nicolaus Ganskouw Curlandus.** 22. Mat. Er war Erbherr von Alt-Autz, königlicher Obristlieutenant und machte den 10. Mai 1685 sein Testament und ist wohl gleich darauf gestorben, zumal seine Ehefrau Marie Veronica v. Behr als Wittwe sich zweimal wieder verehelichte. Buchholtz, Materialien G. 762.

172. 1661. Octbr. 23. **Hermannus Ulricus Riga Livonus.** 24. J. Siehe Rostocker Matr. Nr. 716.

173. 1662. Septbr. 25. **Johannes Harderus Courlandus.** 25. M.

174. 1663. Febr. 9. **Melchior von Dunte Lifonus.** 23. J. Sohn des Rigaschen Bürgermeisters Georg von Dunten, wurde 1666 Secretair, 1669 Obersecretair des Rig. Raths, 1672 Raths-

herr. Geb. 1638, gest. 1684. Rig. Rathsl. S. 187. Inland 1857. Nr. 1 und 2.

175. 1664. März 7. **Henricus Fridericus Rigensis.** 22. Mat.

176. — August 18. **Fridericus van Hofen Livonus.** 16. P. Auf Bitte eines Jacob von Hoff, landgräflich hessischen Raths, Ritt- und Hofmeisters, ertheilt Herzog Jacob von Kurland den 12. Mai 1648 den Auftrag, die von Hoff zu Planetzen und Alt-Letzen in prima classe der Matrikel zu setzen. Hupel n. n. Misc. XIII. S. 194. Vielleicht gehört der obige Fridericus zu dieser Familie.

177. 1665. Novbr. 11. **Ernestus a Bruggen Curlandus.** 24. Pol. Die von der Brüggen sind ein seit dem Anfang des sechszehnten Jahrhunderts vorkommendes Adelsgeschlecht, 1631 in die kurländische Adelsmatrikel aufgenommen und heute wol nur in Kurland und Littauen ansässig. Hupel n. n. Misc. XIII. S. 121.

178. — Decbr. 10. **Laurentius Tzimmerman Liv.** 24. J. et Mat. Siehe Rostocker Matr. Nr. 708.

179. 1667. Septbr. 26. **Thu Joannes Paycul Livoniensis.** 21. J. Ein Johan Paytkul, Mannrichter in Wierland, kommt schon 1511 vor und mehrere andere Glieder dieser Familie werden im sechszehnten Jahrhundert in Urkunden genannt. Briefl. I. 751, Bd. II. S. 61. Die Familie ist in Ehstland immatriculirt. Ueber dieselbe Hupel n. Misc. XVIII. S. 304. Ueber den Leydener Studenten findet sich keine weitere Nachricht.

180. 1668. Mai 4. **Sebastianus Wurdich Dorpatensis Livonus.** 20. M. Wohl ein Sohn des Dorpatschen Professors Sebastian Wirdig. Siehe Rostocker Matrikel Nr. 720.

181. — Juni 14. **Jacobus Friedrich Riga Livonus.** 23. J. Ein Jacob Friedrichs, wohl der Obige, ein Sohn des Rathsherrn Diedrich Friedrichs, geb. den 8. März 1643, ist Major und Arrendator auf Salisburg und stirbt den 11. Mai 1695. Buchholtz, Materialien F. S. 8.

182. — Septbr. 8. **Adamus Bernhardus Hastfer Nobilis Livonus.** 20. J. Ueber die Familie Hastfer siehe Rostocker Matrikel Nr. 181 und Hupel n. Misc. XVIII. S. 133 u. ff. Ueber Adam Bernhard finden sich keine weiteren Nachrichten.

183. 1668. Octbr. 1. **Otto Reinholt Nieroth Nobilis Livonus.** 25. J. Ueber die Familie Nieroth siehe Hupel n. Misc. XVIII. S. 287—293. Ueber den vorstehend Immatriculirten findet sich daselbst nichts vor.

184. — — **Reinholdus von Uxkul Guldenbant Nobilis Livonus.** 22. J. Ueber das Geschlecht der Uxkul Güldenbandt siehe Hupel n. Misc. XVIII. S. 391.

185. — — **Gustavus Ericus von Uxkul Guldenbant Nobilis Livonus.** 21. J.

186. — Octbr. 22. **Otto Diterich Voëgeding Curlandus.** 30. M. Wahrscheinlich ein Sohn des Libauschen Bürgermeisters Johann Vögeding. Dieser wird in Kallmeyers Pred.-Lex. erwähnt, da eine Tochter desselben 1661 den Pastor Wilhelm Georg Teuring heirathete.

187. — — **Johannes ab Osten dictus Sacken Nobilis Curlandus.** 20. —.

188. — Octbr. 23. **Casparus de Grave Livonus Rigensis.** 22. Mat. Er wurde Assessor, durch seine Ehe mit Catharina Dreiling 1678 Mitbesitzer von Hummelshof, den 16. December 1683 nobilitirt und starb 1710. Hagemeister, II. S. 181. Rig. Stadtbl. 1884. S. 162.

189. — — **Johannes Ernestus a Brinken Curlandus.** 23. P. Die Brinken sind als ein aus Westphalen eingewandertes, schon zur Ordenszeit in Livland ansässiges Adelsgeschlecht, 1620 in die kurländische Adelsmatrikel verzeichnet worden. Hupel n. n. Misc. XIII. S. 117.

190. — — **Theodorus Maydel Curlandus.** 20. P.

191. — — **Fridericus Johannes Maydel, illius frater.** 22. P. Sie waren die Söhne des Otto Ernst von Maydel, Besitzers von Zierau und der Starostei Pilten, und der Marie von Rauter. Nach dem Ableben dieser heirathete Otto Ernst M. die Wittwe des Landraths Friedrich Bülow, des Erbherrn von Dondangen, Anna Sibylle von Osten-Sacken. Diese wurde nach dem frühzeitigen Tode ihrer leiblichen Tochter erster Ehe, Margarethe Elisabeth v. Bülow, alleinige Besitzerin des grossen Gutes Dondangen. Durch Testament vom 17. Febr. 1683 vermachte sie ihrem Stiefsohne, dem vorstehend genannten Johann Friedrich Maydel,

die Zierauschen Güter und die Starostei Pilten, dem andern Stiefsohne, Theodorus oder Dietrich Maydel, aber Dondangen und Puhnien. Friedrich Johan wurde Obristlieutenant und starb kinderlos 1697. Dietrich, welcher Kammerherr war und eine Osten-Sacken, auch gleich ihrer Stiefschwiegermutter Anna Sibylle geheissen, geheirathet hatte, erwarb nun erbrechtlich auch Dondangen und Pilten. Er starb 1711 ebenfalls kinderlos und hatte durch Testament vom 10. Februar 1710 Dondangen seinem Schwager, dem Landrath Ewald von Osten-Sacken, Erbherrn von Bathen; Puhnien aber dem unmündigen Johan Diedrich von Maydel, den er aus Ehstland zu sich gerufen, vermacht. Mit Diedrich war die kurländische Linie der Maydel ausgestorben. Inland 1851. S. 516, 517.

192. 1668. Decbr. 15. **Ottho Magnus Nieroth Nobilis Livonus.** 20. M. Die Nieroth sind ein in die ehstländische Adelsmatrikel aufgenommenes Adelsgeschlecht, welches nach Ausweis der Brieflade 354, 377, 859, 879 u. s. w. schon im fünfzehnten Jahrhundert vorkommt und im sechszehnten die Güter Kappel und Koddel besitzt. Ueber die Familie Nieroth, die zum Theil freiherrlich und gräflich geworden ist, siehe Hupel n. Misc. XVIII. S. 287; weder hier noch sonstwo findet sich etwas über den Otto Magnus.

193. 1671. April 1. **David Martini Riga Livonus.** 22. M. Er wurde Dr. med., practicirte in Riga und wurde hier erster Stadtphysicus. Gest. 1706. Er war verheirathet mit Catharine Witte von Lilienau, einer Tochter des Dr. med. Nicolaus Witte von Lilienau. Siehe Rostocker Matr. Nr. 640. Schriftst.-Lex. III. S. 166. Buchholtz, Materialien.

194. — April 30. **Jacobus Johannes Mauritius Coldingensis.** 22. L.

195. — Juni 25. **Fridericus von Hoven Livoniensis.** 22. Mat. Ueber die adelige Familie von der Hoven Hupel n. Misc. XV. S. 363 und n. n. Misc. XIII. S. 197. Ueber Friedericus findet sich nichts.

196. 1673. August 28. **Gotthardus Ernestus a Vietinghoff dictus Scheel Nobilis Curlandus.** 22. J.

12

197. 1675. Juni 27. **Johannes Schwanner Curlandus.** 22. J. Siehe Rostocker Matr. Nr. 757.

198. 1676. Septbr. 21. **Georgius Lieven Curlandus.** 21. J. Siehe oben Nr. 67. Ein Georg Lieven wird als Erbherr auf Autzenburg und Pottkaisen und als Deputirter der Kirchspiele Doblen und Candau 1685 genannt, welcher 1696 gestorben ist. Hupel n. n. Misc. XIII. S. 279.

199. — Novbr. 10. **Gotthardus Ernestus van Vietinghof Courlandus.** 22. J. Ueber die Familie Vietinghof siehe Erfurter Matr. Nr. 64. Vom Gotthard Ernst ist keine weitere Nachricht zu finden.

200. — — **Wernerus Baer Curlandus.** 21. J. Nach der sub Nr. 158 angeführten Stammtafel ist Werner Behr ein Sohn des dort genannten Hermann Friedrich B. und Erbherr auf Elley und Oberburggraf.

201. — — **Joannes Baer, ejusdem frater.** 20. J. In der vorangeführten Stammtafel wird als Sohn des Herman Dietrich Behr Johan Diedrich, Erbherr auf Mesolen (Mesoten?) und Königl. Capitain, aufgeführt.

202. — Decbr. 4. **Joannes Otho Rappe Courlandus.** 22. J. Die Rappe gehören zum kurländischen immatriculirten Adel. Hupel n. n. Misc. XIII. S. 330. Ob auch der Vorstehende dieser Familie angehört, muss dahingestellt bleiben. Ein Otto Rappe aus dem Frauenburgschen wird in der Matric. militaris von 1005 auf ein Pferd geschätzt.

203. — — **Ulricus Baer Courlandus.** 22. J. Dieser wird in der vorerwähnten Stammtafel ebenfalls als Sohn des Herman Friedrich Behr und als Erbherr auf Edwahlen aufgeführt und als 1724 gestorben bezeichnet.

204. 1677. Juni 28. **Gabriel Elvrind Rivaliensis Livonus.** 23. J. Der Name soll wol Elvering heissen. Der Professor Petrus Gabriel Elvering, welcher nach Auflösung der Universität Dorpat 1656 sich nach Reval geflüchtet hatte und hier lebte, war wohl der Vater des vorstehend Immatriculirten. Mitth. VII. S. 165. Schriftst.-lex. I. S. 498.

205. — Octbr. 19. **Salomo Henricus Rapé Curlandus.** 22. J.

206. 1677. Octbr. 21. **Conradus Axelius de Vangersheim Livonus.** 18. J. Vielleicht ein Sohn des oben sub Nr. 80 Genannten. Vergl. Rostocker Matr. Nr. 351. Wittenb. Matr. Nr. 73.

207. — Decbr. 24. **Fredericus van Dalen Curlandus.** 24. T.

208. 1678. Mai 26. **Guilelmus Lange Riga Livonus.** 22. M. Geb. den 1. September 1656, gest. den 3. August 1698, war Dr. med. und practischer Arzt in Riga, in erster Ehe verheirathet mit Gertrud Wilhelmine Witte von Lilienau, in zweiter Ehe mit Anna v. Dunten, Tochter des Praef. Portorii Franz v. D. Buchholtz, Materialien. Schriftst.-Lex. III. S. 17.

209. — Octbr. 17. **Karolus Kroonman Livonus.** 21. J. Ob dieser zu der Familie des unter Nr. 163 und 215 Erwähnten gehört, muss dahingestellt bleiben, da über ihn sich nichts hat auffinden lassen.

210. 1679. März 17. **Fredericus a Dahlen Curlandus.** — T. Wohl der oben sub Nr. 207 Verzeichnete.

211. — Juli 29. **Ludowicus Theophilus Kiesewetter Curlandus.** 25. J.

212. — Octbr. 9. **Johannes von Benckendorf Livonus.** 20. J. Sohn des Rigaschen Bürgermeisters Johan v. Benkendorff (siehe oben 135), wurde 1685 Secretair des Rigaschen Raths, 1693 Rathsherr, 1710 Bürgermeister. Im Jahre 1702 wurde er als Delegirter der Stadt an Karl XII. nach Warschau, 1717 an Peter den Grossen nach Reval und St. Petersburg gesandt. Peter der Grosse ernannte ihn zum Bürgermeister von St. Petersburg; 1722 trat er auch dieses Amt an, aber wegen seiner fortdauernden Kränklichkeit in Folge eines Schlaganfalles erhielt er bald die Erlaubniss, sich nach Riga in den Ruhestand zurückzuziehen und starb hier den 17. Juni 1727. Rig. Rathsl. S. 193.

213. 1680. Mai 23. **Johannes van Stiernstrael Livonus.** 25. J. Sohn des 1686 verstorbenen Dorpatschen Professors und Präsidenten des livländischen Hofgerichts zu Dorpat Johannes Erici, welcher unter dem Namen Stiernstrale geadelt wurde. Schriftst.-Lex. I. S. 515. Mitth. VII. S. 42, 167.

214. 1681. April 8. **Johannes Christophorus Taube Courlandus.** 22. J. Erbherr der Güter Sarzen und Iggen in Kurland,

12*

studirte auch zu Frankfurt an der Oder, wo er 1680 eine Dissertation in Druck gab, war in der Folge römisch-kaiserlicher Major und zuletzt Hauptmann zu Frauenburg in Kurland. Gest. 1719. Schriftst.-Lex. IV. S. 348.

215. 1681. Mai 3. **Johannes Croonmann Livoniensis.** 21. Mat. Ob er der oben unter Nr. 163 erwähnten Familie Cronman angehört, wird zweifelhaft, weil er nicht als Nobilis verzeichnet ist. Sollte dies dennoch der Fall sein, so ist in ihm vielleicht der Grosssohn des Hans Dettman und der Sohn eines Bruders des oben genannten Fritz Cronmann, des schwedischen Obristen Joachim Cronmann, zu sehen, da dieser letztere einen Sohn Johannes hatte, welcher 1727 als Generallieutenant Freiherr wurde, sich Freiherr von Allatzkiwi schrieb und 1737 unvermählt starb. Hup. n. Misc. XV. S. 617. Als der Tag seiner Geburt wird hier zwar der 2. Novbr. 1662 angegeben, was mit den in der Matrikel angegebenen 21 Jahren nicht genau stimmt, allein in solchen Zahlenangaben schleichen sich nur zu leicht Schreib- und Druckfehler ein.

216. — Octbr. 6. **Thomas Wenceslaus Lutterman Revalia Livonus.** 26. J.

217. — — **Balthasar Nagel Riga Livonus.** 23. J. Geboren zu Riga den 3. November 1659. Nach Beendigung seiner Studien trat er in die Kanzlei des Rigaschen Raths, wurde auf besondere Empfehlung des General-Gouverneurs Hastfer als Hofsecretair nach Stockholm gesandt, hier nobilitirt und darauf 1695 zum Rathsherrn erwählt. Gestorben den 7. August 1698. Rig. Rathsl. S. 194.

218. — — **Detmarus Zimmerman Riga Livonus.** 23. J. Sohn des Rigaschen Aeltesten grosser Gilde Martin Zimmermann, wurde 1685 Untergerichts-Secretair beim Rigaschen Rath, 1686 Waisengerichts-Secretair und 1692 Rigascher Rathsherr. Gest. als Obervogt den 2. August 1710. Rig. Rathsl. S. 193.

219. — Novbr. 22. **Adamus Johannes von Uxkull Eques Livonus.** 21. —.

220. 1682. Juli 16. **Carolus Haudring Curlandus.** 20. J. Die Haudring sind ein in die kurländische Adelsmatrikel 1631 auf-

genommenes Adelsgeschlecht. Hupel n. n. Misc. XVIII. S. 188. Von Carl H. ist nichts bekannt.

221. 1682. Juli 24. **Fredericus a Dalen Livonus.** 24. M. Sollte dieser mit den oben 207 und 210 Genannten identisch sein und sein Studienfach gewechselt haben? Dass Einer oder der Andere zweimal in die Leydener Matrikel eingetragen ist, hat nach der Meinung des Herausgebers derselben zum Theil vielleicht in einem Versehen der eintragenden Rectoren seinen Grund, zum Theil aber auch darin, dass Manche auf ein oder mehrere Jahre relegirt worden waren und von Neuem aufgenommen wurden.

222. — Septbr. 19. **Joannes Georgius Wellingshausen Livonus.** 20. J. Wahrscheinlich verlesen oder verdruckt für Dellinghausen, da eine Familie jenes Namens sonst nicht vorkommt. Siehe Rostocker Matr. Nr. 319, 320. Wittenb. Matr. Nr. 45, 46.

223. — October 1. **Georgius Disenhausen Livonus.** 18. J. Wohl der Capitain Georg von Tiesenhausen, welcher von seinem Vater, dem Obristlieutenant Friedrich Wilhelm v. T., im Anfang des achtzehnten Jahrhunderts das Gut Pernigel erbte und ohne Nachkommen starb. Hagemeister I. S. 152; siehe im Uebrigen Rostocker Matr. Nr. 16.

224. 1683. Febr. 28. **Gotthard Wilhelm Botberg Courlandus.** 20. P. Ohne Zweifel ein Budberg. Gotthard Wilhelm Budberg, schwedischer Obrist und Commandant der Festung Dünamünde, wurde mit seinen Brüdern Gotthard Johan, Landrath in Ehstland, und Leonhard Gustav am 21. Februar 1693 in den schwedischen Freiherrnstand erhoben. Die Familie ist erst in der zweiten Hälfte des sechszehnten Jahrhunderts nach Kurland gekommen und hat sich von da nach Livland und Ehstland verbreitet. Hupel n. Misc. XV. S. 110, 114; n. n. Misc. S. 128.

225. 1684. Febr. 22. **Adamus Mannerschild Livoniensis.** 21. J.

226. — August 21. **Paulus Brockhaus Riga Livonus.** 23. J. Sohn des Rigaschen Bürgermeisters Paul Brockhausen, geb. 1662, trat nach Absolvirung seiner Studien in die Kanzlei des Rig. Raths, wurde 1701 Rathsherr und 1715 Oberlandvogt. Laute

Vorstellungen gegen die in sein Haus gelegte Einquartierung im Vorsaal des Fürsten Menschikow, während Peter der Grosse bei demselben speiste, zogen ihm des letztern Zorn und Ungnade zu und er wurde mit seiner Familie zur Verbannung nach Sibirien verurtheilt. Bei der Durchreise Peters des Grossen durch Königsberg bezeigten die dort studirenden Livländer ihm ihre Ehrfurcht, und als er dem Redner, zu welchem der Sohn Brockhausens erwählt worden war, erlaubte, sich eine Gnade auszubitten, bat dieser für seinen unglücklichen Vater. Peter der Grosse gewährte die Bitte. Unterdessen war aber Brockhausen den Strapazen der Reise erlegen und am 17. Januar 1717 bei Solikamsk gestorben. Rig. Rathsl. S. 197.

227. 1684. Septbr. 11. **Petrus Bewaert Riga Livonus.** 21. J. Im Jahre 1737 wird ein Hinrich Bewehrt, welcher 1718 in Königsberg immatriculirt worden war, Rigascher Rathsherr. Rig. Rathsl. S. 688. Petrus mag ein Vorfahre desselben gewesen sein.

228. — Octbr. 19. **Herbertus Ulrich Riga Livonus.** 23. J. Sohn des Rigaschen Rathsherrn Herbert Ulrich, geb. im Februar 1662, wurde 1692 Secretair und 1698 Glied des Rigaschen Raths. Nach der Eroberung der Stadt Riga durch Peter den Grossen begab er sich nach Hamburg, kehrte 1726 nach Riga zurück, ging noch in demselben Jahre nach Schweden und starb daselbst 1733. Rig. Rathsl. S. 195.

229. — Decbr. 12. **Guilielmus Langh Livonus.** 25. M. Siehe oben Nr. 208. Er kam nach einer gelehrten Reise durch Holland, England und Frankreich nach Leyden zurück, um hier Dr. med. zu werden, zu welchem Zweck er eine Inaugural-Dissertation de apoplexia 1684 schrieb.

230. 1685. April 18. **Henricus Johannes Pinnauw Courlandus.** 20. J.

231. 1686. Mai 4. **Georgius de Diesenhausen Livonus.** 24. J. Siehe oben Nr. 223.

232. — Decbr. 4. **Gothardus Johannes von Budberch Revalia Livonus Nobilis.** 20. —. Er ist der Bruder des Gotthard Wilhelm Budberg (siehe oben 224) und Landrath in Ehstland.

233. 1687. April 7. **Palm Rigemann Riga Livonus.** 24. J. Sohn des Rigaschen Bürgermeisters Paul Rigeman, geb. im

August 1664. Er trat nach seiner Rückkehr von der Universität als Secretair in die Dienste des Rig. Raths, verwaltete längere Zeit das Syndicat, wurde 1698 Rathsherr, 1709 als Kämmerer in Angelegenheiten der Stadt nach Stockholm gesandt, trat in das dortige Hofgericht als Assessor ein und starb daselbst 1715. Rig. Rathsl. S. 194.

234. 1687. August 12. **Jacobus Kiesewetter Curlandus.** 26. J.

235. 1688. Mai 21. **Ludovicus Korff Curlandus.** 26. J.

236. — Juli 2. **Rembert von Funken Livonus.** 25. J. Die Funk sind ein altes, im sechszehnten und siebzehnten Jahrhundert in Liv- und Kurland ansässiges Adelsgeschlecht, das in Kurland 1631, in Livland 1646 in die Adelsmatrikel verzeichnet wurde. Rembert Funk war wahrscheinlich der Sohn des Generalfeldwachtmeisters Rembert Funk und der Bruder der Gemahlin des verdienten livl. General-Gouverneurs Peter von Lacy, Martha Philippine von Funk, der Mutter des österreichischen Generals Franz Moritz de Lacy. Von Rembert Funk, dem Studenten, ist nichts weiter bekannt; vielleicht lebte er auf dem im Funkschen Besitzthum befindlichen Gute Loesern. Gadeb., Livl. Jahrb. IV. 2. S. 440. Hupel, n. n. Misc. XIII. S. 174. Hagemeister, I. S. 240.

237. — Juli 6. **Georgius F. a Mengden Livonus.** 22. J. In Gadebusch's handschriftlicher Geschichte der Herren Freiherren und Grafen von Mengden (auf der Rig. Stadtbibliothek) findet sich nur einer mit dem Namen Georg, nämlich Georg Fromhold Mengden, ein Sohn dritter Ehe des Konrad Dietrich Mengden, Erbherrn auf Altenwoga und Saara, und der Gertrud Mengden, welcher als Hauptmann 1710 gestorben ist.

238. 1689. Mai 9. **Johannes Salomon Bethulius Courlandus.** 24. M. Sohn des Pastors gleichen Namens zu Grenzhof in Kurland, war ausübender Arzt in Mitau und starb daselbst 1710. Schriftst.-Lex. I. S. 163.

239. 1690. Septbr. 14. **Andreas von Diepenbruch Riga Livonus.** 24. J. Sohn des Rigaschen Predigers gleichen Namens, geboren 1664, war 1698 Secretair beim Rigaschen Rath und starb 1710 den 17. Juli. Buchholtz, Materialien D. 90. Schriftst.-Lex. I. S. 427.

240. 1693. April 10. **Petrus a Dunte Riga Livonus.** 22. M. Sohn des Rig. Rathsherrn Melchior von Dunte (siehe oben Nr. 174). Geboren 1671, war Assessor des Wendenschen Landgerichts. Gest. unverheirathet den 28. Mai 1745 in Hamburg. Buchholtz, Materialien D. 58.

241. 1694. April 10. **Melchior van Dunte Riga Livonus.** 22. J. Wahrscheinlich ebenfalls ein Sohn des Rigaschen Rathsherrn Melchior von Dunte von 1672—1684.

242. — Juli 25. **Johannes Faber Riga Livonus.** 25. M. Er studirte zuerst in Königsberg und wurde in Leyden Dr. der Medicin. Schriftst.-Lex. I. S. 543.

243. 1696. Decbr. 10. **Christianus Corf Courlandus.** 20. J. Nach Buchholtz, Materialien K. 1081 und 1083 ist er der älteste Sohn des 1648 geborenen, 1709 gestorbenen polnischen Kammerherrn, Starostes von Rossiten, livl. Schatzmeisters, Erbherrn von Preekuln, Jaugeneeken, Kreutzburg, Lievenhof u. s. w. Nicolaus von Korf, welcher von 1683—1688 die Kirche zu Kreutzburg von Stein erbaute, wie eine Inschrift über der Thür derselben besagt. Christian von Korff wird als königl. Obrist, piltenscher Landrath und Erbherr von Preekuln, Jaugeneeken, Assieten und Driwingen bezeichnet. Sein Geburts- und Todesjahr ist nicht angegeben.

244. 1697. Septbr. 30. **Bernhardus Henricus von Rosenbach Eques Livoniae.** 24. J. Wahrscheinlich ein Nachkomme des 1661 gestorbenen Revalschen Bürgermeisters Bernhard von Rosenbach. Die Familie Rosenbach wurde 1746 in die ehstländische Matrikel aufgenommen. Rev. Rathsl. S. 124. Hupel n. Misc. XVIII. S. 331.

245. 1698. Juni 1. **Volmarus Johannes Rigeman Riga Livonus.** 24. J. Jüngster Sohn des Rig. Bürgermeisters Paul Rigemann. Geb. 1674, war Assessor, verheirathete sich 1702 mit Elisabeth Veronica v. d. Osten, gen. Sacken, und starb 1710. Buchholtz, Materialien.

246. 1699. Septbr. 11. **Johannes de Koschkul Courlandus.** 20. J. Vergl. über die Familie Kosskull, deren kurländischer Zweig sich Koschkull schreibt, Rostocker Matr. Nr. 114.

247. 1700. März 20. **Fredericus Hinricus Korff Eques Courlandiae.** 24. J. Polnischer Obrist und Erbherr auf Telss, Roloff und Paddern in Kurland, Bledau, Nuskern, Worgan, Jaeckendorf, Bentingen und Golinden in Preussen. Geb. 1677, gest. 1746. Buchholtz, Materialien K. 1048.

248. — Mai 26. **Johannes Kruer Livonus.** 23. J.

249. — August 4. **Georgius Gustavus ab Ungern-Sternberg Baro Estoniae.** 21. J. Siehe Erfurter Matr. 43 und Rostocker Matr. 328. Auch über diesen ist in den Nachrichten über das Geschlecht Ungern-Sternberg von Russwurm nichts zu finden.

250. — — **Joannes Casparus ab Notbeck.** 24. J. Er wurde in Reval 1710 Rathssecretair und starb 1728. Rev. Rathsl. S. 118.

251. — — **Melchior Theodorus ab Fridericks Nobilis Livonus.** 23. J. Die Familie Fridericks findet sich nicht in dem immatriculirten livl. Adel, wohl aber kommt sie unter den Rigaschen Rathsgeschlechtern vor, die zu Zeiten auch landbesitzlich gewesen sind. Melchior Theodor v. Friedrichs ist der Sohn des 1682 gestorbenen Rathsherrn Theodor Friedrichs, geboren 1677. Er wurde schwedischer Major und ist 1740 gestorben. Buchholtz, Materialien F. 7.

252. — Septbr. 2. **Christophorus Franciscus de Graave Nobilis Livo.** 24. J. Sohn des Assessors Caspar Grave (Nr. 188), gest. 1726. Rig. Stadtbl. 1884. S. 162.

253. — — **Didericus Dedoute Livo.** 23. J. Wahrscheinlich ein corrumpirter Name für de Donte (Dunte).

254. — Octbr. 27. **Bernardus Henricus de Rosenbach Eques Livoniensis.** 23. J. Siehe oben Nr. 244.

255. — Octbr. 30. **Joannes Olrau Livonus.** 23. J.

256. — Novbr. 5. **Christianus Simmerman (l. Zimmerman) Riga Livonus.** 24. J. Sohn des Rigaschen Rathsherrn Lorenz Zimmerman. Geb. den 2. Juli 1675. Er wurde 1711 Secretair, in demselben Jahre Rathsherr und 1719 Bürgermeister zu Riga. Er stand als wortführender Bürgermeister an der Spitze der Deputation, welche die Stadt Riga im Jahre 1721 an den Mon-

archen sandte, um demselben Glückwunsch und Dank für den Abschluss des Nystädter Friedens zu bringen. Im Jahre 1724 wohnte er als Deputirter des Raths der Krönung der Kaiserin Catharina in Moskau und im Jahre 1728 der Leichenfeier Peters des Grossen in St. Petersburg bei. Gestorben den 25. Februar 1737. Rig. Rathsl. S. 199.

257. 1701. August 9. **Bernardus Henricus de Rosenbach Eques Livoniensis.** 24. —. Siehe oben Nr. 244 und 254.

258. 1702. Septbr. 18. **Rutgerus Andreas Patkul Livonus.** 20. J.

259. 1703. Mai 25. **Ernestus Koschkull Coroniensis.** 22. J.

260. — — **Reinaldus Johannes de Nolde Coroniensis.** 22. J.

261. 1704. Septbr. 18. **Johannes Melchior Fischer Riga Livonus.** 24. M. Sohn des verdienten livländischen Superintendenten Johann Fischer, wurde 1705 zu Harderwyk Doctor der Medicin, lebte nachher entweder in Liban (nach Gadebusch, Livl. Bibl. Thl. I, S. 329), oder auf dem von seinem Vater im Jahre 1688 angekauften Gute Raiskum, im Roopschen Kirchspiele und starb 1710 an der Pest. Schriftst.-Lex. I. S. 580.

262. — Novbr. 25. **Christian Frederic van Dalen Riga Livonus.** 21. J.

263. 1707. Febr. 14. **Christianus Heword Juchius ex Livonia.** 22. M. Wahrscheinlich ein Sohn des 1701 gestorbenen Dr. med. Paul Florian Juchius, welcher zuerst in Riga, dann in Reval practicirte. Schriftst.-Lex. II. S. 404.

264. — Juni 16. **Christophorus von der Osten dictus Sacken ex Courlandia.** 20. P. et J.

265. — August 4. **Christianus Singelman Livonus.** 25. J. Aus Dorpat gebürtig, studirte auch zu Kiel im Jahre 1703. Schriftst.-Lex. IV. S. 198.

266. — Septbr. 21. **Johannes Georgius Wigand Curlandus.** 27. M.

267. 1708. Octbr. 5. **Joannes Bernhardus Fischer Riga Livonus.** 23. M. Sohn des Arztes Benjamin Fischer, eines Bruders des livländischen Superintendenten Johan Fischer, studirte

zuerst seit 1704 zu Halle und Jena, wurde zu Leyden Dr. med., kam 1710 nach Riga zurück und trat hier die Praxis an. 1725 hatte die verwittwete Herzogin Anna von Kurland ihn zu einer Consultation berufen; als sie den russischen Thron bestieg, ernannte sie ihn zu ihrem Leibarzte, Archiater und Director des Medicinalwesens im ganzen russischen Reich. Bei der Thronbesteigung Elisabeths nahm er seinen Abschied und lebte seitdem in Riga auf einem kleinen, von ihm selbst angelegten Landgute Hinterbergen in einer glücklichen Musse unter wissenschaftlichen Beschäftigungen und schriftstellerischer Thätigkeit. Gest. den 8. Juli 1772. Schriftst.-Lex. S. 577. Richter, Gesch. d. Med. III. 270, 271.

268. 1708. Octbr. 31. **Martin Joannes Heno Pernavia Livonus.** 22. M.

269. — Novbr. 12. **Christianus Fridericus von Dalen Riga Livonus.** 25. J. Cand. Siehe oben Nr. 262.

270. 1710. Februar 25. **Jacob Johann Fürster Riga Livonus.** 22. J.

271. — August 25. **Jacob Fraser Livonus.** 22. J. Sohn des Kaufmanns Georg Fraser und der Maria Elers, geb. 1690. Buchholtz, Materialien F. 137.

272. — Septbr. 1. **Wilhelmus Henricus de Lieve, Eques Curonus.** 19. J. Nach der Lievenschen Stammtafel in Hupel n. Misc. XIII, ist Wilhelm Heinrich Lieven russisch-kaiserlicher Geheimrath und Ritter des St. Alexander-Newsky-Ordens, Erbherr auf Bersen, Schmen, Lammingen und Lohnen. Geb. den 21. Decbr. 1691, gest. den 22. Januar 1756.

273. 1712. Mai 28. **Johannis Vinceli Courlandus. 37. Ephorus Christiani Scheel Nobilis Dani.**

274. 1714. Octbr. 25. **Joannes Settler Riga Livonus.** 34. J.

275. 1715. Mai 31. **Georgius Knorrins Livonus Nobilis.** 22. J. Ein Knorring ist erst im sechszehnten Jahrhundert in Kurland eingewandert, dessen Nachkommen sich nach Liv- und Ehstland gewandt haben und hier in die Adelsmatrikel aufgenommen sind. Ueber obigen Georg findet sich nichts weiter. Ueber

die Familie Knorring Hupel n. Misc. XV. S. 419, XVIII. S. 168.

276. 1718. Septbr. 1. **Uldericus Wilhelmus Rhode Libaviae Curonus.** 27. M.

277. 1721. Septbr. 29. **Christophorus de Wigand Nobilis Curlandus.** 26. J. Die von Hohenastenberg, genannt Wiegandt, sind ein schon im Anfang des siebzehnten Jahrhunderts in Kurland ansässiges, 1620 in die kurländische Adelsmatrikel aufgenommenes Adelsgeschlecht. Von dem Leydener Studenten Christopher de Wiegandt finden sich keine weiteren Nachrichten. Hupel n. n. Misc. XIII. S. 419.

278. — Novbr. 12. **Carolus Johannes van Alten Bockum Curlandus.** 23. J. Ueber das Geschlecht der Altenbockum siehe Hupel n. nord. Misc. XV. S. 105.

279. 1725. **Joachimus Gebhardus Himsel Riga Livonus.** 23. M. Geboren 1701 zu Riga, wo sein Vater Stadtmünzmeister war, wurde Doctor der Medicin, practicirte in seiner Vaterstadt, wurde daselbst 1731 erster Stadtphysicus und starb auf einer Reise in die Bäder zu Frankfurt am Main am 14. Mai n. St. 1751. Schriftst.-Lex. II. S. 310.

280. 1733. Juni 5. **Joannes Andreas Frese Revaliensis.** 20. M.

281. 1734. April 12. **Christianus Michael Lange Mitua Curonus.** 20. M. Wohl der Sohn des Mitauschen Predigers an der Trinitatiskirche, Michael Lange, welcher letztere frühzeitig und unerwartet den 11. Mai 1730 starb, und zwar während der Abwesenheit seines einzigen Sohnes, wie es in einem gleichzeitigen Nachruf heisst. Wahrscheinlich befand sich dieser derzeit schon auf irgend einer andern Universität. Kallmeyer, Pred.-Lex. Buchholtz, Materialien.

282. 1737. Octbr. 29. **Jacobus Albertus de Lantinghausen Eques Livoniensis.** 37. **Ephorus** (wahrscheinlich der zwei unmittelbar vorher immatriculirten Grafen Christian und Friedrich Sponheim, 15 und 14 Jahre alt). Die Familie Lantinghausen stammt von dem Revaler Rathsherrn Heinrich Lanting (1623 bis 1642), dessen Söhne, Simon und Albrecht, den 24. April

1651 nobilitirt wurden. **Albrechts** Sohn war **Gotthard Heinrich Lantinghusen**, dessen Sohn aus der Ehe mit Jacobine Staël von Holstein **Jacob Albrecht Lantinghausen**, geb. zu Reval den 4. Novbr. 1699, war. Dieser wurde schwedischer Generalmajor, als solcher 1743 auf dem Stockholmschen Ritterhause eingeführt, General en Chef und Oberstatthalter von Stockholm, 1760 Freiherr und ist am 6. December 1769 zu Stockholm gestorben. Hupel n. Misc. XVIII. S. 170. Dass dieser der in Leyden immatriculirte Ephore der beiden jungen Grafen war, ist beim Zutreffen der Namen, des Standes und des Alters höchst wahrscheinlich, zumal ein Anderer gleichen Namens, Alters und Standes sich nicht auffinden lässt. Hupel n. Misc. XVIII. S. 177—179 und n. n. Misc. XVIII. S. 206. Schriftst.-Lex. III. S. 21.

283. 1740. Novbr. 4. **Gerhard Johan de Plater Livonus.** 20 J. Die **Plater** sind ein in Urkunden des sechszehnten Jahrhunderts schon genanntes Geschlecht; sie sind in Kurland und in Livland in die Adelsmatrikel aufgenommen. Von **Gerhard Johan** findet sich keine weitere Nachricht. Hupel n. Misc. XV. S. 214; n. n. Misc. XIII. S. 324.

284. — Novbr. 4. **Leonardus Possin Livonus.** 20. J.

285. 1741. Septbr. 13. **Joannes Benjamin de Fischer Livonus.** 20. M. Sohn des kaiserlichen Leibarztes **Joh. Bernhard Fischer** (siehe oben 267). Geboren 1720 zu Riga, folgte nach Entlassung aus dem Rigaschen Lyceum 1737 seinem Vater nach St. Petersburg, erhielt dann noch weiteren Unterricht zugleich mit den kurländischen Prinzen, besuchte darauf die Universitäten Halle, Strassburg und Leyden, wurde hier 1743 zum Doctor promovirt, vertauschte aber die Medicin mit der Rechtsgelehrsamkeit, kam 1746 nach Riga zurück, wurde hier Secretair des livländischen Hofgerichts, erhielt den Titel eines Assessors dieses Gerichts und starb an einer Brustkrankheit den 30. April 1760. Schriftst.-Lex. II. S. 576.

286. 1742. August 24. **Adamus Hinricus Schwartz Rigensis.** 20. J. Ein Sohn des 1762 gestorbenen Bürgermeisters **Adam Hinrich Schwartz**. Geb. den 3. Septbr. 1719. Er hatte auch

zu Leipzig studirt, wo er den 14. Octbr. 1740 immatriculirt worden war. Nach Beendigung seiner Studien machte er Reisen durch Holland, England und Deutschland, kehrte 1744 zurück und wurde im December desselben Jahres Kriegsfeldsecretair beim Generalfeldmarschall Grafen Lacy. Später war er Assessor des Oberconsistoriums. Er besass seit 1749, auch noch 1768, pfandrechtlich das Gut Kroppenhof und starb den 10. September 1769. Seine Söhne traten fast alle in den russ. Militairdienst und lebten in den inneren Gouvernements Russlands. Buchholtz, Materialien. Hagemeister, I. S. 250.

287. 1748. April 8. **Joannes Straalborn Revalia Livonus.** 23. M.

288. 1751. Mai 6. **Mathias Schiffner Livonus.** 28. M. Sohn des Postdirectors Mathias Schiffner und seiner Ehefrau Hedwig Agneta Brüningk, geb. den 4. Juli 1722, wurde 1752 Dr. med. Buchholtz, Materialien, S. 1923. Schriftst.-Lex. IV. S. 64.

289. — Octbr. 25. **Joachim Rauschert Riga Livoniensis.** M. Annos Academicos habens. — Diese waren auf 16 Lebensjahre festgesetzt. Joachim Rauschert disputirte 1756 in Leyden „de carie ossium“, war 1770 ältester Doctor beim Petersburger Admiralitätshospital und endlich Oberarzt beim grossen Militairhospital in Moskau. Richter, Gesch. der Medicin. III. S. 490.

290. 1758. August 10. **Carolus Wernerus Curtius Narwe Livonus.** 22. M. Siehe Rostocker Matr. Nr. 945.

291. 1759. Juli 3. **Johannes Adamus Schellschlaeger Riga Livonus.** 22. J. Sein Vater war ohne Zweifel der nach dem im Rigaschen Rathsarchiv bewahrten Bürgerbuch am 15. November 1733 in Riga als Bürger aufgenommene Johan Adam Schellschlaeger, welcher Kunstmeister, d. h. Dirigent des Wasserwerks war, da dieses die Kunst genannt wurde.

292. 1760. August 29. **Joannes Guilielmus Thorwarth Riga Livonus.** 22. M. Würde zu Leyden 1764 Dr. med. und lebte als practischer Arzt in seiner Vaterstadt. Geb. zu Riga den 14. Juli 1733, gestorben am 17. Juni 1786. Schriftst.-Lex. IV. S. 361.

293. 1761. Septbr. 12. **Carolus Wernerus Curtius Nerva Livonus.** 25. M. Siehe oben Nr. 290.

294. 1761. Septbr. 14. **Georg Ludwig Knobloch Revalia Livonus.** 18. M.

295. 1765. Septbr. 10. **Pieter Jacob Foussadier Riga Livonus.** 20. M. Sohn des Stabschirurgen in Riga und nachherigen Leibchirurgen in St. Petersburg, Wilhelm Fussatié. Richter, Geschichte der Medicin III. S. 494.

296. 1767. Juni 16. **Georg Ludwig Knobloch Livonus.** 24. M. Siehe oben Nr. 294.

297. 1770. August 3. **Justus Samuel Walther Livonus.** Annos Academicos habens. M. — Geboren in Reval am 29. September 1749, studirte zuerst in Leipzig, wurde 1772 in Leyden Dr. med., kehrte 1773 nach Reval zurück, practicirte hier, verwaltete mehrere Krons-Medicinalämter, wurde 1819 Staatsrath und 1824 auf seine Bitte aus dem Kronsdienst mit Pension verabschiedet. Schriftst.-Lex. IV. S. 469.

298. — Novbr. 6. **Janus Henricus Bloementhal Mitavia Curlandus.** An. Ac. M. — Siehe Rostocker Matr. Nr. 938.

299. 1771. Januar 8. **Henricus Frese Revaliensis.** An. Ac. M. — Sohn des Revalschen Bürgermeisters Adrian Heinrich Frese, hatte schon zu Leipzig studirt, wurde 1772 zu Leyden Doctor der Medicin, trat nach seiner Heimkehr als Feldarzt der russ. Armee in Dienste, practicirte zu Mohilew, dann zu Moskau und wurde hier Director eines Militairhospitals. Geboren zu Reval 1748, gestorben zu Moskau 1809. Schriftst.-Lex. I. S. 601.

300. 1777. Septbr. 22. **Ludowicus Ernestus Lupschewitz Curonus.** 30. J.

301. 1783. Octbr. 11. **Pierre Henri Blankenhagen Livoniensis.** Ann. acad. J. — Peter Heinrich Blankenhagen war der Sohn des Rigaschen Kaufmanns gleichen Namens, welcher 1759 den 30. März Rigascher Bürger, 1783 Aeltester der grossen Gilde, bei Einführung der Statthalterschaftsverfassung Beisitzer des Gouvernementsmagistrats wurde, sich in seinem Handelsgeschäfte ein bedeutendes Vermögen erworben hatte und die livländische öconomische und gemeinnützige Societät stiftete, zu welchem Zweck er 40,000 Thaler Alberts hergab. Auch erwarb er die

bedeutenden Landgüter Allasch, Judasch und Pullandorf. Peter Heinrich, der Sohn, erwarb, nachdem sein Vater am 7. Januar 1794 gestorben war, am 1. August 1794 pfandrechtlich das Landgut Drobbusch, welches er sich am 6. October 1806 eigenthümlich zuschreiben liess und es auf seinen Sohn, den Assessor Johan, vererbte. Er wurde 1795 mit seiner Mutter Eva Marie und seinen drei Brüdern Wilhelm, Johan und Christoph in die livländische Adelsmatrikel aufgenommen. Schriftst.-Lex. I. S. 182. Hagemeister, I. S. 58, 186. Tiesenhausen, Erste Fortsetzung, S. 59.

Erlangen.

1742.

---

1. 1743. Novbr. 19. **Joh. Chr. Baron von Rutenberg aus Curland Stud. jur.** Ueber die Familie Orgies, gen. Rutenberg, siehe Hupel n. nord. Misc. XIII. S. 344.

2. 1746. Januar 31. **Friedrich Magnus von Manteufel** gen. **Zöge aus Livland.** —. Ueber die Familie Manteufel siehe Hupel nord. Misc. XV—XVII. S. 305; n. n. Misc. XIII. S. 380.

3. 1750. Octbr. 8. **Christoph Türke aus Curland Stud. jur.**

4. — — **Otto Philipp Türke aus Curland Stud. jur.**

5. — — **Johann Heinrich Marggraf Stud. theolog.** Geb. zu Mitau den 30. December 1730 als Sohn des Kaufmanns und herzogl. kurländischen Factors Heinrich Christian Marggraff. Er soll Magister geworden sein. Buchholtz, Materialien.

6. — Novbr. 3. **Ernst Wilhelm von Brüggen aus Curland Stud. jur.** Ueber die Familie siehe Leydener Matr. Nr. 177. Er wurde 1760 königl. polnisch-sächsischer Kammerherr, nahm an den Landesverhandlungen in Kurland regen Antheil, wurde 1773 zum Landesbevollmächtigten erwählt, vermittelte als solcher die zwischen dem König von Polen und der kurländischen Ritterschaft entstandenen Misshelligkeiten, bewirkte die Allodification mehrerer in Besitz des Adels gewesener Güter, als der Herzog von Kurland sie als heimgefallene Lehngüter zu reclamiren suchte, opferte dabei einen Theil seines eigenen Vermögens, da er von den Betheiligten nicht den vollen Ersatz seiner Kosten erlangte, und trat nach vielseitiger Wirksamkeit von seinem Amte als Landesbevollmächtigter 1789 zurück, nachdem er schon 1788 seine Güter seinem Sohne Ernst Friedrich abgetreten hatte, um nunmehr der Ruhe zu pflegen. Er starb indess schon 1791. Zur Beförderung der Wohlfahrt seiner Bauern hatte er für sie ein Gesetzbuch entworfen. Inland 1850. Sp. 696—698.

7. 1751. Januar 8. **Joachim Heinrich Friesell aus Livland Stud. jur.**

8. 1752. Juli 24. **Ferdinand von Osten aus Curland.**

9. 1761. August 17. **Andreas Meyer aus Riga Stud. Theolog.** Er studirte auch zu Königsberg und Leipzig, kam 1765 in seine Vaterstadt zurück, wurde Kandidat des Predigtamts, predigte auch fleissig, gab aber 1769 die Theologie auf, unternahm eine Reise, trat 1771 in anspach-bayreuthische Dienste, lebte als Hofrath in Kulmbach und war dann seit 1797 sachsen-koburg- und sachsen-meiningenscher Postmeister zu Judenbach. Geb. zu Riga den 21. Februar 1742, gest. den 22. September 1807. Ueber ihn und seine versch. Schriften siehe Schriftst.-Lex. III. S. 210.

10. — August 26. **Johann Berthold Gorrkisky aus Riga Stud. theol.** Wohl Gorraisky zu lesen und wahrscheinlich ein Bruder des Aeltesten gr. G. Barthold Gorraisky.

11. — August 31. **Gotth. H. von Bullenbrock aus Riga.** —. Sohn des Lieutenants Heinrich Gotthardt von Buddenbrock, erbte von seinem Vater das Gut Neuhof im Cremonschen Kirchspiel in Livland und verkaufte es 1794 an den Landrath Ernst Reinhold Grafen Mengden für 30,000 Rthlr. Alb. Hagemeister, Material. I. S. 108.

12. 1765. Mai 5. **Philipp Karl von Schmauss aus Livland.**

13. — — **Karl Franz von Schmauss aus Livland.**

14. 1769. Octbr. 6. **Ad(am) L(udwig) Freiherr von Löwenwolde aus Livland.** Sohn des Barons Adam Friedrich v. Loewenwolde, Erbherrn auf Ilmazal und Lugden, machte nach Beendigung seiner Studien eine Reise durch Deutschland, Frankreich und Italien und starb in Genf an den Pocken den 15. Juli 1773. Inland 1858. Sp. 327.

15. — — **Otto Gustav Freiherr von Rosen aus Livland.** —. Ein Assessor Baron O. G. von Rosen besass 1780 das Gut Kayafer in Livland. Hagemeister, Material. II. S. 121. Baron Andreas von Rosen in seiner Skizze zu einer Familiengeschichte der Freiherrn und Grafen von Rosen nennt S. 53 einen Baron Otto Gustav von Rosen und besagt von ihm, dass er Erbherr von Kayafer und Verfasser einer handschriftlichen, viele Unrichtigkeiten enthaltenden sogenannten pragmatischen Geschichte der Freiherrlichen Familie von Rosen gewesen sei und zur

Gemahlin Theodosia Losansky gehabt habe, ohne Weiteres von ihm, auch nicht die Zeit seines Lebens, anzugeben. Dieser scheint der Erlangensche Student gewesen zu sein.

16. 1770. Decbr. 31. **Otto Fabian Sivers aus Reval Stud. jur.**

17. 1771. März 5. **Jacob Johann Schnetter aus Livland Stud. theolog.** Vielleicht ein Sohn des Oberpastors zu Pernau, Georg Mathäus Schnetter (gest. 1768). Schriftst.-Lex. II. S. 105.

18. — Octbr. 4. **Johann Georg Rüsen aus Riga Stud. theolog.**

19. 1772. Octbr. 5. **Karl Heinrich Eysingk aus Riga Stud. theolog.** Geb. den 15. Febr. 1753, studirte auch zu Leipzig, ward rig. Stadtcandidat den 4. August 1777, livl. 1780; Pastor zu Arrasch 1780, zu Uexküll und Kirchholm 1787. Gest. zu Riga am 29. März 1804. Napiersky, Kirchen und Prediger. Heft 2, Thl. 1. S. 65.

20. — — **Ignaty Franz Hackel aus Livland Stud. theolog.** Geb. zu Riga den 5. Novbr. 1748; er wurde rigascher Stadtcandidat 1777, livl. Candidat 1778, Pastor zu Salis 1778, feierte am 9. September 1828 sein fünfzigjähriges Amtsjubiläum und am 20. Juni 1829 seine goldene Hochzeit mit Barbara Rosina geb. Windhorst. Er wurde den 11. Septbr. 1829 Ehrenmitglied der lettisch-litterärischen Gesellschaft und starb den 31. Mai 1836. Napiersky, Kirchen und Prediger. Heft 3, Thl. 2. S. 1.

21. — — **Andreas Steyl aus Livland Stud. jur.** Ein Heinrich Andreas Steyl, Glaser, wurde den 20. Septbr. 1740 Rig. Bürger.

22. 1773. Septbr. 23. **Dettloff Georg Meyer aus Riga Stud. theolog.** Geb. zu Riga den 7. Mai 1750, wurde rig. Stadtcandidat den 24. Octbr., livl. Candidat den 1. December 1776, Pastor zu Adsel 1780, verehelichte sich 1780 mit Anna Charlotte Eysingk und starb den 3. Juli 1819. Napiersky, Kirchen und Prediger. Heft 3, Thl. 2. S. 75.

23. — Novbr. 1. **Nicolai Christ. von Stempel aus Curland.** Ueber die Familie Stempel siehe Hupel n. n. Misc. XIII. S. 375.

24. 1774. Mai 2. **Karl Gabriel Schrell aus Mitau Stud. theolog.**

25. 1775. Septbr. 22. **David Christian Seefels aus Livland Stud. theolog.**

13*

26. 1776. April —. **Otto Friedrich Gustav von Rosen aus Livland.** Ein Otto Friedrich Gustav wird wohl in der Stammtafel der Rosen von Klein-Roop und Raiskum, welche der Skizze der Familiengeschichte der von Rosen von Baron Andreas von Rosen beigelegt ist, erwähnt, sonst aber über ihn in dieser Schrift nichts angeführt.

27. 1777. Octbr. 14. **Paul Melchior von Essen aus Riga Stud. theolog.** Wohl ein Sohn des verdienten Rig. Oberpastors Immanuel Justus von Essen (gest. 1780). Er kommt unter den Predigern Liv-, Ehst- und Kurlands nicht vor; er ist daher wohl entweder im Auslande verblieben oder früh gestorben, oder hat einen andern Lebensberuf erwählt.

28. 1778. Octbr. 15. **Peter Christoph Hilde aus Riga Stud. theolog.** Geb. zu Wolmar den 5. Novbr. 1758, wurde Pastor zu Ubbenorm 1784 und starb den 8. Novbr. 1789. Napiersky, Kirchen und Prediger. Heft 3, Thl. 2. S. 15, wo er Peter Christlieb genannt wird.

29. — Octbr. 20. **Johann Melchior Knieriem aus Riga Stud. jur.** Geboren zu Riga den 27. Octbr. 1758; er studirte auch zu Tübingen. Nach Beendigung seiner Studien ward er Hauslehrer beim Reichsgrafen Degenfeld in Schwaben und kam 1782 mit der Absicht nach Riga, für immer von seiner Vaterstadt und seiner Familie Abschied zu nehmen. Die hier gemachte Bekanntschaft mit seiner nachherigen ersten Gattin Christine Elisabeth Holst veranlasste ihn jedoch, seine Absicht zu ändern. Er ging zwar zunächst zur Erfüllung seiner übernommenen Verpflichtung nach Schwaben zurück, kehrte aber nach vier Jahren wieder heim und trat 1786 in die Dienste des damaligen Gouvernements-Magistrats, wurde 1787 Secretair des Amts- und Kämmerei-Gerichts und 1806 in den Rath gewählt. Er starb den 15. Juni 1817. Rig. Rathsl. S. 235.

30. — — **Jacob Heinrich Gorraisky aus Riga Stud. jur.** Sohn des (Dockmanns) Aeltesten der gr. Gilde zu Riga Barthold Gorraisky, geb. im Januar 1760, gest. als Student in Erlangen im Juni 1781. Die von M. Albrecht Beyer gehaltene Leichenrede ist gedruckt; ein Exemplar derselben bewahrt die Rigasche Stadtbibliothek. Buchholtz, Materialien.

31. 1778. Octbr. 20. **Karl Friedrich Walter aus Riga Stud. theolog.** Geb. zu Riga den 20. December 1757. Er studirte auch zu Göttingen von 1780—1782 und wurde nach seiner Heimkehr 1783 Pastor zu Rodenpois, Allasch und Wangasch. Gest. den 1. April 1815. Napiersky, Kirchen und Prediger. Heft 4, Thl. 3. S. 93. Schriftst.-Lex. XV. S. 468.

32. 1779. Novbr. 11. **Gotthard Gerike aus Riga Stud. theolog.** Sohn des Pastors zu St. Gertrud in Riga Joh. Christoph Gericke aus dessen erster Ehe mit Christine Sophie Haltermann, Tochter des Rathsherrn Justus Joh. H. Er soll in einem Anfall von Schwermuth seinen Tod in den Wellen gefunden haben. **Buchholtz,** Materialien.

33. 1780. Januar 22. **Arend Berens aus Livland Stud. jur.** Sohn des Rigaschen Rathsherrn Gottfried Berens (Rig. Rathsl. S. 217), geb. 1759, ging 1778 zuerst nach Göttingen, dann nach Erlangen, gegen Ende des Jahres 1781 nach Jena und kehrte im Herbst 1782 nach Riga zurück, wo er in die Kanzlei des Raths eintrat. Im Februar 1783 ging er nach Moskau, um, wie es in den Publicis des Raths vom 3. Februar 1783 heisst, durch die Erlernung der russischen Sprache sich zum Dienst seiner Vaterstadt desto mehr zu habilitiren. Später ist er jedoch in die militärische Laufbahn eingetreten und zu Wilna oder Warschau noch in jungen Jahren verstorben. (Dies nach Familiennachrichten.)

34. 1781. Septbr. 29. **Wilhelm Gottlieb Hirtz aus Livland Stud. theolog.** Ein Sohn des Pastors zu Audern Heinrich Ernst Hirtzius († 1793). In Buchholtz' Materialien wird er Gottlieb Wilhelm genannt und soll Dr. med. geworden sein.

35. — Octbr. 8. **Gottfried** (wohl **Gotthard**) **Friedrich Bornmann aus Livland Stud. theolog.** Geb. zu Riga von sehr rechtschaffenen Aeltern, wurde er nach Beendigung seiner Studien, als der Oberwochenprediger Dr. Gottlieb Schegel einem Rufe als Generalsuperintendent und Prokanzler der Universität nach Greifswald im Jahre 1790 folgte, Diacon am Dom, aber im Jahre 1792, weil er durch einen ärgerlichen Vorfall Anstoss gegeben hatte, als Pastor nach Pinkenhof versetzt. Er verehelichte sich 1794 mit

Catharina Elisabeth von Roggenbau. Als er wieder nun einmal bei einer Festfeier in den Fehler gefallen war, durch einen starken Rausch die Würde seines Amts verletzt zu haben, wurde er im Jahre 1798 auf eine Zeit lang vom Amte suspendirt. Handschriftl. Annales Ecclesiastici Rigouses. S. 56, 57, 67.

36. 1781. — **Johann Gotthardt Langewitz aus Livland Stud. theolog.** Geb. zu Riga den 29. März 1762, wurde 1787 Pastor zu Lemburg und 1791 Pastor zu Ronneburg in Livland. Gest. den 16. November 1812. Napiersky. Kirchen und Prediger. Heft 3, Thl. 2. S. 48. Schriftst.-Lex. III. S. 19.

37. — Octbr. 18. **Georg Johannsohn aus Mitau Stud. med.**

38. 1782. Febr. 25. **Reinhold von Aderkas aus Livland.** Gebürtig aus Sallajöggi, unweit Reval in Ehstland, Sohn des Majors Wilhelm Reinhold von Aderkas, Erbherr von Tackfer und Sallajöggi, hatte die Hohe Karlsschule zu Stuttgart vom 21. Septbr. 1781 bis 19. Febr. 1782 besucht. Hupel n. Misc. XVIII. S. 25. Nord. Rundschau 1884. S. 263.

39. — März 7. **Friedrich Emanuel Freiherr von Ungern-Sternberg aus Livland.** —. Geb. den 28. April 1763, ging 1781 auf die Karlsschule in Stuttgart, studirte in Erlangen bis 1784, wurde 1786 Secretair der ehstl. Ritterschaft, 1791 Tribunalsrath, 1800 bis 1802 Vicecurator der Universität Dorpat, 1810 Landrath, besass die Güter Putkas auf Dagö 1791—97, Linden 1797—1802, Tilsit bei Werro 1803—1805 und Hoistfer 1805. Gestorben den 6. Juni 1825. Russwurm, Geschlecht der Ungern-Sternberg, Thl. 2, S. 51.

40. — August 22. **Ernst Anton Truhart aus Livland Stud. jur.** Sohn des Rigaschen Stadtphysicus Anton Truhart; er wurde nach Beendigung seiner Universitätsstudien 1787 Protocollist beim Polizeiamt in Riga, 1788 Secretair und 1797 Mitglied des Rig. Raths. Im Jahre 1800 nahm er seinen Abschied und zog auf's Land. Im Jahre 1806 wurde er Recognitions-Inspector und nach Eingang dieses Amts im Jahre 1811 Getränkesteuer-Verwalter. Er verheirathete sich 1788 mit Catharina Juliane Poorten und starb den 2. März 1835. In den Jahren 1806 und 1807 gab er eine Monatsschrift: „Fama für Deutsch-Russland," heraus. Rig. Rathsl. S. 231.

41. 1783. April 28. **Karl Heinrich von Bär aus Livland.** —. Der Onkel des berühmten Naturforschers Geheimeraths Dr. Karl Ernst von Baer, von dem dieser in seiner Selbstbiographie, St. Petersburg 1866, S. 5 u. ff., erzählt. Er lebte auf seinem Landgute Lassila in Wierland, verheirathet mit einer Baronesse Kanne aus Koburg. Da seine Ehe kinderlos blieb, nahm er ein Paar Kinder seines Bruders, darunter den Karl Ernst, zu ihrer Erziehung zu sich.

42. — — **Johan Magnus von Bär aus Livland.** —. Ein jüngerer Bruder des Vorigen, Vater des Geheimeraths Dr. Karl Ernst von Baer. Die Mutter des letztern, Julie von Baer, war eine Cousine seines Vaters. Magnus von Baer war Besitzer der Güter Piep und Selli in Ehstland und Mannrichter, dann Ritterschaftshauptmann und Landrath in Ehstland. Vergl. Buchholtz, Materialien. Landrolle des ehstländ. Gouv.; angefertigt im Jahre 1818. S. 37, 43.

43. — Septbr. 22. **Matthias Poorten aus Kurland Stud. jur.** Er war ein Sohn des Pastors zu Katlakaln und Olai Mag. Georg Poorten (gest. 1799), wurde geboren den 5. Januar 1764, entsagte der juristischen Laufbahn und wurde Arrendator zu Holmhof. Gest. den 6. Mai 1832. Buchholtz, Materialien.

44. — Septbr. 30. **Eberhard Ferdinand von Gohr aus Curland.** Gebürtig aus Sackenhausen in Kurland. Sohn eines Mannrichters, war vom 14. September 1782 bis 14. September 1783 Zögling der Hohen Karlsschule zu Stuttgart gewesen. Die Gohr sind ein in Kurland ansässiges Adelsgeschlecht gewesen. Hupel, n. nord. Misc. XIII. S. 181. Nord. Rundschau 1884. S. 253.

45. — — **Wilhelm von Gohr aus Curland.** —. Des Vorigen Bruder, welcher mit ihm gleichzeitig die Hohe Karlsschule besucht hatte.

46. 1784. Mai 5. **Matthias Wilhelm Willemsen aus Kurland Stud. theolog.**

47. — Mai 10. **Christ. Friedr. Schroeder aus Livland Stud. theol.**

48. 1785. April 14. **Gotthard von Budberg aus Livland Stud. jur.** In Buchholtz' Materialien findet sich eine wohl auf Vorstehenden bezügliche Notiz. Es heisst daselbst: Gotthard

Magnus von Budberg, geboren den 6. Mai 1765, Erbherr auf Sennen, studirte 1786 im Auslande, wurde Ordnungsrichter und lebte 1835 kinderlos in Werro. Er war 1789 verheirathet mit Henriette von Fries aus Wien. Geb. den 14. Jan. 1767." Nach Hagemeister, Materialien II, S. 61 übernahm in einem geschwisterlichen Theilungstraktat vom 30. Mai 1793 Gotthard Magnus von Budberg Sennen für 27,000 Rbl. S., verkaufte dieses Gut jedoch am 20. October 1821 dem Artillerie-Junker Ludwig Gotthard Baron Budberg für 39,658 Rbl. S.

49. 1785. April 14. **Reinhold Wilhelm von Budberg.** In Buchholtz' Materialien heisst es von diesem: „Getauft den 20. December 1773 *(was wohl schwerlich richtig sein kann)*, hatte 1786 im Auslande studirt, war 1793 Erbherr von Hohenheide, verkaufte dieses Gut 1796 und war 1828 seit einigen Jahren Docent im Lyceum zu Zarskoje Selo. Verheirathet mit Gustava von Krusenstiern." Nach Hagemeister, l. c., wurde im Jahre 1793 das Gut Hohenheide von Sennen abgetheilt. Durch den geschwisterlichen Theilungsvertrag vom 30. Mai 1793 übernahm Reinhold Wilhelm von Budberg Hohenheide für 20,000 Rbl., welches er den 12. November 1796 für 37,000 Rbl. dem Obristlieutenant Otto Johann Gustav von Oettingen verkaufte.

50. — Septbr. 3. **Georg Andreas Weitzenberger aus Riga Stud. med.** Vielleicht ist Weitzenbreyer zu lesen, der Name einer im vorigen Jahrhundert in Riga ansässigen Familie. Von dem Vorstehenden hat jedoch nichts erfahren werden können.

51. — October 24. **Karl Reinhold Scheell aus Livland Stud. theolog.**

52. 1786. April 11. **Samuel Reinhold Winckler aus Reval Stud. med.** Sohn des Pastors und Superintendenten zu Reval, Johann Reinhold Winckler, geboren den 24. April 1764, studirte von 1782—1786 Medicin zu Göttingen, Berlin und Wien, ging dann nach Erlangen, wo er 1786 promovirte, kam 1787 in sein Vaterland zurück, wurde Kreisarzt zu Baltischport, dann zu Reval, darauf Mitglied der Medicinalverwaltung, Staatsrath und Ritter, feierte den 17. November 1836 sein fünfzigjähriges Doctorjubiläum, zog sich darauf von seinen Geschäften auf sein Höfchen

Schwarzenbeck zurück und starb hochgeachtet den 26. Mai 1839. Schriftst.-Lex. IV. S. 534. Beise, Nachtrag II. S. 277. Inland 1836. Sp. 887.

53. 1786. Novbr. 2. **Thomas Friedrich Sabler aus Reval Stud. med.** Wohl ein Sohn des Oberpastors und Propstes zu Reval Thomas Sabler (gest. 1797).

54. 1787. Octbr. 15 **Gustav Schwartz aus Riga Stud. med.** Sohn des Bürgermeisters Johann Christoph Schwartz (Rig. Rathsl. S. 216), geb. den 3. Juli 1765, wurde 1791 in Jena Dr. med. et chirurg. und liess sich darauf als Arzt in Goldingen nieder. Gest. im November 1799. Buchholtz, Materialien.

55. — — **David Georg Kurtzwig aus Riga Stud. med.** Geb. zu Riga den 4. Octbr. 1764, hatte seit 1784 die Universität Jena besucht, wo er auch 1788 zum Doctor der Medicin promovirt wurde, wandte sich nach Erlangen, um das damals berühmte Klinikum des Geh. Hofraths Dr. Wendt zu benutzen, und wurde nach seiner Heimkehr 1790 Arzt bei dem Rigaschen Feldhospital, 1791—1797 Pernauscher Stadtphysicus, 1798 Rig. Kreisarzt und 1804 Inspector der livländischen Medicinalverwaltung und verwaltete dieses Amt bis zum Jahre 1829, in welchem er auf seine Bitte eine ehrenvolle Entlassung erhielt. Gestorben am 27. Juni 1834. Rig. Stadtbl. 1834. S. 213.

56. 1788. April 10. **Gustav Johann Jaeger aus Livland Stud. med.**

57. — April 18. **Carl Magnus Boye aus Reval Stud. jur.**

58. — Juli 29. **Karl Elsenberg aus Reval Stud. med.**

59. — August 29. **Heinrich Dubargh aus Reval Stud. med.** Wahrscheinlich Hermann Duborgh zu lesen. Dieser war geb. zu Reval den 2. Juni 1769, studirte anfangs Medicin zu Erlangen, darauf Jurisprudenz zu Göttingen, erwarb sich hier die juristische Doctorwürde, kehrte 1794 nach Ehstland zurück, wurde Auscultant im Oberlandgericht zu Reval, sodann Commerzofficial beim Revalschen Magistrat, im Jahre 1806 Rathsherr zu Reval und starb den 23. December 1811. Schriftst.-Lex. I. S. 457. Rev. Rathsl. S. 92.

60. 1789. Mai 6. **Johann Jacob Müller aus Riga Stud. theol.**

61. 1791. Mai 6. **Johann Fromhold Poppen aus Livland Stud. theolog.** Sohn des gleichnamigen Pastors zu Kusal in Ehstland (gest. 1777), geb. den 28. Juni 1770, studirte auch zu Jena, wurde 1794 Pastor zu Harjel und starb den 3. März 1811. Schriftst.-Lex. III. S. 347. Napiersky, Kirchen und Prediger, Heft 3, Thl. 2. S. 116.

62. — — **Justus Heinrich Wiegand aus Livland Stud. med.** Sohn des Pastors an der St. Nicolaikirche zu Reval, Heinrich Wilhelm Wigand (gest. 1810). Geb. den 1. Sept. 1769, legte auf der Ritter- und Domschule zu Reval den Grund seiner wissenschaftlichen Bildung, bezog 1788 die Universität Jena und 1791 Erlangen. Nachdem er 1792 Dr. medicinae geworden war, besuchte er zu seiner weitern Ausbildung noch einige practische Heilanstalten des Auslandes. Nach seiner Rückkehr in die Heimath ging er nach St. Petersburg, um sich hier als Arzt examiniren zu lassen; ein Vorfall bewog ihn aber, die Residenz wieder zu verlassen und nach Hamburg zu gehen. Hier wirkte er mit grossem Ruhm als practischer Arzt bis 1814. Seiner durch übermässige Anstrengungen in Berufsarbeiten geschwächten Gesundheit wegen nahm er seinen Wohnsitz zuerst in Heidelberg, sodann 1815 in Mannheim, starb aber schon am 10. Febr. n. St. 1817. Er war auch literarisch sehr thätig, indem er viele Schriften medicinischen Inhalts theils selbstständig, theils in medicinischen Zeitschriften herausgab. Schriftst.-Lex. IV. S. 508 —512.

63. — Septbr. 30. **Karl Friedrich Behm aus Livland Stud. med.**

64. 1792. August 13. **Otto Johann von Rittern aus Livland.** —.

65. — August 26. **August Wilhelm Eberhard aus Livland Stud. jur.**

66. — August 31. **Reinhold Wetterstrand aus Livland Stud. jur.** Er wurde nach Beendigung seiner Studien zuerst als Commercien-Official in Reval angestellt, sodann 1803 Waisengerichtssecretair, 1811 Rathssecretair, nach seinem in demselben Jahre genommenen Abschied Advocat und im Jahre 1831 zum Revalschen Rathsherrn erwählt; Kränklichkeit halber nahm er jedoch schon 1834 seinen Abschied. Rev. Rathsl. S. 140.

67. 1793. April 22. **Bernhard Georg Valemann aus Reval Stud. theol.**

68. 1794. Octbr. 17. **Peter Heinrich von Körber aus Livland.**

69. 1795. Mai 3. **Heinrich von Schroeder aus Livland Stud. jur.**

70. 1796. Juli 25. **Georg Wilhelm von Wettberg aus Curland.** Majoratsherr auf Brückenhof und Erbherr auf Wiedaushof; geboren den 6. Juni 1775, gestorben den 10. April 1835. Buchholtz, Materialien.

Im achtzehnten Jahrhundert finden sich keine weiteren Immatriculationen von Livländern.

Erfurt.

Fortsetzung, zweite Hälfte von 1492—1636.

65. 1492, n. Ostern. **Erhardus von der Beck de Darpt.**

66. 1503, n. O. **Johannes Becker de Livonia.** Vielleicht derselbe Johannes Becker, welcher 1506 zu Rostock und 1513 zu Wittenberg immatriculirt und 1523 katholischer Priester zu Kusal oder St. Laurentii in Harrien und später erster lutherischer Prediger daselbst war. Siehe Rostock Nr. 227 und Wittenberg Nr. 1.

67. 1517, nach Michaelis. **Heinricus Kracht de Wolmaria.**

68. 1547, n. M. **Andreas Hagensis de Revalia Livonie.**

69. 1603, n. M. **Henricus Fabricius Revaliensis ex Livonia.** Wahrscheinlich ein Sohn des aus Erfurt gebürtigen Heinrich Fabricius, welcher letztere von 1585—1593 Pastor zu Hannchl oder St. Pauli in Ehstland war und später nach Livland gegangen zu sein scheint. Paucker, Geistlichkeit. S. 300.

70. 1623, n. M. **Antonius Forlon Riga Livonus.**

Register der Immatriculirten.

P. = Prag. K. = Köln. E. = Erfurt. H. = Heidelberg. R. = Rostock. R.N. = Rostocker Nachtrag. W. = Wittenberg. L. = Leyden. Erl. = Erlangen.

Die ersten beigefügten Zahlen bezeichnen das Jahr der Immatriculation, die andern weisen auf die Nummerfolge in den einzelnen Matrikelauszügen hin.

C.

D.

E.

F.

H.

I. (J.)

K.

M.

S.

T.

V.

W.

Berichtigungen und Ergänzungen.

S. 4, Nr. 8. Nicolaus Ergemes de Liphonia befindet sich im Jahre 1385 als artium Magister regens — als solcher war er zu Vorlesungen verpflichtet, — in Wien. Vergl. Aschbach, Geschichte der Wiener Universität, S. 618.
S. 8, Nr. 32 statt Eugwaldus lies Engwaldus.
S. 11, Nr. 10 setze hinzu: clericus Rigensis diocesis.
S. 17, Nr. 16 statt 1406 lies 1416.
S. 17, Nr. 23. Ueber Gerhardus Schere de Livonia theilt C. Mettig Folgendes mit: Derselbe führt als Domherr von Reval und Caplan des Cardinals des heiligen Sixtus den Titel „Magister" und beansprucht eine Vicarie, die ihm Woldemar von Wrangel widerrechtlich vorenthält. Vergeblich wendet er sich an den Hochmeister, dem 1452 vom Meister ein Zeugniss des Revaler Raths über die Unwürdigkeit des Magisters Gerhard Schere übermittelt wird, damit er sich desselben in Rom gegen Schere bediene. Vgl. Sitzungsberichte der Gesellschaft für Geschichte und Alterthumskunde von den Jahren 1882 und 1883. S. 71. Rigasche Zeitung 1883. Nr. 237.
S. 24, Nr. 8 statt Rule lies Kule.
S. 25, Zeile 16 von oben statt ever lies erer.
S. 25, Zeile 19 von oben statt denken lies danken.
S. 27, Nr. 15 statt Racke lies Placke.
S. 39, Nr. 108 in dem Wittenberger Matrikelauszug nicht 58, sondern 56.
S. 39, Nr. 109 statt Vadeken lies Vadenen.
S. 42, Nr. 125 statt 1481 lies 1480 und statt Wetborch lies Witberch.
S. 46, Nr. 176 statt Meyh lies Meyg.
S. 52, Nr. 256 statt Canenko lies Caninko.
S. 52, Nr. 263. Johannes Becker war der Sohn des Rathsherrn Johann Becker und Pastor der St. Jacobi-Kirche zu Riga; er starb den 25. Mai 1544. Vgl. Mittheil. Bd. XIII., S. 313, 323, 325, 347.

S. 55, Nr. 300 füge hinzu: Dorp. Jahrb. III., S. 297, Anm.
S. 56, Nr. 318 statt 41 lies 42.
S. 57, Nr. 321 füge hinzu: Mittheil. Bd. XIII., S. 352, 360, 368, 374.
S. 59, Nr. 340. Der immatriculirte Joannes Baumgartn[illegible] ist wahrscheinlich ein Sohn des im Jahre 1543 vorkommenden Rigaschen [illegible]brectors Mattheus Baumgartner. Vgl. Mittheil. XIII., S. 317.
S. 59, Nr. 341 statt Wittenberg Nr. 62 lies Wittenberg Nr. 60.
S. 61, Nr. 362 füge hinzu: Mittheil. XIII., S. 377.
S. 62, Nr. 367 füge hinzu: Mittheil. XIII., S. 372, 391, 400.
S. 63, Nr. 372 statt Rigasche lies Rigascher.
S. 64, Nr. 379 füge hinzu: Mittheil. XIII., S. 372, 393.
S. 66, Nr. 395. Wahrscheinlich der am 10. April 1576 in jungen Jahren zu Riga verstorbene Sohn des Hans Lindemann und seiner Ehef[illegible]n Catharina thom Berge, der Tochter des Bürgermeisters Johann [illegible] Vgl. Mittheil. XIII., S. 338, 372.
S. 66, Nr. 398 füge hinzu: Mittheil. XIII., S. 385, 391.
S. 67, Nr. 401 füge hinzu: Mittheil. XIII., S. 375, 391.
S. 67, Nr. 407 füge hinzu: Mittheil. XIII., S. 380.
S. 70, Nr. 422 füge hinzu: Mittheil. XIII., S. 391.
S. 70, Nr. 428 füge hinzu: Mittheil. XIII., S. 387.
S. 74, Nr. 446 statt Nr. 388 lies Nr. 389.
S. 75, Nr. 449 füge hinzu: Mittheil. XIII., S. 401.
S. 75, Nr. 452. M. Wenceslaus Lemke, der Vater, starb am 23. April 1571. Mittheil. XIII., S. 369.
S. 79, Nr. 489 füge hinzu: Mittheil. XIII., S. 394.
S. 80, Nr. 491 statt Wohlfeldt lies Wolfeldt.
S. 83, Nr. 522 statt Hemboldus lies Helmboldus.
S. 84, Nr. 532 statt 1523 lies 1623.
S. 85, Nr. 544 statt Nr. 437 lies Nr. 438.
S. 99, Nr. 658 statt (648) lies (649).
S. 101, Nr. 675 lies am 12. September desselben Jahres.
S. 102, Nr. 668 statt des Gleichnamigen lies Johannes Struborgius.
S. 123, Nr. 877 statt in lies an.
S. 124, Nr. 883 statt Nr. 875 lies Nr. 880.
S. 140, Nr. 6 statt habe lies habe.
S. 141, Nr. 15 füge hinzu: Mittheil. XIII., S. 331, 344, 365, 398.
S. 142, Nr. 20 füge hinzu: Mittheil. XIII., S. 340, 342.
S. 143, Zeile 2 ist der Punkt, welcher nach dem Worte „Familie“ steht, vor dem Worte „über“ zu setzen und dieses Wort mit einem grossen Anfangsbuchstaben zu schreiben.
S. 146, Nr. 53 vgl. Mittheil. XIII., S. 366, wo eines Reinhold Romberch als von Venedig kommend im Jahre 1567 erwähnt wird.
S. 146, Nr. 55 statt 1546 lies 1556.
S. 147, Nr. 67 füge hinzu: Vgl. Mittheil. XIII., S. 373.
S. 147, Nr. 69 ist als Jahr der Immatriculation 1557 zu setzen.
S. 148, Nr. 70 ist als Jahr und Tag der Immatriculation zu setzen 1557, September 21.
S. 148, Nr. 74 füge hinzu: Mittheil. XIII., S. 365.
S. 149, Nr. 75 füge hinzu: Mittheil. XIII., S. 365, 370, 388.
S. 149, Nr. 77. Rötger Saleborch war nicht Kaufmann, sondern Aeltermann der kl. Gilde. Mittheil. XIII., S. 316, 318.
S. 150, Nr. 83 füge hinzu: Mittheil. XIII., S. 370.
S. 165, N. 113. In der Leydener Matrikel steht Kerff, ohne Zweifel ist aber wohl Korff zu lesen.
S. 180, Nr. 216 statt Lutterman lies Laterman.

ynkel
Wytte,